科学と芸術

自然と人間の調和

酒井邦嘉［監修］
日本科学協会［編］

中央公論新社

図１－１　千住博《ウォーターフォール》
2012年／OUBセンター（シンガポール）（撮影：Nacasa & Partners Inc.）

図１－２　千住博
《高野山金剛峯寺襖絵》
2020年奉納
（撮影：Nacasa & Partners Inc.）

図２－１　上：大乗現生マンダラ　下：金剛場マンダラ
（チベット ペンコルチューデ仏塔 15世紀前半）

図２－２　山王宮曼荼羅
（奈良国立博物館所蔵 1447年）

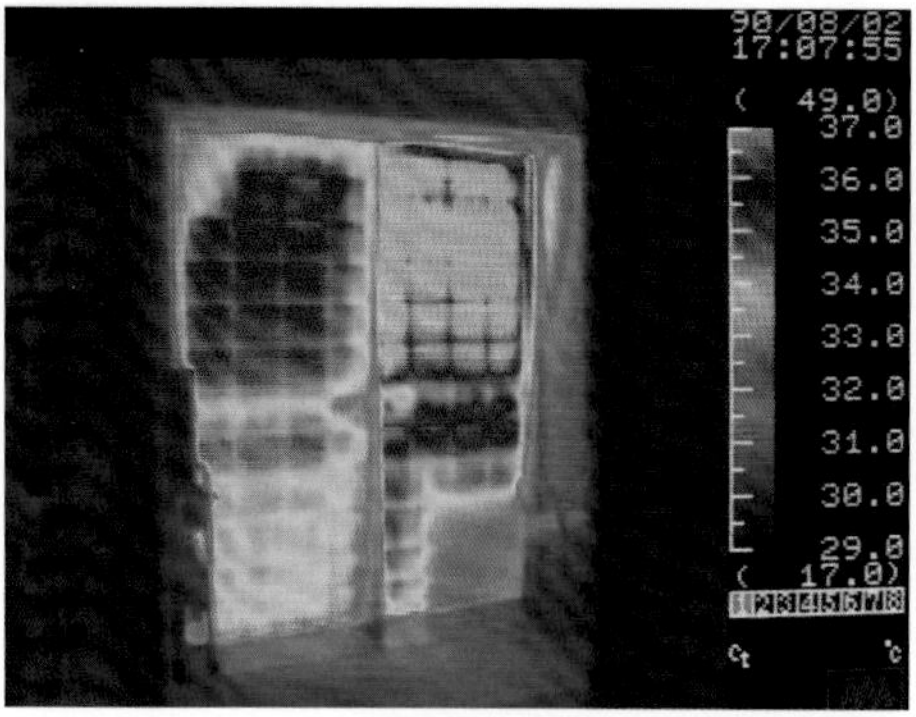

図３－１　夏、西日を受けたガラス窓の内側に取りつけられた襖（室内側から収録した熱画像）

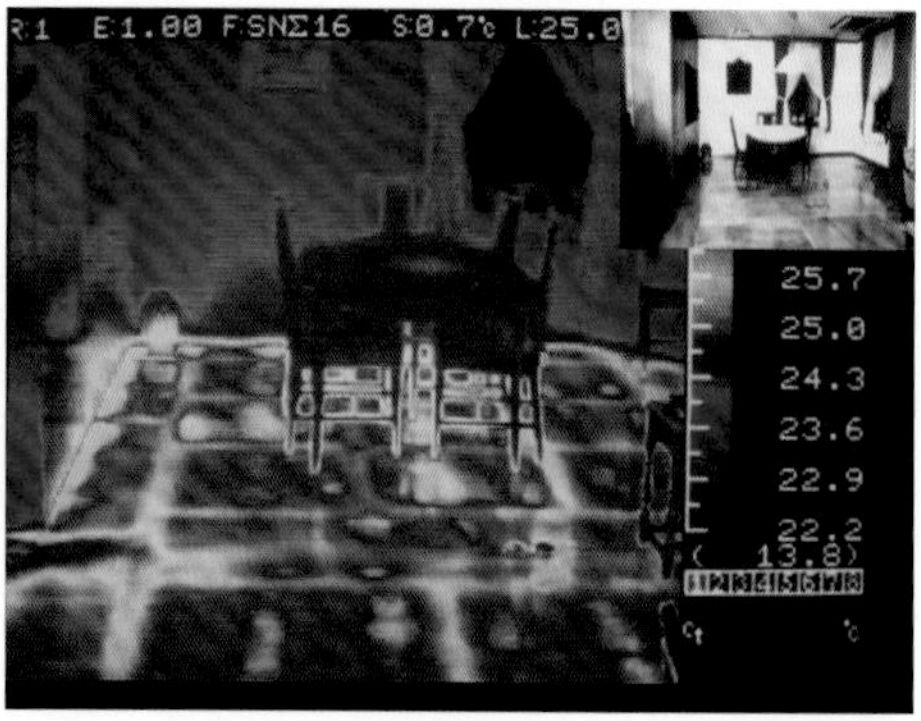

図３－２　冬、全面床暖房された部屋の熱画像

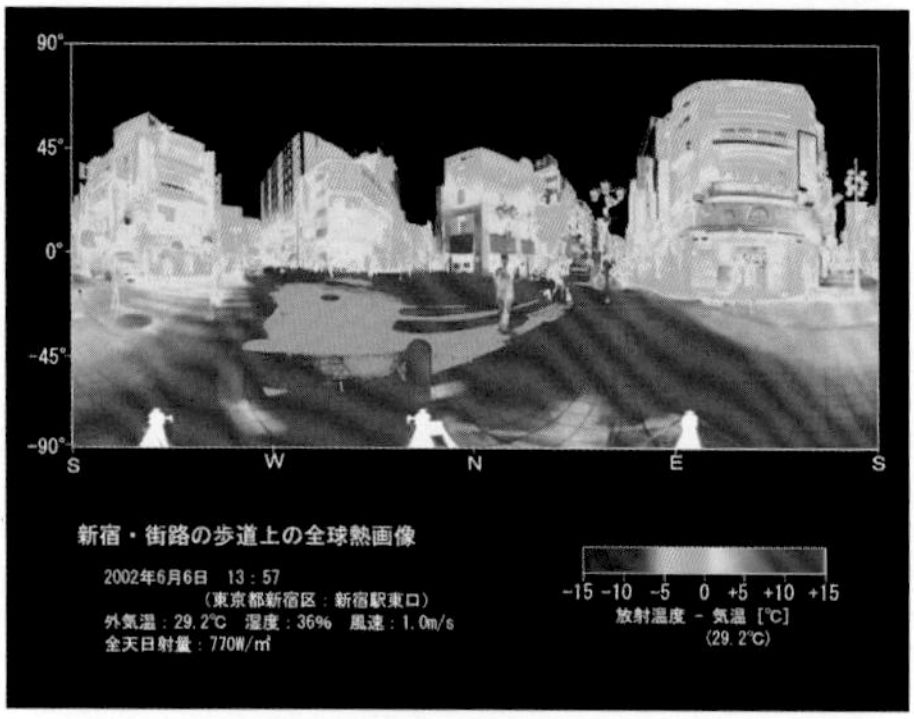

図３－３　商業空間の歩道に立った私（夏の晴天日の昼の全球熱画像）

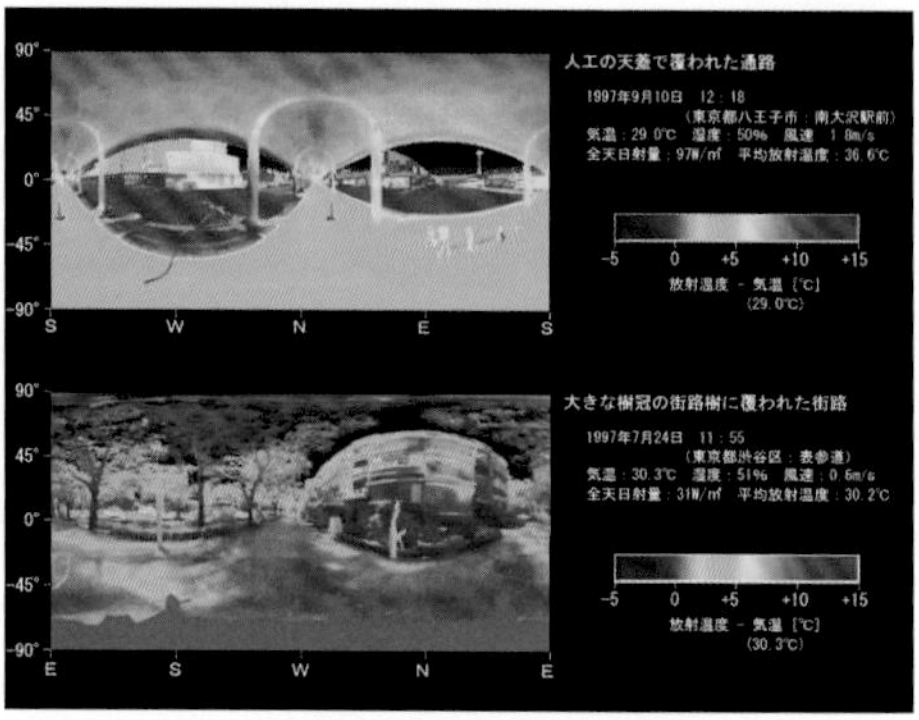

図３－４　人工天蓋の下（上図）と並木の下（下図）の私（夏の晴天日の昼の全球熱画像）

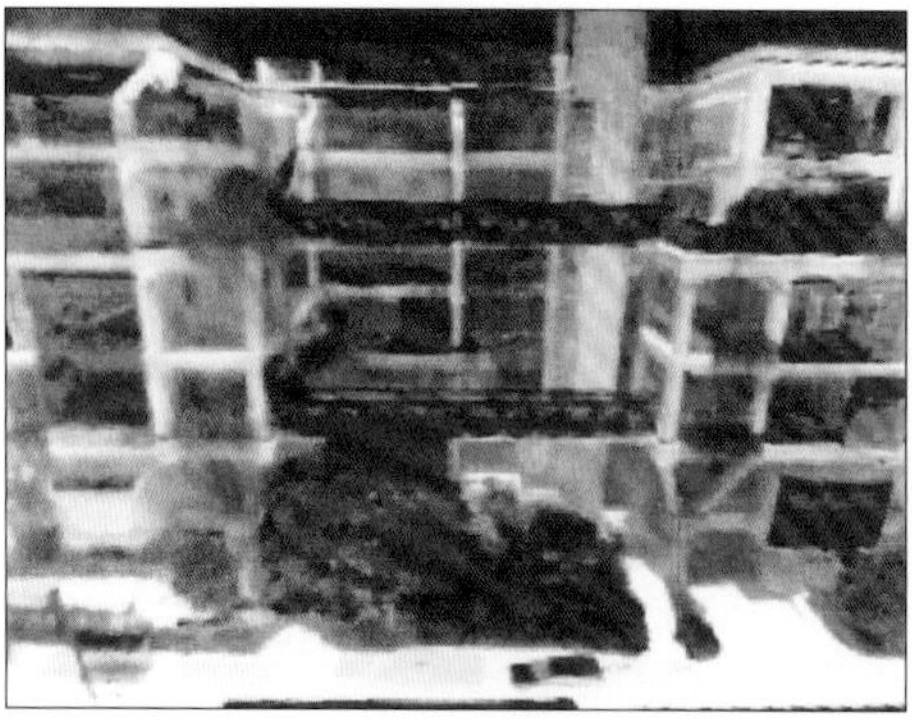

図３－５　NEXT21の夏の晴天日、朝・昼・夜の熱画像を合成した画像（赤、緑、青の加算混合）

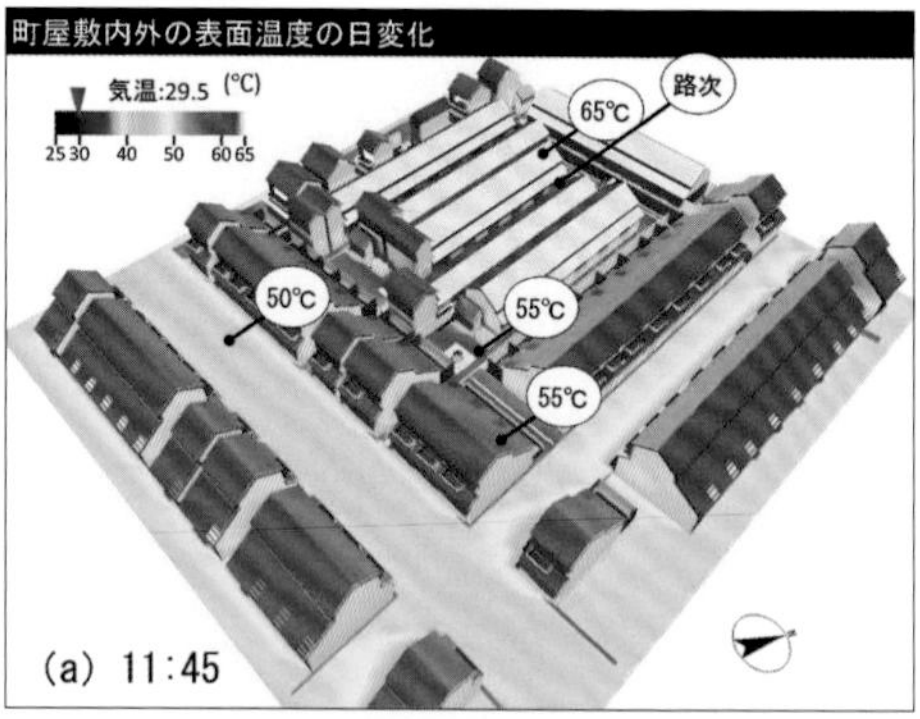

図３－６　夏の晴天日11:45の、町屋敷の表面温度分布

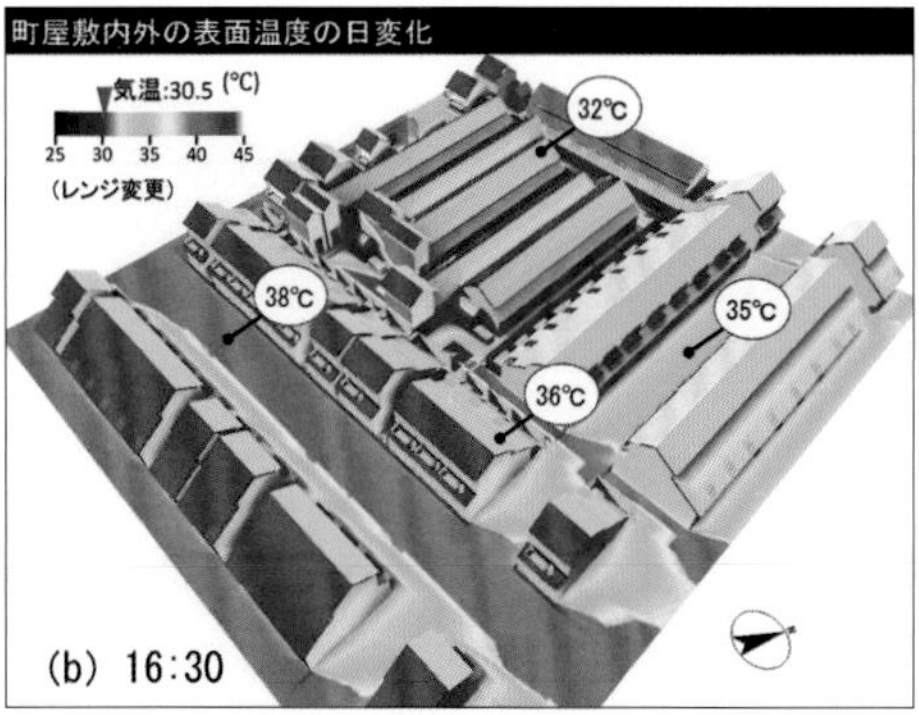

図３－７　夏の晴天日16:30の、町屋敷の表面温度分布

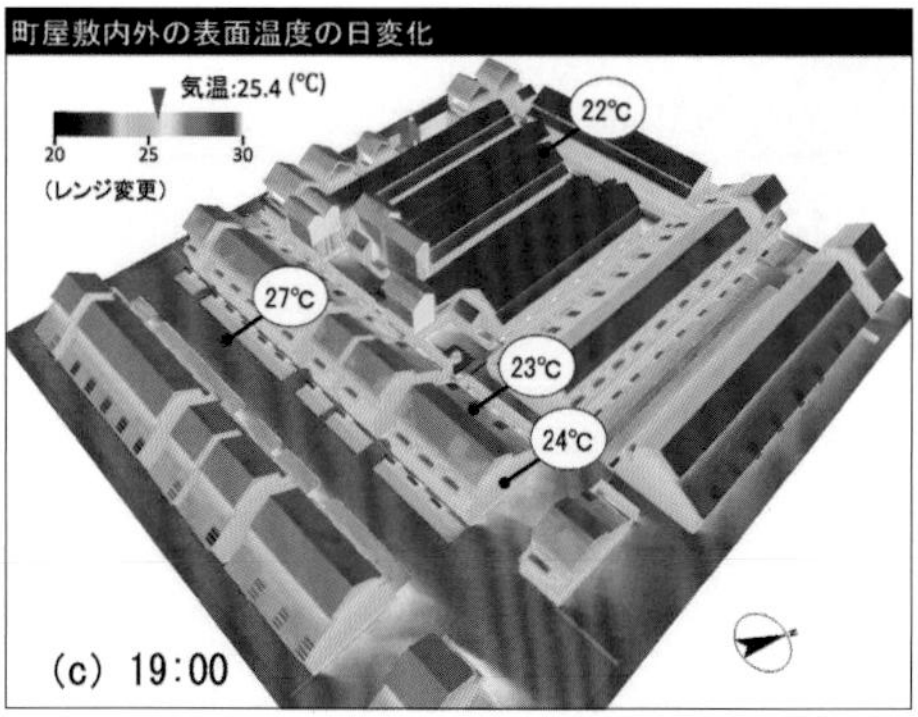

図３－８　夏の晴天日19:00の、町屋敷の表面温度分布

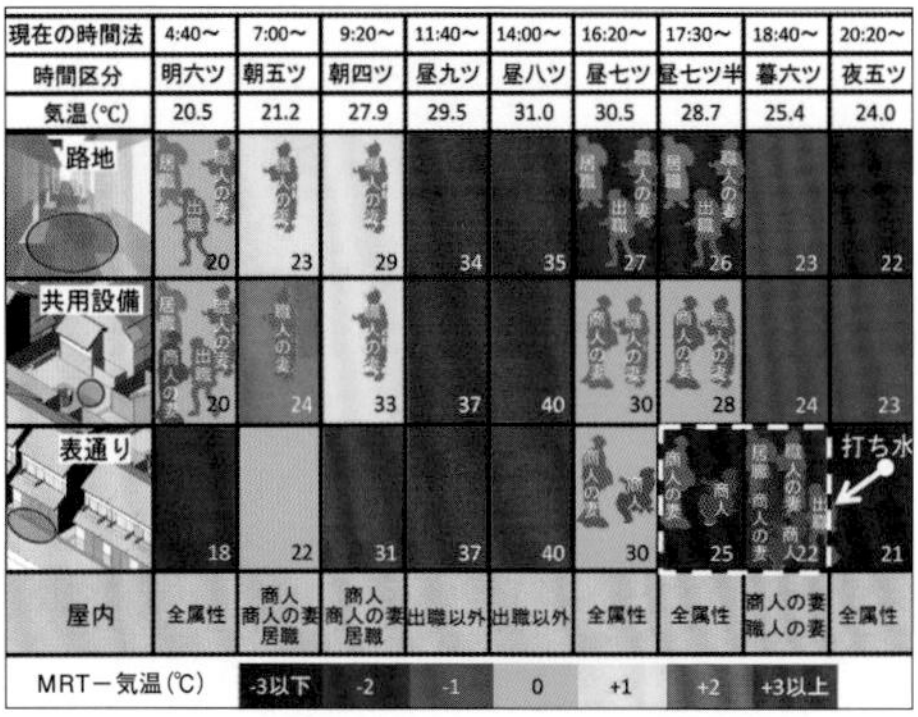

図３－９　路地などの（MRT－気温）と町人の滞在場所（夏の晴天日）

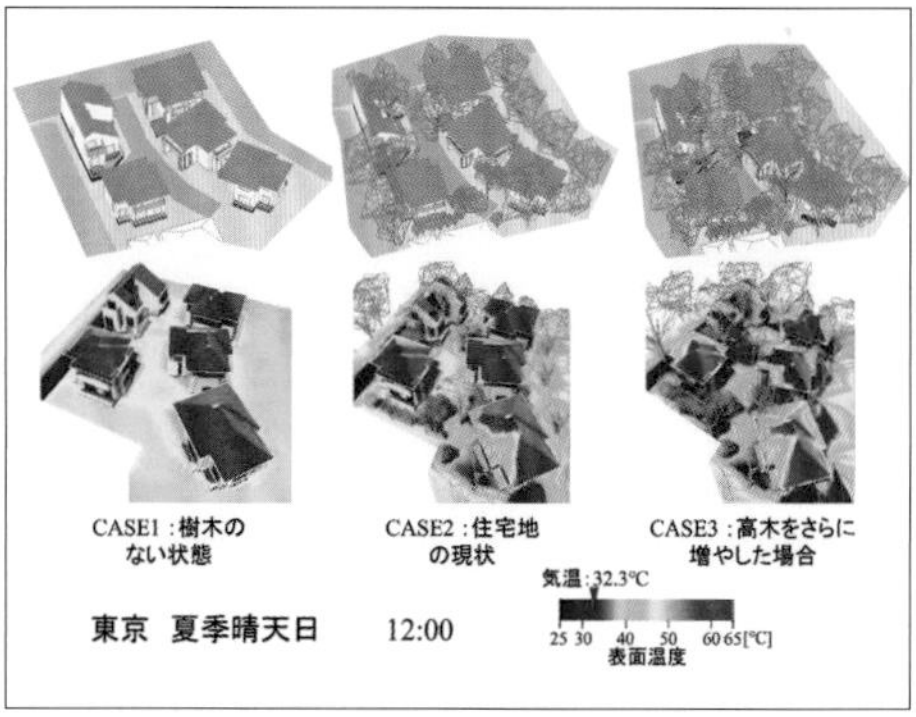

図３－10　５軒の住宅地の樹木の違い（東京、夏の晴天日12:00の表面温度分布）

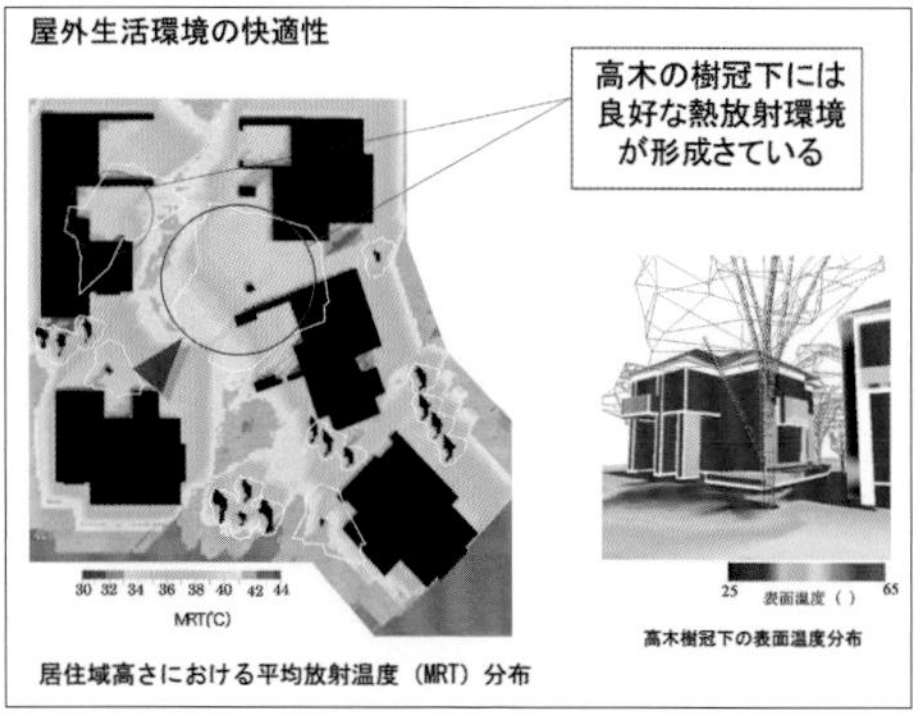

図３－11　居住域高さ（地上1.5ｍ）におけるMRT分布（東京、夏の晴天日12:00）（左図）と大きな樹木の下の表面温度分布（右図）

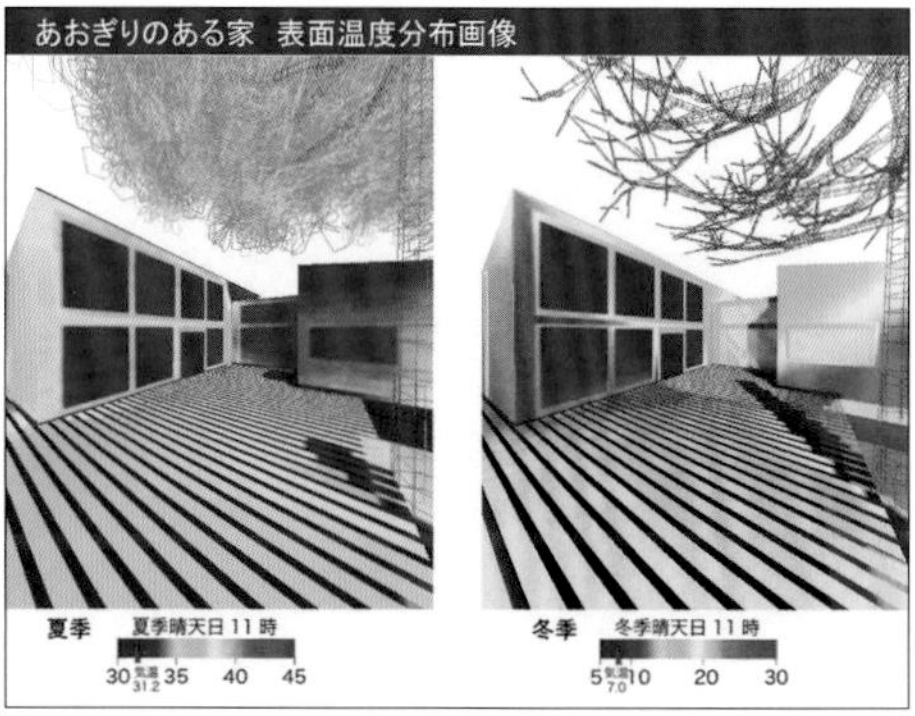

図３－12　あおぎりのある家（夏と冬の晴天日、11:00の表面温度分布の比較）

図４－１　花鏡の庭　（撮影：岡田憲久）

図４－２　石庭――九山八海の庭　（撮影：村井修）

はじめに

科学隣接領域研究会リーダー　酒井邦嘉

芸術は古くから、基礎科学と応用科学の両方と深く結びついている。ピタゴラス、ダ・ヴィンチ、ケプラーといった科学者による新発見は、音楽や絵画における美意識と渾然《こんぜん》一体となっていた。現代の科学者もまた、整合性や対称性といった普遍的な「美」の重要性を意識しながら、既存の常識や伝統にとらわれず、自身の研究に感性の豊かさや新しい価値観を取り入れてフロンティアに挑み続けている。そこで、改めて「科学と芸術」のクロスオーバーに注目することは、未来の「創造的研究者」の育成に資するだろう。

この本は、故金子務先生（元大阪府立大学名誉教授）が主導されてきた企画「科学と芸術」の総仕上げであり、『科学と宗教―対立と融和のゆくえ』[*1]および『科学と倫理―AI時代に問われる探求と責任』[*2]とをあわせた三部作の掉尾《ちょうび》を飾るものである。その母体である公益財団法人日本科学協会の「科学隣接領域研究会」については、巻末の記録や研究会のホームページ[*3]を参照していただきたい。当協会は、日本財団からの助成を得て、将来の日本の科学界を担う若手研究者を対象に、他から研究費を得難い（いわゆる「陽の当たらない」）研究を30年余にわたって支援してきた。その間、理系研究の専門化、細分化（蛸壺化）の傾向が一層進み、若手研究者たちのグローバルな視野と深い教養への錬磨が一層求められるようになってきた。そこでわれわれは科学隣接領域研究会を立ち上げ、①科学と宗教、②科学と倫理、③科学と芸術、という三領域に絞って現代的課題を重点的に討議し、わが国における若手研究者や企業その他の若手リーダーたちに、一般社会の場で講演会や出版などの形で問いかける活動を行ってきた。二〇二一年秋には公開セミナー「科学と芸術の交響、時空を超える対話」を実施し、多数の一般市民や学生にご参加いただいた。

これらの三領域は、「真善美」という人類の普遍的な価値のそれぞれと対応する。宗教は「真理」を、倫理は「善」を、そして芸術は「美」を追求しているからである。同時に三領域は、科学の「過去・現在・未来」という時間的な発展とも軌を一にすると言えよう。宗教は人々の来歴や世界観を反映しているし、倫理は人類の現代的課題であり、そして芸術は人間の創造的な未来の可能性を提示する。本書の執筆者は、当研究会と公開セミナーの参加者であり、さらに巻頭対談として日本画家の千住《せんじゅ》博《ひろし》氏よりお話を伺った。テーマは多岐に及ぶが、それぞれ独立した視座で書かれているので、興味のあるところから自由にお読みいただきたい。

本書の刊行に当たり、公益財団法人日本科学協会の髙橋正征《まさゆき》会長と石倉康弘常務理事をはじめ、事務局の方々に多大なるご尽力をいただいた。特に、同事務局の堀籠《ほりごめ》美枝子氏には、講演者・執筆者との調整や研究会の準備・報告から、ホームページ上での発信、そして巻末の記録作成という骨の折れる業務を長期間にわたって献身的に担当してくださった。また、中央公論新社ノンフィクション編集部の山田有紀氏と、同宣伝部の木佐貫治彦氏には、本書の出版で大変お世話になった。これらの方々に、科学隣接領域研究会と執筆者一同を代表して、厚く感謝申し上げたい。

最後に、こうした日本科学協会の新しい取り組みを可能にしてくれた、日本財団のご支援に心よりお礼を申し上げる。本書が科学と芸術の未来について議論を深める一助となることを願ってやまない。

注

＊1　金子務監修、日本科学協会編『科学と宗教――対立と融和のゆくえ』中央公論新社、二〇一八年

＊2　金子務・酒井邦嘉監修、日本科学協会編『科学と倫理――ＡＩ時代に問われる探求と責任』中央公論新社、二〇二一年

＊3　科学隣接領域研究会ＨＰ（https://www.jss.or.jp/ikusei/rinsetsu/）

科学と芸術——自然と人間の調和　目次

第Ⅲ部　都市と自然

科学と芸術

自然と人間の調和

第I部

創造と想像

第1章

対談

科学と芸術の邂逅《かいこう》

千住博 × 酒井邦嘉

酒井邦嘉氏（左）と千住博氏（右）

空海に導かれて描いた金剛峯寺の襖絵

酒井　「科学と芸術」についてお話を伺いたいと思います。この問題は「自然と人間」という、より大きなテーマの一部でもあります。

千住さんは二〇二〇年十月に、高野山《こうやさん》の金剛峯寺《こんごうぶじ》へ襖絵《ふすまえ》を奉納されました。襖を取り付けて眺めたところ、そこに「木火土金水《もくかどごんすい》」という五行説《ごぎょうせつ》の自然観が実現していると、ご自身で気づかれたということでしたね。初めにそのあたりのことをお願いします。

千住　そもそも芸術作品というのは、原則的に「サイト・スペシフィック」（特定の場所の特性を活かした表現）なものです。つまり、その環境にどのように合わせるかということを最初から想定して、空間造形を考える意識が大切です。金剛峯寺の襖絵もまさにそうでした。

音楽の例で言いますと、私は渡辺香津美《かずみ》さんというジャズ・ギタリストの録音に立ち会ったことがありますが、弾いた音が複雑なホールの中のあらゆるところに入り込んでいくように響いて、その音を確認すると次の音を出してゆく。そしてその空間ならではの演奏となりました。「音も空間造形だな」と思いました。

人間の芸術的行為が始まったのは太古の昔、今から五万年か、あるいはもっと昔でしょう。これは、全てが渾然一体となったこの世界や宇宙をどう把握するかという問いかけです。よりよく生きるためにいろいろなことを観察をして、そしてそれを問いかけてみんなで考えるという、その「手段」として芸術は生まれたわけです。

　これは言うまでもなく科学の始まりでもありますが、例えば鍾乳洞を叩いてみたり、洞窟の壁に絵を描いてみたり、動物の骨に穴を開けて吹いてみたり、さまざまな実験を繰り返しつつ、「ここは一体どこだ？」と問いかける。宇宙をなんとかして把握しようとすることが、人間の文明の第一歩だったのでしょう。そうした経験を蓄積したり共有したりしていたわけですが、先史時代では記録に残らずそこで一旦断ち切れてしまうわけです。

　絵画というのは、それだけで自立することは基本的にないと私は考えています。どんな絵であっても、家のどこに飾っても合うということはないでしょう。例えばシンガポールのある巨大銀行のロビーですと、壁や天井を見て、その空間に最も合う大きさと色を考えました（カラー口絵 図1−1）。同じように、羽田空港の第2ターミナルや第3ターミナル（図1）にしても、床の色や空間、用途、どんな人々がどの程度のスピードで通り過ぎる空間か、といったことを考えながら、その目線や動線に合った形で構図や大きさを決めていきました。

　芸術は内実はコミュニケーションですから、パブリックな公共性の高いものです。個人的な財産として扱われるようになったのは、近代以降です。

　お寺の襖絵というのは、それぞれのお寺ならではの意味と異なる空間があるわけです。

　例えば大徳寺聚光院《じゅこういん》という京都にある秀吉や信長ゆかりのお寺は、千利休のお墓がありますし、茶の湯の聖地だと言えます。そうすると、のどの渇きを癒《い》やす「水」という非常に重要なテーマがあるお寺だということになります。大徳寺聚光院では、「水がいかに瑞々《みずみず》しいか」が問われるのです。

図1
《ウォーターシュライン》
2010年／羽田空港第3ターミナル（撮影：Nacasa & Partners Inc.）

ところが高野山金剛峯寺は、全世界から悩みや苦しみや問題を抱えている人たちが、その解決を求めて訪ねてくるお寺です。「茶の間」という部屋は、十代の少年少女たちが最初に頭を剃る儀式を行う部屋です。また、空海《くうかい》（七七四－八三五）、つまりお大師さまが今から一二〇〇年ほど前に開かれたお寺であり、真言《しんごん》密教を大陸から持ち帰って、仏教に全く新しい展開を示したお寺ですから、絵柄はその由来にあわせて決めていく必要がありました。

　空海がまだ十代のとき、右も左も分からないで山岳修行に明け暮れたのは、讃岐《さぬき》でした。その荒行とは険しい崖によじ登るもので、もし自分の命というものが大切なものなら落ちても命はあるはずだ、とまで考えたのです。すると「茶の間」には、讃岐の崖を描きたくなるわけです。空海が越えたような崖を描くことで、少年少女たちへの最大の激励になるだろうと考えました。

　金剛峯寺の「囲炉裏《いろり》の間」の方は、お釈迦様の命日に夜を徹してお祈りをする部屋です。悲しみや喪失感に優しく寄り添えるように温かく、そして崇高で神秘的な滝を描きたいと思いました。それは瑞々しく流れる滝ではなく、静寂感があって、命のエッセンスである水が温かく寄り添うような滝を意識しました。

　この二つの部屋は、なぜか建立《こんりゅう》後ずっと、白い襖のまま手つかずだったわけです。私は両方の部屋を見て、木材の色がワインレッドに変色しているのでブルーグレイの背景を合わせたり、白い漆喰《しっくい》の壁に対応できるよう、牡蠣《かき》の貝殻を粉末にした胡粉《ごふん》を絵の具に使ったりしました。

そうして襖絵が完成し（カラー口絵　図1－2）、いざ納品して初めて、「待てよ、そういえば空海が中国に学んだ中に『五行』というものがあった」と思い出しました。「『木火土金水』という五つの行が結果的にここに成立している」と感じて、ぞっとしたことを覚えています。

「木」は木の柱、「火」は真言密教で護摩《ごま》木を焚く護摩の修法、「土」は岩や崖、「金」は真言密教の壮麗な儀式で使う金属の仏具や襖の引き手、そして「水」はまさに滝ということになります。ここに崖と滝を描くことで、空海も考えていた「五行」が立ち現れたのです。

お寺というのは、襖絵などの宗教絵画を通して宇宙を体得しようとする装置でもあります。これ自体が、金剛界（経典『金剛頂経《ちょうぎょう》』に基づく）と胎蔵界（『大日経《だいにちきょう》』に基づく）からなる「両界曼荼羅《まんだら》」になっていますね、と高野山の高僧から言われました。私は曼荼羅だと思って描いたわけではありませんので、これにも驚きましたね。とにかく必死になって描き続け、たどり着いた得難い経験でした。

酒井　空海が完成に導いてくださったとも言えますね。

千住　空海の教えの中に、「同行《どうぎょう》二人《ににん》」という考え方があります。「巡礼者がどんなに苦しくて耐えられないと思っても、あなたと一緒に空海が歩いてますよ」というメッセージです。まさに私の制作は「同行二人」であったということです。「そこはああ描け、ここはこう描け、これはダメだ、それもダメだ」と空海に言われ続け、直し続けた五年間だったと改めて思います。

酒井　「木火土金水」を惑星の名になぞらえて、これに太陽と月を加えると、七つの「曜日」になります。そう考えながら金剛峯寺のお部屋の映像を見ていたところ、真ん丸の電灯が二つ、宙に浮かんでいるのに気がつきました。これで完成ですね。

千住　そうですか、電灯というのは恐れ入りましたね（笑）。現代の科学なしには成立しませんよ、それは本当に。

酒井　サイト・スペシフィックでありながら、「五行」のように普遍的な考え方につながるのが芸術の面白いところです。

観察して把握し、補完する

千住　繰り返しになりますが、芸術とは何かと言うと、「私たち」のいるこの空間を把握したい、という行為なのです。

酒井　制作者個人にとどまっていてはいけないのですね。

千住　「芸術に個性は必要ない」と私は言い続けています。必要なのは個性ではなくて、世界認識のための「切り口の独創性」なのです。常に芸術は「私は」でなく、「私たちは」という発想です。「私たちは」どのような世界に生きているか、という「世界表現」が芸術です。多くの方が間違えていますが、「自己表現」ではないのです。

酒井　科学も全く同じです。個性を磨いて研究するのではなく、重要な発見は常に切り口の新しさにあります。「私が発見しました」と仰る方はいますが（笑）、単著の論文では著者を指してＷｅ（私たち）を使う習慣があります。

千住　それで、一番自然で誰もが気づくことを見落とさないように、身の周りにあって誰もが手に取れる道具を満遍なく使っていくという考え方が私にあります。例えば、西洋の刷毛《はけ》を使うと、その幅と弾力性でしか処理できません。東洋の筆を使うと、やはり独特の癖が出てしまって、その筆の幅でしか対象を描写できないわけです。そこで洋の東西や新旧を問わず、あらゆる道具を全て使うという偏りのない発想法がとても大切です。

人は道具によって物事を捉えるのです。芸術で「切り口の独創性」に必要なのは、とにかく日常的な「観察」の意識であり、そして対象を正確に把握するということです。

酒井　それも科学に共通します。科学的な理論には実験的な裏づけが必要ですから、現象を繰り返し観察して自分の仮説が正しいかどうかを確かめることが大切です。ただし、理論を無視してひたすら観察しても、見えてくるものには限界があり、正しい把握ができません。常に仮説を持って観察しなくてはなりません。

千住　その通りだと思います。観察によって足りないものが見えてくるわけで、芸術は世の中の欠如や欠落を指摘して、それを補完する行為でもあります。

イタリア語でクワトロチェント、チンクエチェント（偉大なる一四〇〇年代、一五〇〇年代）と言いますが、これは、人類史上最悪の黒死病《ペスト》大流行から二世代ほど後、大航海時代による「情報革命」がもたらされてルネサンスが花開いたことを指します。そこで現れたレオナルド・ダ・ヴィンチ（一四五二－一五一九）は、芸術の中に科学を重要なテーマとして盛り込みました。ミケランジェロ（一四七五－一五六四）は、肉体美の表現を通して健康観の大切さを明らかにしました。

酒井　それは近代以降、現代にまで通じますね。

千住　ルノワール（一八四一－一九一九）やクロード・モネ（一八四〇－一九二六）が活躍したのは、第一次世界大戦前の非常に陰惨な暗い時代でした。人々が閉塞感の強い縛りの中で暮らす中、ルノワールは女性の平和な水浴図を描き、モネは足もとに届いている太陽の光に目を向けました。

第二次世界大戦のときは、サルバドール・ダリ（一九〇四－一九八九）やルネ・マグリット（一八九八－一九六七）らが夢の発散を試みました。日本の戦国時代に生きた狩野永徳《かのうえいとく》（一五四三－一五九〇）は、春夏秋冬をあえて一枚の絵の中に盛り込んで、秀吉のすぐ後ろに飾ったのです。これは、異なる価値観が共存できるという平和創造の知恵であり、言うならば反戦絵画ですよね。

酒井　それはすごいメッセージ性ですね。

千住　千利休だって切腹させられたわけですから、それが秀吉に知られたら打ち首ですよ。この戦時における過激なまでの平和思想こそが、永徳という超一流の芸術家のまさに面目躍如たるところです。

酒井　とは言え命がけでしょう。思想という意味では、科学より芸術の方が自由かもしれませんね。自然科学には自然界で起こる現象という制約があるわけですから。

千住　しかし芸術では、「自由という名の不自由」ということがあります。絵画には平面という不自由さがあり、木彫には木を一度削ったら戻らないという不自由さがある。芸術というのは制約があればあるほどユニークなものを生み出すと言えるでしょう。自分の失敗を直視しながら、しかしそれを肯定していくというプロセスが人間的なところかもしれません。

酒井　制約に負けないようにすることで、知恵や工夫が生まれるのでしょう。例えば銀塩写真（乾板《かんぱん》やフィルムを使う写真）では、撮影枚数や感度に制約がある分、一枚の写真に集中することで素晴らしい作品が生み出されてきたように思います。

千住　それがデジタルカメラなら、いくらでも連写できてしまいます。しかし多く撮り過ぎると良いものが埋もれる危険性もあります。「制約がない」こと自体が新たな問題を生みますから、むしろ不幸な時代ですよ（笑）。

酒井　近代科学でも、数学などの整備もされていなかった時に、ニュートンは自ら数学理論を創りながら物理現象に取り組んでいったわけです。言語を超えた数学という思考への飛躍が大きかったのでしょう。

千住　科学も芸術も、重なり合う部分が大いにあります。科学と芸術について違いを強調する議論がありますが、実際は同じものを目指していると思います。

「普遍的」と言ったら人種・民族・言語を全て超えるわけで、誰もが等しく享受できる「文明」と親和性があります。一方「文化」の方は、ユニークな風土に順応した生活の知恵です。日本の風土では、春の桜を愛でて夏の若葉を見て、秋の紅葉を眺めて冬の雪を見るわけで、それを歌って喜び、感動するのが日本の文化です。また、周りに木がたくさんあるので木造になりますし、紙も作れます。暑いからこそ浴衣《ゆかた》やすだれを使い、障子や襖を利用するわけです。

酒井　特定の環境がよりローカルな文化を生むのですね。

千住　そうです。そして食文化のように、民族や国境を超えて全世界の人々に「美味しい」と通じるのは、文化がさまざまな多様性に満ちているのと同時に、全ての人が理解できるものでもある証左です。そのような二重構造が優れた文化の特徴です。そしてこれもまた「普遍性」につながっていくわけです。

酒井　科学もまた、単純な法則にすることで全ての人が理解できるようになります。美の要素としても、やはり単純さがあるのではないでしょうか。

千住　「最も単純な形が一番美しい」と言ったのが、近代の「バウハウス」を創立したグロピウス（一八八三―一九六九）です。スプーンの柄の周りに棘《とげ》をつけたら誰も使えないように、一番シンプルなものが最も優れたデザインだということです。先ほどの真ん丸の電灯も、そうした単純さがあってこそですね。

経験とイマジネーション

酒井　創作の過程では、脳の内なる世界と、外にある現実世界をどのようにつないでいくのでしょうか。

千住　私の場合、白い実験室のようなアトリエで絵を描きます。もちろん作品には襖や額のような枠もなければ、引き手もついていません。それで寺に収まった完成形などを頭の中だけで想定するというのは、とても難しいです。CG（コンピュータグラフィックス）の画面で描くと、全然違うものになってしまいます。綿密なCGをやっても、質感は出ないし、空間が再現できない。空港やホテル、JR九州の博多駅などのように、さまざまな大きな空間で絵画作品を手掛けましたが、頭の中やCGだけで全体像を思い浮かべるのは、不可能に近い。

経験値に基づいた「こうなってほしい」という確かなイメージの構築が大切だと思います。あとはぶっつけ本番の見切り発車になります。

酒井　それは、正確な記憶による視覚的イメージの賜物でしょう。脳の海馬と視覚野が働くと予想されます。

千住　経験していないことは想像できないですから、いかにそれまでに豊かな経験を蓄積させているかが芸術家にとっての勝負です。豊かなインプットあってのアウトプットの豊かさなのです。そして、想像しないことにはインスピレーションも湧きませんから、必要なのは経験とイマジネーションの両輪です。芸術家がインスピレーションだけで創作するというのは誤解です。

金剛峯寺の時は、薬師寺や大徳寺などの経験もあって「こうなるはずだ」とやっていたところに、誰かが見るに見かねて引っ張ってくれたように感じました。それは空海の存在感ゆえの感覚だったわけです。そして空海が作り出した高野山という空間、その心臓部と言うべき金剛峯寺なる壮大な装置の中で、この襖絵が一つのパーツとなって活きたと感じました。

酒井　作品がその特別な空間から生まれて、またその空間に戻っていったのですね。

千住　一番自然な空間が生まれた。そして私が本当に嬉しかったのは、「この襖絵は、私の生まれる遥か前からもうここにあった」という既視感のような印象でした。その空間が一番必要とするものが描けたと感じたので、達成感がありました。

酒井　これまでのお仕事の集大成と言えますね。

千住　この作品、実はサインをしていないのです。これはもはや私個人の作品でないし、そもそも長い歴史の中で、私はどこかの絵師として描かせていただいた。そのような立場として美術史に関わることができたという喜びがあります。

私はいくつかの宗教絵画や壁画を作成していますが、どれもサインをしていません。羽田空港やメトロ、グランドハイアット東京の三階といった他の公共空間でも、サインを入れていない場合が多いのです。文化はみんなのものですからね。描き終わるまでは作家のものですが、描き終わったらみんなのものになります。

これは科学と似ていませんか。科学技術は本来、全ての人が等しく使えるものでしょう。

酒井　科学者にもそのような謙虚さが大切だと私は考えています。研究には税金や寄付金などが使われますし、その成果が論文などで発表されれば、公共のものとなりますから。

千住　そういった態度が文化創造には必要だと思います。

酒井　特許権をあえて取得しなかった科学者もいます。例えば、放射能を発見したキュリー夫妻（ピエール：一八五九―一九〇六、マリー：一八六七―一九三四）や、ＭＲＩ（磁気共鳴画像法）の原理を発見したラウターバー（一九二九―二〇〇七）が有名です。

千住　カラオケも特許化してないですね。素晴らしいことです（笑）。

酒井　千住さんはカラオケの名人でしたね。

想定外に向き合う

酒井　金剛峯寺では、襖を開けたときに奥の部屋の襖絵がどのように見えるか、という位置関係も計算されたのですね。

千住　もちろんです。二つの部屋の必然性が問われますから。そこで、崖を描いた襖を開くと、その奥に滝が見えるようにしています。この崖を正面突破して乗り越えたら、その先には美しい滝の世界が広がっているのです。

仏教の「解脱《げだつ》」という考え方は、心をリセットすることです。その究極の目的というのは、心をゼロにすることなのです。ですから仏教は、宗教というよりイデオロギー（観念）に近いと言えるかもしれません。

酒井　インドのブラーマグプタ（五九八―六六八）が初めて「ゼロ」を導入したと言われます。ゼロは「何もない」だけでなく、例えば位取りの数値として実在することも確かです。

千住　まさに解脱もそんな感じでしょう。単なる空っぽではありませんから。そこにインドの哲学的な風土が感じられますね。

酒井　さらに二部屋の両方の襖を開けて、奥の部屋へ立ち入ると、そこには狩野派の襖絵があるわけですね。

千住　襖を開けると二〇二〇年から狩野派の時代へというワープ（瞬間移動）とは、まさにドラえもんの「どこでもドア」でしたね（笑）。そこまでは想定できなかったですねえ。

もっとも芸術は、常に想定外と向かい合っていくことでもあります。毎回の制作が初めてのようであり、成功体験が活きないというのも、芸術の大きな特徴です。その点、科学はどうでしょうか？

酒井　科学もまた、アイディアや実験が毎回うまくいくという保証は全くありません。科学的発見で特に価値が高いのは、常識に反するような想定外の発見です。例えば、フレミング（一八八一―一九五五）によるペニシリンの発見では、細菌を培養したシャーレが汚れていてカビが混入したことがきっかけでしたから、まさに「怪我の功名」ですね（笑）。

二〇〇〇年にノーベル化学賞を受賞された白川英樹さん（一九三六―）の場合も、濃度の単位を読み間違って千倍の量の触媒を用いたことが、導電性高分子の発見につながりましたから、「瓢簞《ひょうたん》から駒」に近いでしょう。二〇二一年、ノーベル物理学賞を受賞された眞鍋淑郎《まなべしゅくろう》さん（一九三一―）による気候変動モデルも、発表当時は地球規模のシミュレーションなど常識外だったわけです。

千住　これは意外と知られていない、芸術と科学の共通項かもしれませんね。美術大学では、想定外になってしまって困っている学生を指導することが日課です。大切なのは想定外にどう向き合うかということで、それがまさに知性や教養、センスや経験値だったりするわけです。

酒井　「先端科学を究《きわ》める」と言いますが、誰もやったことのない未知の領域なのですから、それは常に想定外との戦いですね。芸術の裾野を広げていく努力と共通していると思います。想定外による失敗を認めないと進歩も望めないのですが、残念ながらうやむやになってしまうことも多々あります。

COVID－19における日本の初期対応では、専門家がクラスター対策を優先するあまり、検査数をなかなか増やそうとしないまま市中感染の急拡大を招きました。当時の「常識」を疑問視せず、想定外の事態に正しく向き合わなかったのです。

千住　歴史学者のハラリ（一九七六－）が『21 Lessons』（柴田裕之訳、河出書房新社、二〇一九年）に書いている問題ですが、自動運転中の車の前に子供が飛び出して来て、急ハンドルを切るとトラックに衝突する危険がある時、車の持ち主と子供のどちらを助けるべきか。未来の自動運転ではそれを想定外とすることなく、予め組み込んでおく必要があります。すると問われるのは倫理的な判断であり、今まで「想定外」ということで許されてきた言い訳が、もはや通用しない時代になりそうです。

AI時代の芸術の役割

酒井　人工知能（AI）などの技術による自動化は、人間にどのような影響を与えるとお考えでしょうか。

千住　AI技術の実験都市では、市民がGPSなどを装着して徹底した管理下に置かれることでしょう。そのような監視社会で人はどうやって多様性や自由を担保していけるでしょうか。そのような人工的な環境下での人間性の維持が問題です。

人間は不完全な生き物でしょう。完全なら神とも思ってしまいがちですが、ギリシャ神話では神々も不完全です。そうすると芸術とは、人間が思い描く不完全な夢や悩みを、不完全な形で表して、その失敗作を不完全に納得するということになります。

　過去の名作を見ても明らかなように、完全など誰も望んでいなかったのです。それも全て「図らずも不完全」というわけです。完璧にデジタル化された技術社会であっても、不完全な人間の営みを尊重しなくてはなりません。

酒井　効率重視のＡＩ技術では、どんどん無駄な部分が切り捨てられていきますが、そうした完成されていない余地にこそ人間の進歩の可能性が残されているのではないでしょうか。

千住　即興性や一回性、逡巡《しゅんじゅん》や迷いとかは、本来ＡＩに入力できないわけですし、これらはデジタルアートなどでも全く対応できないことです。例えば、３Ｄプリンターで陶芸はできませんよ。材質の不均一さや一瞬の躊躇《ちゅうちょ》からくる想定外のねじれが味になる世界ですし、そこまで計算して作ったら面白くもありませんから。拙《つたな》くても良いので、手仕事によるその人の人間的な模索が作品の味なのです。

酒井　蒸気機関や電子機器が肉体労働を代替してきたように、今やＡＩが頭脳労働を補い、一部の知的活動を凌駕《りょうが》しようとしています。人々が人間らしさまで手放してしまったら、どうなってしまうのでしょう。

千住　科学技術が支配する時代になればなるほど、芸術の重要性もはっきりしてきます。つまり科学と芸術というのは、人類発生と同時に双子の兄弟のようにお互いを補完し合いながら、より人間らしく、より良い生活を目指して発展してきた知恵なわけです。ですから、これから先、ＡＩが急速に発展する時代において、芸術の役割というのもむしろ明確になっていくことでしょう。

酒井　科学と芸術は、「自然と人間」という意味でも相補的ですから、切っても切れない縁があるわけですね。将棋・囲碁のAIは、すでに名人を超すレヴェルまで進歩していますから、それが芸術的かどうかを検討することは、近未来のAIについて考えるヒントになるように思います。

より良い「次の一手」が求められる将棋では、AIの候補手が人間は気づかない妙手だったり、時にはそれが芸術的に思えたりすることもあるでしょう。しかし、勝負のプレッシャーや時間の制限などが加わって、人は失敗をするものです。そうすると、たとえ失敗が生じたとしても挽回したり、ミスを認めた上で最善を尽くしたりするところに、人間的な味やドラマが生まれます。将棋はそこまでを含めたゲームなのですから、AIの候補手や評価は、ゲームにおける駆け引きの入口にしか過ぎないと思います。

教育や研究にまで効率が求められる忙しい世の中になってしまいましたが、人間の脳は余分な情報に対しても優れた能力を発揮するようにできています。例えば、一つのことを覚えるにも、付加的な情報をエピソードとして一緒に記憶することで、忘れにくく思い出しやすくなるわけです。

千住　酒井さんが最近書いた文章を読みましたが、インターネットでの検索はキーワードや画像を入れないと始まらないけれど、脳はそうしなくても膨大な情報の中から必要なものを自動的に検索できるという話が載っていました。例えば、新聞を開いたとたんに、自分の関心に近い見出しが瞬時に目を惹くということでしたね。

また、私の叔父である出井《いでい》伸之《のぶゆき》（ソニー元社長）が、「本は買うだけで読まなくていい。いつか役に立つ」とよく申しております。今は必要ないということで無駄を捨ててしまうのではなく、「ああ、そういえばあったな」とそれだけでも記憶にとどめておくことで、将来必要になったときにいつでも引き出せるのが大事という意味です。

蛍光塗料で滝を描く

酒井　コロナ禍による急激な変化についてはいかがでしょうか。

千住　コロナ禍で「孤独だ」と悲しむ人たちが増えましたが、「あなたは一人ではない」というのが空海からの大切な教えです。満天の星を見上げると、人間の世界を超えた無尽蔵の情報があるわけです。足元には草や花があり、生命が満ちています。周りにこれだけ必死で生きている素晴らしい命ある世界があるのに、それでもなぜ孤立すると考えるのでしょうか。

　私が使っている絵筆も、職人さんたちが一所懸命作って下さった特注品ですから、「この筆には命があり、魂がある」と感じています。ですから、その筆を手にしていると全く孤独を感じないばかりか、楽しくさえあるのです。孤独感を持つという発想自体が私にはありません。

酒井　それは、私も全くそのように思います。ヴァイオリンやフルートといった楽器も同じでしょうが、手にして奏でるだけで孤独など感じなくなるものです。

千住　酒井さんが、「フルートは、自然な息がそのまま楽音になるという点で、最も人間の言葉に近い楽器なのだ。実際、約四万年前の笛が出土しており、これが現存する最古の楽器だという」と書いていましたね。呼吸に合わせて喜びや悲しみを表現できる笛は、まさしく芸術の始まりです。その笛の音を聞く人々が共鳴し共感するという芸術的感動は、「私は一人ではない、あなたも一人ではない」ということです。気持ちがつながるということを示すのが音楽の力であり、芸術の力だと私は思いますね。

酒井　バッハ（一六八五―一七五〇）の無伴奏曲には、ヴァイオリンやチェロだけでなくフルートのための作品（作品番号 BWV 1013）もありまして、これを一人で吹いているだけでも楽しいものです。

千住　それはバッハとの対話ですからね。

酒井　冒頭のアルマンドは、ほとんど十六分音符だけが並んでいるのですが、うまくフレージングができると自然と豊かなリズムが生まれ、言葉と同じように聴こえてきます。

千住　聴こえないものを聴こえるようにするのが音楽であり、見えないものを見えるようにするのが絵画です。総合的に五感に訴えて感じる、それが芸術であるわけです。

酒井　金剛峯寺が出している『そらうみ』という雑誌（vol2、二〇一九年一月）の表紙に、ちょうど「五感でかんじる高野山。」と書かれていましたね。

千住　人間の視覚と聴覚に特化してどんどんデジタル化が進んでいく中、五感のさまざまな感覚を軽視してしまったら、健全な心を保ち続けていくことが難しいだろうと思います。

　料理でも、例えばラーメンを味わうにも、見た目や音や香りと五感をすべて使うでしょう。人間にもっとも身近で毎日の生活と直結しているという意味で、「食」こそ芸術の代表例と言えます。

酒井　千住さんの作品《瀧図》は、見ているだけで音が聞こえてきますし、冷たい飛沫《しぶき》も肌に当たりそうな感じがします（図2）。

千住　その空気感や湿度などが感じられて、さまざまな記憶に触れることが大切です。知らないことに人は感動できない。感動し共感できるなら、必ず過去の記憶の何かに触れることになります。それは人間

図2
《瀧図》（部分）
2018年／185.5〜367.0×2590.6 cm／高野山金剛峯寺

の遺伝子に刻まれた生きるという本能をも含むのかもしれません。それができるには、作り手の方が正直に自分の体験をさらけ出さないといけません。

酒井　文学作品もまさにそうですね。作家と読者が、描かれた体験を共有できるかどうか。

千住　体験を共有するということによって、「人」が「人間」になります。「人間」というのは「人」の「間」ですから、「コミュニケーションする人たち」となるわけです。

酒井　法則を共有する科学もまた、人間的だと言えますね。

千住　科学が芸術と結びついた例を一つ挙げましょう。二〇二一年の一一月から翌年の二〇二二年三月一三日までの長期にわたり、シカゴ美術館で「シカゴにおける千住博の滝」（SENJU'S WATERFALLS FOR CHICAGO）という個展が開催されています。会場構成は安藤忠雄さん（一九四一－）です。ブラックライト（紫外線探傷灯）で照らした真っ暗い部屋に、横幅二〇メートルを超える滝の絵が蛍光塗料で青く浮かび上がります（図3）。

それは和紙に描いたものですが、日本の和紙は、全ての支持体（絵を描く下地）の中で最も柔軟かつ強靭で、再現性が高く耐久性に優れていて、燃やさない限り千年以上持ちます。繊維の短い西洋パルプの洋紙とは比較になりません。作品は屏風にしたのですが、部屋の形状に合わせて伸ばしたり縮めたりできて、とても柔軟な形態です。

蛍光塗料に出会ったのは、あるバーの入り口に「ビール一杯、ホットドッグ一本いくら」などと書いてある看板のペイントでした。「なんと素晴らしい絵の具だろう。これで絵を描きたい」と思ったのです。蛍光塗料は日中の光で見ると真っ白いのですが、暗くなってブラックライトで照らされると、真っ

図3
《Waterfall》
2019年／187×1680cm（六曲二双屏風）／シカゴ美術館

青になったりします。それが闇の中の現代人の内面性と重なると思いました。神秘的にもかかわらず、華やかにして同時に闇も抱え、人工照明をうまく使うことでどこまでも深く輝きます。ここに科学と芸術の融合の可能性を感じたのです。

酒井　物質が「紫外線」という高エネルギーの光を吸収して、「蛍光」という低エネルギーの可視光を放出する現象は、「ストークスシフト（Stokes shift）」と呼ばれていて、アインシュタイン（一八七九－一九五五）の光量子仮説によって初めて定式化されました。高校生の頃から「アインシュタイン命《いのち》」だった私は、自然と物理学に引き込まれていきました。

空の青、海の青

千住　科学は人間理解のための、最も洗練された方法かもしれないですね。レオナルド・ダ・ヴィンチが科学と芸術を結びつけたのも、神の絶対性に対して疑問を持ち、「なぜ?」という人間的な探究心の為せる業だったのでしょう。

酒井　レオナルドの中では、科学と芸術を区別することなく渾然一体なのでしょう。

千住　暗黒時代と言われる中世から、次の光明の時代を切り拓いたのがレオナルドです。ブルネレスキ（一三七七－一四四六）による幾何学的な透視図法を修正して空気遠近法（霞《かすみ》の効果）を用いたのも、カメラ・オブスキュラ（ピンホールカメラ投影機）を写生に利用したのもレオナルドでした。

そうしたさまざまな科学的な知見を絵画に応用することで、芸術の新しい領域ができたわけです。芸術を前進させてきたのは科学でもあったのです。科学は、より豊かな芸術の可能性を切り拓くもので、科学と芸術について違いを強調するという発想自体に私は違和感を持っています。両者は表裏一体となって人類史を刻んできたのですから。

酒井　レオナルドが「全ての遠景は青に近づく」と言ったのは、空気遠近法のことだったのですね。

千住　そうです。レオナルドは、遠景になればなるほど青みが増すように描きました。

酒井　空が青く見えるのは、青い光の方が波長が短く、大気中の微粒子で散乱されやすいためですが、遠くになるほどこの効果（レイリー散乱）が多く重なって目に届くわけです。

千住　私はそのレオナルドの言葉を拡大解釈しています。ガガーリン（一九三四―一九六八）の「地球は青かった」という言葉に象徴されるように、宇宙の中の青い色には、人間の力を超えた深遠や永遠性が感じられます。私は「青」という色にとても惹きつけられて今日まで来ています。

酒井　「空の青はどこで宇宙の黒に変わるのかな」というのが、私の子供のときの疑問でした。大地から遠ざかるほど空気が薄くなるので、青みも徐々に薄れていきます。そこに境があるわけではなく、大気がほとんどなくなる百キロメートル上空あたりから先を「宇宙」と呼んでいるわけです。

一方、海の色が青いのは、青空の光が反射する効果や、水の分子が赤い光を吸収する効果のためです。千住さんの画集は『水の音』（小学館、二〇〇二年）でしたし、《フラットウォーター》や《ウォーターフォール》（滝）の作品からも、水の青さがライトモチーフ（作品の主要動機）として共通していたのですね。

千住　海の深い色を見ていると、海には底知れない恐怖を感じることもあります。私は水泳部だったので泳ぎはそこそこできますが、それでも海は怖いなと思います。それは海の青が、光の届かない闇につながっていくからでしょう。

ルネサンス期のボッティチェルリ（一四四五―一五一〇）が描いた空は独特で、なぜか黒い下塗りの上に青を塗っているのです。《ヴィーナスの誕生》（一四八三年頃）という作品では、女神が西風に乗ってやって来る背景に明るい青空と海が描かれています。そうすることで暗黒時代の闇を塗り替えていこうとする、中世社会の考え方を否定したルネサンスならではの行為かもしれません。闇の対極にも置かれたこの青という色は雄弁だと思いますね。

酒井　空海大師は「そらうみ」ですから、やはり青が理想だったのでしょうか。

千住　大師が見た海や空というのは、もっと象徴的なことだったのでしょう。「色即是空《しきそくぜくう》、空即是色」の「空《くう》」は、実体などないということですから、それを理想として「空海」と名乗ることになったわけです。悟りを開いた場所だという大師伝説の残る室戸岬の御厨人窟《みくろど》へ私も行ってみましたが、洞窟からは何の変哲もない海と空が見えるばかりでした。ということは、大師はどこででも悟れたわけで、これはすごいことだと思いました。

酒井　すると、いつでもどこでも悟れるということなのですね。

千住　その上、悟って偉くなるのではなく、悟ったことは次の瞬間に忘れてしまうということです。だからこそ、偉いお坊さんなら常に修行を続けているわけです。「空海」と名乗ったのは、最も自然で普通の何気ないものに囲まれて、悟りを繰り返すということを目指したわけで、その圧倒的な厳しさに私は参りしました。

「きれい」と「美しい」を分けて考える

酒井　夜になると海も空も黒に戻るわけですが、画家たちは黒を色と考えていないのでしょうか。

千住　「黒は色ではない」という考え方は、光を主導的に用いた印象派などではよく言われます。しかし、エドゥアール・マネ（一八三二－一八八三）は黒をよく使いましたし、それ以前のヨーロッパ絵画でも、例えばカラヴァッジオ（一五七一－一六一〇）やゴヤ（一七四六－一八二八）は実に魅力的に黒を使いました。黒も、パーマネントブラック、アイボリーブラック、ダイヤモンドブラックなどとさまざまな幅があります。ですから黒を色のないものの代表として使うのは、歴史的にも相当違う気がしますね。

かつて《フラットウォーター》でも描きましたが、溶岩の黒などは最も豊穣な黒と言ってもいいと思います（図4）。その絵を描いたハワイ島のキラウエア火山の周辺は、溶岩地からシダの葉が生い茂る豊かな森になりました。

日本の絵画や書道で使う墨《すみ》には、松材由来の松煙墨《しょうえんぼく》が青墨《せいぼく》、植物性油脂由来の油煙墨《ゆえんぼく》が茶墨《ちゃぼく》、といった種類がありますし、私は両方を組み合わせて絵を描いたこともあります。このような墨の黒の美しさを考えても、「黒もまた色である」という発想はとても自然だと思います。「色のない世界」とか「モノトーン」といった言い方もありますが、それでも両極の間に豊かなグレーゾーンの多彩な世界が広がっていることも確かでしょう。

図 4
《Flatwater #13》
1993年／162×227cm

酒井　ピカソ（一八八一―一九七三）の《ゲルニカ》（一九三七年）もモノクロームの作品でした。芸術的な写真となると、今でも階調の豊かなモノクロームが主流ですね。私の愛用しているカメラは、モノクロームでしか撮れないデジタルカメラ（Leica M MONOCHROM）とフィルムカメラ（Leica M4）です。

千住　色がないことで、かえって想像力を刺激するということもあるでしょう。

酒井　写真は絵画と違って、瞬時の感性が必要とされるため、色というパラメターすら切り詰めたいのかもしれません。モノクロームは露出と一体なので、ホワイトバランスといった余分なパラメターが増えないわけです。そうした単純さが芸術では大切ではありませんか。

千住　科学では単純さが重視されるというお話でしたし、先ほどのグロピウスの言葉とも重なりますが、単純さとは美だと思います。

美しいものに、人は時として「きれい」という言葉も使いますが、意味合いが異なります。「部屋をきれいにしなさい」と言うときの「きれい」は美的にするのではなく、整えて並べたり、捨てて整理したりして「片づける」という意味です。

これに対して「美しい」という言葉は、「美味しい」という言葉でも分かる通り、生きる力や元気、勇気が湧くという意味なのです。画家のように専門的な芸術を学ぶ人たちには、『きれい』と『美しい』を意識的に分けて考えることで、もっと感性が深まるよ」という指導をしています。

生花《せいか》なら「きれいで美しい」わけで理想的ですが、造花ならきれいであっても本来的には美しくはないでしょう。私は常々、美しくかつきれいな絵を描きたいと思っています。酒井さんの考える科学ではいかがですか？

酒井　アインシュタインの重力場方程式のように、「美しい数式」という感性は科学で大切だと思います。これは知的な力や好奇心が湧くという意味で共通しています。ただ、「きれいな数式」とは言わないですが。一方、「方程式をきれいに解く」とは言いますね。

千住　後者は、よく整理されているということですか。

酒井　試行錯誤しているうちに答が出るのではなく、「系統的で筋道よく」という意味になります。

千住　それは確かに「きれい」です。科学や芸術というのはまだまだ掘り下げていく深みがあるという気がしてきます。

酒井　自然界のものや自然な所作に対しては「美しい」を、人為的なニュアンスがある場合は「きれい」を使い分けるのではないでしょうか。「美しい夕日」は自然美を客観的に表し、「きれいな夕日」は、目を惹くという人為を含めて主観的に述べています。芸術は人為的に自然を表現することですから、「きれいで美しい」ということが両立するのだと思います。

　科学者も何か一つでも芸術を身につけて、感性を磨いていく必要性を強く感じました。

古代からの知恵を知る

千住　酒井さんの先日の講演録を読みましたが、紙の手帳やノートに書くことの大切さを指摘されていました。私も思いついたことなどは全部ノートに書きながら、日々マルチタスク能力を磨いています。

そこでお伝えしたいのですが、欧米の美術館や博物館では、最近デジタル資料をどんどん紙媒体に印刷し直して、バックアップを取り始めているのです。

酒井　それはとても興味深いことです。

千住　デジタル保存の技術が急速に進歩して変わりつつあって、将来果たして今のデジタル資料を参照して活用し続けられるかが懸念され始めているためです。

酒井　確かに規格がどんどん新しくなりますし、上位互換が保証されなくなって来ています。

千住　先日、ジョン・レノン（一九四〇－一九八〇）の未発表曲を収録したカセットテープが、デンマークでオークションに出されたそうです。ビデオテープやカセットテープが出てきても、もう再生装置がなくなってきているでしょう。

酒井　今やACアダプターをなくしただけで、パソコンも動かないですからね（笑）。それに、スマホの機種変更をする時のように、データが一瞬で消える恐れもあります。

千住　そのようにデータが消えてしまう危険性が至る所であるわけです。そこで紙媒体に印刷して保管しておけば一安心ですし、アップデートの煩わしさもなく、セキュリティの問題からも解放されます。

酒井　デジタルデータが改ざんされても、その痕跡が残らないかもしれません。

千住　私の長男がアメリカの大学を出てAI関連の仕事をしていますが、いつもそうしたセキュリティ上の危険を教えてくれます。酒井さんもご指摘のように、何が何でもデジタルにしてゆくのではなく、それぞれの目的にふさわしい道具であるかどうか、という意識が大切ですね。日本画は、和紙に膠《にかわ》で岩絵の具を貼りつけているだけの道具しか使わないので、それだけ単純だからこそ長期間の保存ができます。千年前の作品も、一目で技法や絵の具が分かりますよ。

クロマニョン人はラスコーの洞窟壁画を残したことで有名ですが、彼らは本当に豊かな文化を持っていました。旧石器時代だからといって、石しかなかったのではありません。服は着るし、石に穴を開けてビーズの首飾りは作るし、針もあって縫い物をしている。しかも、真っ暗闇の洞窟で実に緻密な絵を描いていました。例えば、茶色や黒、黄色や赤色の顔料を使って、バイソンなどを塗っていました。

しかし、停電したときに懐中電灯で照らして見たらわかりますが、そのわずかな灯りで色は塗れません。私も試したことがありますが、人間の目では暗闇で赤・茶・黒の見分けがつかないのです。しかし描かれたバイソンや鹿、牛などは見事に色彩的です。先史時代にも間違いなく相当な科学があったはずですが、何万年もその痕跡が残りはしなかったのではないでしょうか。人類史や考古学も、実は科学技術の未来などを予測する未来学ではないかと思います。何が残るか分からないということです。

酒井　先史時代の精緻な加工技術を考えただけでも、高度な科学技術があったことは間違いないでしょう。それは工芸品や装飾品にとどまりません。ヨーロッパや南太平洋などでは、脳圧を下げる脳外科手術が、数千年前の古代からあったことが知られています。外科の手術器具も残っていますし、何より穿《せん》頭《とう》術の跡が頭蓋骨に残っていることからも明らかです。滅菌や麻酔などが確立していなかった時代ですから、それは驚くべきことですね。しかも手術が成功して生存した場合にのみ、骨が新生し穴が塞がって痕が残るわけで、手術の成功率も高かったそうです。

科学史の専門家に言わせると、「科学」と「技術」は分けて議論するべきだということになりますが、古代では一体化していたことでしょう。ただし、呪術《じゅじゅつ》とは一線を画していたはずです。超自然の力に頼るようでは「何でもあり」なので、サイエンスになりませんから。

「アート」と「デザイン」も分けられがちですが、例えば建築では、アートとデザインが明らかに不可分です。古代からの知恵を知ることで、科学と芸術もまた、本来分かち難いものだったと納得できるでしょう。科学的な経験則に基づいて材質を吟味し、加工し、組み立て、そしてその美を愛でたわけです。

それが現代になって科学技術が肥大化し、誰も責任を問えなくなってしまいました。原爆やロボット兵器の開発もそうですし、公害や地球温暖化の問題もそうです。身近にあるプラスチックも、あれだけ大量に作って消費してしまってから、やっとリサイクルやエコが叫ばれるようになったわけで、人々は気づくのがどうしてこんなに遅いのでしょうか。

千住さんは、「芸術は外交とは違う」と述べていますね。外交は基本的に異なる立場からの折衝《せっしょう》ですから。「芸術では人々は同じサイドに立たなくてはならない」と。科学と芸術はみんなが共有できるものですから、その知恵を元にして人々が人間の本性を取り戻すべき時代に来ているのでしょう。

「今、ここにある」ということ

千住　問われるのは、人間性を保ちつつ、人類がどこまで発展し続けられるかでしょう。コロナ禍で人々は非常に閉鎖的、閉塞的になりながら、「新しい日常」という厳しい時代を生きています。不安感が支配的な時代に、芸術は劇的に展開してきました。私は画家ですから、絵の力をもってどのようにこの時代に対処しようかと考えてきましたので、最近作のお話を最後にしたいと思います。

これまで私は、滝を外から見ていました。そこで今度は、滝を内側から見て、同時に世の中を見よう

図5
《Waterfall on Colors》
2021年／193.9×486.3cm／サンダラム・タゴール ギャラリー（ニューヨーク）

と思いました。すると世の中は実に色彩と多様性に満ちていて、これが自然であり、なんて素晴らしいのだろうと気が付きました。春には春の花が咲き、夏には緑の葉が生い茂り、秋にはそれが赤や黄、ゴールデンカラーに変わり、冬には枯れてしまって真っ白い雪が降る。四季のそれぞれに色があり、その全てに感動するのが本当の豊かさです。私たちはその宝の上に生きている。

それを表したくて描いた新シリーズの発表が二〇二一年から二〇二二年にかけて、ニューヨーク、ロンドン、シンガポール、そして日本で行われます（図5）。コロナ禍の閉塞感のある日々、しかし同時にこの自然界は色彩に満ちている、と示したいと思いました。

これからの時代、科学と芸術はもっと寄り添いながら、お互い刺激しながらやっていかなければいけない。どちらも、宇宙や世界、世の中

図6
千住博＆チームラボ コラボレーション展「水」より
2018年／堂島リバーフォーラム（撮影：Nacasa & Partners Inc.）

はどうなっているかを問いかけ、分析し、同じものを志向している。そうしたことを相対化した把握こそが芸術と科学の命題であり、それが共通項でしょう。

最近は、蛍光塗料だけでなく、コンピュータ制御のさまざまな動画などをオペラや舞踏の舞台美術で試みています。テクノロジスト集団「チームラボ」の猪子寿之《いのことしゆき》さんと一緒に、コラボレーション展「水」（二〇一八年）も開きましたし（図6）、芸術と科学を一緒にすることで次の展開を生み出そうとしています。

そうした可能性が文化の豊かさと、文明の豊かさを同時に切り開いていく。そういうことができるのでは、と常々思っています。

酒井　羽田空港第2ターミナル（国際線ターミナル）に設置された《朝陽滝図》は、赤い背景に白い滝が印象的です（図7）。

千住　その作品は、東京2020のオリンピ

図７
《朝陽滝図》
2020年／200×2040cm（六曲二双屛風）／羽田空港第２ターミナル国際線（撮影：同右）

ックでのおもてなしということで、日の出《い》ずる国、日本の国旗の色、一九六四年の東京オリンピックのときの制服の色、ということで屛風に赤と白で描きました。日本料理、書道、茶道、生け花、日本の詩歌、そして日本画という日本の文化の全てにおいて、自然の側に身を置くということの尊さが共通していますから、滝はどうしても必要なモチーフでした。二〇二〇年を象徴する文化資料にはなると思いますが、願わくは現在形で二〇二〇年に使ってほしかったと思います。

芸術において最大の関心事は、常に「現在」です。私は常に「今この瞬間」に興味があります。滝も今この瞬間を流れています。茶道の心得である「一期一会《いちごいちえ》」も同じですし、生け花も今ここでだけ咲いており、次にはもう枯れてしまうような花の命を慈しむ世界です。そういう意味で、日本の芸術は常に究極的な現在形なのです。

酒井　そうすると、冒頭の「サイト・スペシフィック」に加えて「タイム・スペシフィック」となりますね。

千住　そうですね、まさに「今、ここにある」ということです。

酒井　それで、今の自分にしか描けないものを描くということになるのですね。

千住　「こういうことは後で描こう」と思うのは、もう過去に生きてるということになります。未来に描きたいものを描くのが今なのですが、時間はこんなに速く流れ、過ぎていってしまいます。それがまた私の滝の持つテーマの一つでもありまして、滝は水の流れであると同時に、時の流れなのです。

さらに滝の水は、水の形をもって表す「重力の美しさ」ですし、また遠いところから現れて遠いところに消えていきますから、空間に対しても意識を広げてくれることになります。つまり滝というのは空間と時間、そして重力を表しているのです。そうした宇宙の秘密を明かしているのが滝だと思って、私は滝を描いています。

酒井　「空間と時間、そして重力」となると、それはまさしく一般相対性理論の宇宙です。科学と芸術は「同行二人」であり、私たちも「同業二人」ということですね。創作の深淵に迫る素晴らしいお話をどうもありがとうございました。

千住　科学的で芸術的な楽しい「一期一会」をどうもありがとうございました。

第2章

ベートーヴェンはなぜすごいのか

曽我大介

クラシック音楽作曲家の代名詞、ルートヴィヒ・ヴァン・ベートーヴェン。遺した名曲の数々は今なお私たちの心を打つ。ベートーヴェンのすごさは作品だけでなく、音楽と音楽家の社会的立場の価値観をも変えたこと。天才の「スゴさ」を幼少からの教育、創作の手法と思想から考察する。また巨匠が生涯悩まされた、持病の謎解きには近年、科学のメスがはいった。

【ボン：Bonn】
ドイツ、ラインラント地方のライン川河畔に位置する都市。旧西ドイツの首都であった。一二八八年―一七九四年、ケルン大司教の居住地。ベートーヴェンの生誕地。

【選帝侯】
一三五六年の金印勅書によって規定された三司教と四諸侯から構成される、神聖ローマ帝国の皇帝選挙権を持った諸侯。

【三和音（トライアド）】
一つの音をいちばん下（根音）に置き、その上に三度と五度の二音を重ね、同時に共鳴させて得られる三つの音から構成される和音。真ん中の音に短三度を用いたものが短三和音（短調の和音）、長三度を用いたものが長三和音（長調の和音）。

【終止形】
西洋音楽で、楽曲や楽句などの終わりに置かれ、段落感や終結感を起こさせる定型化した和声構造。

【第九交響曲】
シラーの頌歌《歓喜に寄せて》による合唱を伴った、ベートーヴェンの交響曲で最も大規模な最後の交響曲。一八二四年作曲。二〇〇一年にその自筆譜はユネスコの世界記憶遺産に登録されている。

【英雄交響曲】
ベートーヴェンが一八〇四年に作曲した交響曲第三番。既存の交響曲の概念を打ち破る規模と内容を持つ画期的大作。ナポレオンを念頭に作曲したといわれる。

【交響曲第五番】
ベートーヴェンが一八〇八年に作曲した交響曲。クラシック音楽のなかで最も有名な一曲。四楽章構成でベートーヴェンの作品でもっとも緻密に作曲された曲のひとつ。「暗闇から光へ」という芸術概念を音楽の世界に決定づけた。俗に『運命』とも呼ばれる。

1　価値観を変える天才

人類史上、天才は数多く現れているが、その分野の価値観を根こそぎ変えてしまう天才はやはり特別な存在である。門外漢の私でも科学の世界でのそのような天才に、ニュートン（(Sir) Isaac Newton, 1642-1727）、アインシュタイン（Albert Einstein, 1879-1955）、古くは音楽理論にも言及しているピタゴラス（Pythagoras, 紀元前582-紀元前496）らの名前がすぐ思い浮かぶ。

現在私たちが耳にする音楽はほとんどが、ここ三五〇年間に作られたものであるが、その音楽史のなかでもベートーヴェン（Ludwig van Beethoven 1770-1827）は特別な存在である。彼が生涯残した二〇〇曲余の作品もその多くが永遠の光を放っているが、それだけでなく現代の私たちが音楽を理解する上の発想が、ほとんどベートーヴェンが創り上げた価値観の上に成り立っていると言っても過言ではない。

ベートーヴェンの天才性を考えるときに、筆者はまず「天才とは一パーセントのひらめきと九九パーセントの努力である」という、世間に広くエジソン（Thomas Alva Edison, 1847-1931）の言葉として流布されているものを思い浮かべる。ベートーヴェンの生涯を振り返るとき、聴覚の減衰と消失、慢性的な腸疾患といった肉体的な不調に生涯悩まされながらも、自己を叱咤激励し、たゆまぬ努力を続けたことを知る。

また、時代の趨勢を見極め時流に乗る、ということも天才の成功には不可欠であろう。

ベートーヴェンと同時代に社会の価値観を変えた大天才にナポレオン（Napoléon Bonaparte, 1769-

1821）がいる。ナポレオンがもたらした社会の変革は、その時代の特権階級であり同時に芸術の庇護者であった、貴族階級の立場を足元から揺すぶるものだった。ベートーヴェンはその時流の変化をもうまく摑み、成功者として生涯を閉じることができたのだ。

また、彼の伝記や同時代人の証言を見ると、ベートーヴェンは人として、芸術家として、奇異な存在だったことがわかる。生まれてくる時代を間違えればひょっとしたら投獄され、火あぶりの刑にあったかもしれない。科学者にも受難の歴史があるのは言うまでもない。

このようなことを考えるときに、天才、というのは時代に要請されて出現してくるようにも思えるし、ナポレオンやベートーヴェンのケースはまさにその象徴とも思えるのだ。

本章ではこの巨匠の「スゴさ」を教育、創作の思想と手法といった視点から考察してみたい。

ベートーヴェンの代表作品はそのほとんどがウィーンに移り住んでから作曲されている。そのためか、伝記を紐解いても生誕地ボンでのベートーヴェンの成長に関する記述の扱いは軽い。しかし天才がその才能をあますことなく発揮するための基礎教育と実演経験、そして重要な人間関係の形成はボンで行われたのだ。

2　天才を育んだ環境

ベートーヴェンの家庭環境

ベートーヴェンの家系は音楽一家であった。祖父は本章の主人公とまったく同姓同名のルートヴィヒ・ヴァン・ベートーヴェン（1712-1773）。宮廷楽長も務めた名士であった。父親は歌手のヨハン・ヴァン・ベートーヴェン（Johann van Beethoven 1739-92）。彼はアルコール依存症から実生活にも支障をきたし、それは少年ルートヴィヒが家長の代理を務めねばならないほどだった。しかし、そんな父親の無謀な教育がベートーヴェンのキャリアに大きな役割を果たした。

ルートヴィヒに音楽の才があるとわかるや否や、とにかくピアノの練習を強制したのだ。それは夜中に酔っ払って帰宅した時でも、ルートヴィヒを起こして練習させる、などといった方法でも行われた。結果ルートヴィヒは短期間でものすごい練習量をこなすことになる。

近年の研究によれば、一人前の演奏家になるためには総計約一万時間の練習時間が必要とされる。[*1] いわゆる「神童」と呼ばれる子供たちは音楽に興味を抱き、一日中練習をし、短期間でこの一万時間を稼ぐらしい。

父親から粗暴かつ好き勝手に施された音楽教育であったが、結果としてルートヴィヒが短期間に演奏家として成長することを可能とした。

ボンのミュンスター広場に立つベートーヴェン像：筆者撮影

ベートーヴェンの生誕地、ボンの社会状況

ベートーヴェンの時代、ドイツは貴族

諸侯で統治される三〇〇以上の領地に分かれ、その諸侯を統括したのが神聖ローマ帝国皇帝である。

神聖ローマ皇帝は選帝侯とよばれる九名の貴族によって選出され、ハプスブルク家は家系から歴代の皇帝を選出させることに成功、この選挙制度が崩れた後も続けて支配、計六四〇年間にわたりウィーンを首都とする帝国を統治することに成功した。

皇帝選出の権利を持つ選帝侯の居住地の一つがフランスとベルギーを目前に睨む国防にとって要衝の地、そしてベートーヴェンの生誕地、ボンであった。

自らの家系からの安定した皇帝選出を謀るため、ハプスブルクは皇帝の末弟、マキシミリアン・フランツ（Maximilian Franz von Österreich 1756-1801）を選帝侯として一七八四年、ボンに送り込むことに成功する。

これは選帝侯を始めとするウィーンとの太い人脈のパイプがこの辺境の街にも築かれ、音楽を含む最新のトレンドが帝都ウィーンから流れ込むことを意味した。

インターネットもテレビも無かった時代、これによりベートーヴェンは最新の音楽をボンで知り、ボンの貴族人脈を手掛かりにウィーンに打って出る。

また、選帝侯はベートーヴェンの成長にあわせたかのように、ボン大学を一七八六年開学させる。ベートーヴェンが大学で触れた哲学や啓蒙思想は、生涯にわたる創作活動の発想の源として大きな役割を果たすこととなった。

ボンの音楽界

父親の無茶苦茶な教育法だけではベートーヴェンの音楽家としての大成はなかったであろう。一七七九年、ボンにネーフェ（Christian Gottlob Neefe 1748-1798）が宮廷作曲家として着任する。ライプツィヒでアカデミックな教育を受けたネーフェはその知識とノウハウをベートーヴェンに叩き込む。ベートーヴェンの基礎的な作曲技法はネーフェから授かったものであり、この基礎を生涯発展させたものと言っていい。適切な時期にベートーヴェンが優れた教師と出会えたということは、幸運だったとしか言いようがない。

選帝侯は宮廷楽団の充実を図るため、各地から優れた音楽家をボンに集めた。その中には後年出版社として成功を収めるジムロック（Nikolaus Simrock 1751-1832）、ベートーヴェンのヴァイオリン教師の息子であり、のちにウィーンでベートーヴェンの秘書を務め、その後ロンドンに渡り、ベートーヴェンに《第九交響曲》の作曲を依頼するリース（Ferdinand Ries 1784-1838）、チェロの名手で交響曲第7番のウィーンでの初演にも加わるロンベルク（Bernhard Heinrich Romberg 1767-1841）、パリ音楽院で作曲家教授を務めた同い年のライヒャ（Anton Reicha 1770-1836）などがいた。

ベートーヴェンのキャリアの成功は、ボンで培った音楽家人脈なしには考えられない。

兵どもが夢の跡

豊かに育ったボンの宮廷文化。いわばベートーヴェンはボンの宮廷文化をゆりかごにして、音楽家として成長した。この地でベートーヴェンが得られた音楽の基礎鍛錬とあらゆる文化教育、そして人脈は、都会から離れた辺鄙な土地では、享受できなかったものばかりといえる。

一七九四年一〇月、ナポレオンの軍隊がボンに侵入。その宮廷文化は霧散してしまう。しかしベートーヴェンはそれに先立ち一七九二年末にウィーンに移住、すでに音楽家としての地位を築き始めていた。

こうやって歴史を振り返れば、一人の天才を育てるために一つの街の歴史がちょっとだけ動いたようにも感じられないだろうか？

3　音楽家の社会的立場を変える～独立した音楽家として生きる

活動の環境整備～企業メセナの原型

封建社会から啓蒙思想、そして民主主義を見据えた変革の時代にベートーヴェンは生きた。それは音楽家の社会的立場を変えるとともに、ベートーヴェン自身がその開拓者となった。一八世紀の封建社会で奉公人として宮廷に勤めた音楽家は、主従関係のなかで、主人の要望する音楽を主人のために作曲した。著作権もある程度まで主人に帰属したといってよい。

一方、ベートーヴェンは個人の芸術的発想を発露として、自分個人の作品を世に問うた。そしてベートーヴェンのパトロンたる貴族がその作風に敬意を表したのだ。直接パトロンとの主従関係を持たない独立芸術家の誕生である。

しかし芸術家とて生きてゆくためには稼がねばならない。そこでベートーヴェンが作り出したのが、貴族によって供出される年金システムである。ベートーヴェンが一八〇八年に三貴族と交わしたこの年金契約は、あくまでもベートーヴェン側から契約条件を提示したものであり、貴族の体面維持ではなく、ベートーヴェンの自由な創作活動の保護であったことが画期的なのだ。これは現代に至る企業メセナを中心とする芸術保護発想の礎となる。

著作権のめばえ

もう一つのベートーヴェンの生活の糧は、出版社への自作の売却である。

この時代は各上流階級がこぞって音楽を演奏するようになり、楽譜出版の市場は大きな成長を遂げ、雨後の筍のように各地に出版社が出現する。

ここでベートーヴェンは複数の出版社と自作の値段交渉をしたり、国を分けて複数の出版社から自作を出版させたり、時期をずらして同じ作品を出版する契約を結んだり、なるべく一つの作品から多くの利益を得ようと、なかなか強かな商売人でもあった。

その一方で「海賊版」、自身に利益をもたらさない違法出版にも目を光らせた。

ベートーヴェンは芸術作品の著作者を保護する著作権という観念のパイオニアでもあった。

4　作品と作曲手法のスゴさ

過去作品の徹底的な研究

ベートーヴェンの作品のスゴさはその革新性にある。

それはボン時代にはじまり、ウィーンでも続けた過去や同時代の音楽の徹底的な研究から生まれたものだ。

ボンのベートーヴェンの生家に本拠を置く『ベートーヴェン・ハウス』は、ベートーヴェンに関する膨大な資料を収集している。現在ではそのなかの数多の手稿もデジタル化されており、自作の手稿に交えてJ・S・バッハ（Johann Sebastian Bach1685-1750）やモーツァルト（Wolfgang Amadeus Mozart 1756-1791）といった巨匠の作品の手書きの写しも見られる。

ボン・ベートーヴェン・デジタル・アーカイブ

特に注目すべきは自作の歌劇『フィデリオ』を作曲する際に書き付けられた、モーツァルトのオペラの断片である。

これは常にベートーヴェンが過去の作品を規範としていたことをあらわしている。

しかし複数の証言によれば、ベートーヴェンはどのような作品でも初見でピアノ演奏することができたらしい。しかしあえて、このように筆写された作品が多いということは、作品を筆写して初めてわかる音楽の秘密がそこにはあると思っていたのであろう。

筆者自身も巨匠の作品を筆写することで、パズルが解けるように音楽の仕掛けがわかる、ということを何回も経験している。

前出のボン・ベートーヴェン・デジタル・アーカイブにはベートーヴェンが父親といっしょに筆写した、エマニュエル・バッハ（Carl Philipp Emanuel Bach 1714-1788）の作品もある。ひょっとしたらベートーヴェンは父親と一緒に（たとえいつも酔っ払っていた父親であっても）、過去の作品の筆写の重要性を学んだのかもしれない。

音楽以外のリベラル・アーツの発想

ベートーヴェンがボン大学で学んだのは哲学と文学。今も残されるベートーヴェンの楽譜の手稿や手記には、数多の本からの抜き書きが記されている。

ベートーヴェンの蔵書のなかにはカント（Immanuel Kant 1724-1804）の「天界の一般自然史と理論」[*2]までも含まれている。

主人を満足させる音楽を書くことが主な活動だった奉公人の作曲家に比べ、独立芸術家としてのベートーヴェンは芸術家としての意思を作品に込める必要を感じた。そしてその発想を求めたのは音楽以外のリベラル・アーツであったのだろう。ベートーヴェンの遺稿のなかには、哲学、文学的意味を音楽で持たせようとした痕跡や直接的なメモが見られる。《第九交響曲》はその歌詞となったシラー（Johann Christoph Friedrich von Schiller 1759-1805）の詩句を通じて、天文学の発達によって変化せざるを得なくなった、一八世紀末のキリスト教の世界観さえ感じさせる。[*3]

科学、修辞学と音楽

音列や和音というのは本来言葉が持つような直接的な意味は持たない。

しかし音をどうやったら綺麗に響かせることができるか、という音響学的な研究はギリシャ時代から盛んに行われ、その延長線上でピタゴラスによる音階が生まれたり、三和音（トライアド）が生まれた

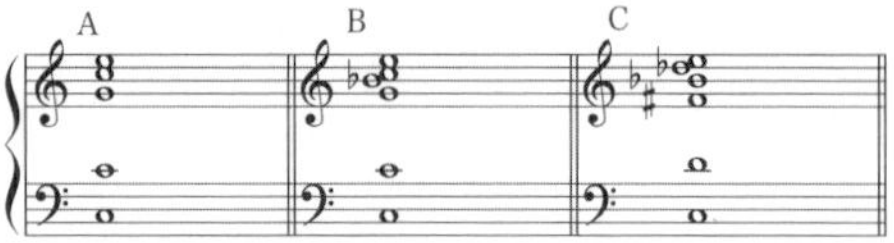

譜例1　A：基本の長調の和音、B：属七和音B、C：不協和音

譜例2　A：メロディ（ベートーヴェン：ピアノ協奏曲第1番）、B：ハ長調の和音、C：ハ短調の和音）

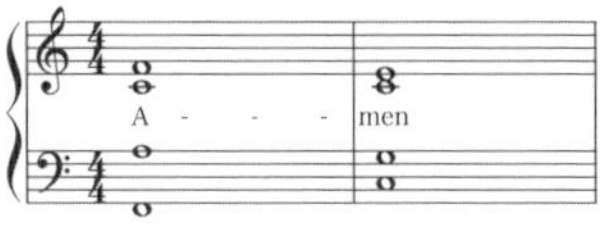

譜例3　アーメン終止

り、その和音をどのように組み合わせれば起承転結のある音の塊として聴かせることができるか（和声学）という理論も、作曲法の根幹をなすものとして研究され、ベートーヴェンの時代にはほぼ出尽くしていた、といっても過言ではないと思う。

音楽が音の物理現象を利用したことの証明として、音楽をきちんと学んだことのない人でも譜例1のような楽譜をピアノで鳴らしてみれば、Aは綺麗に響き、Bは少しにごり、Cはめちゃくちゃな音の塊に聞こえることであろう。これはAの三和音が自然倍音の配列で出来ていることによる。

譜例2のメロディは言葉の抑揚のようにも聞こえるが、西洋音楽にかこまれて育った人ならメロディの一塊に聞こえるはずだ（ちなみに日本の歌謡曲も西洋音楽のルールに基づいている）。そしてBの和音は明るく楽しく、Cの和音は悲しく暗く感じる。この感覚は西洋音楽に親しむことで生まれる後天的なものらしい。

譜例3の和声の組み合わせはアーメン終止と呼ばれる。

これはキリスト教に馴染みを持たない人であれば何も感じないのだが、西洋の一般家庭のように毎週末教会に通う環境で育ってきた人々は、幼年時からこの和音に当てはめて「アーメン」を唱えてきているので、音楽作品のなかでこの和音の組み合わせが鳴ったときは「アーメン」と思うのだ。

この「アーメン」をゆっくりした楽章の最後に用いる手法は、ベートーヴェンをさかのぼること一〇〇年以上前からあり、一九世紀の終わりまで広く使われているが、これこそ教会のなかで刷り込まれた感覚に訴えかけるレトリック（修辞）的手法である。

ベートーヴェンは文学や哲学の思想を、レトリック的手法を用いて音楽に織り込もうとしたのだ。

ベートーヴェンが使ったレトリックの手法

実は音楽には伝統的で普遍的なレトリック手法、というのはさほど多いわけではない。

しかし、いくつかの伝統的なレトリック概念は存在する。その一つが楽曲の調性や和声を用いたものだ。

ベートーヴェンは《第九交響曲》において、天上の世界と悪魔の世界をテーマに掲げる。この天上と悪魔の世界は次のような和音によって伝統的に修辞される（譜例4）。

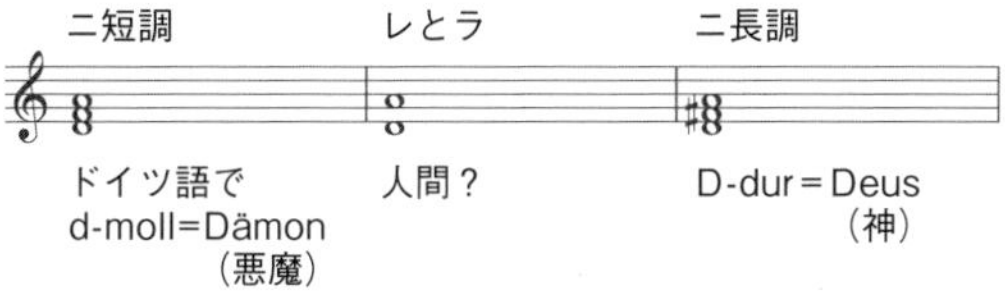

譜例4　ニ短調とニ長調

ドイツ語でニ短調は d-moll（デーモール）と呼ばれ、それにより悪魔（Dämon デーモン）という単語が想起される。またニ長調は D-dur（デードゥア）、神様（Deus デウス）という単語を想起させ、音楽のそれぞれの神と悪魔のレトリック的象徴とされてきた。

ベートーヴェンは《第九交響曲》のなかで各楽章の最初のメロディをレラの音で始め、終わりの音をラレで終わることで、この二つの音をモットーとした。

そしてニ短調（悪魔）かニ長調（神）かの鍵を握るファとファ♯の音を抜くことで、人間の象徴とした。《第九交響曲》には全曲を通じてこのニ短調（悪魔）とニ長調（神）のせめぎ合いが見られる。これは伝統的レトリック手法の延長線上にあるものだが、ベートーヴェンのすごいところは独自のレトリック手法も作り出したところにある。

英雄の象徴～ベートーヴェン独自のレトリック

ナポレオンを想起して作曲したと言われる《英雄交響曲》。この中で、ベートーヴェンは変ホ長調を使い、その和音を「英雄の調性」として後世に定着させる（譜例5）。

また象徴的に使われたホルンは英雄を象徴する楽器として、後進作曲家のオーケストラ作品に用いられるようになる。

ホルンはその名の通り（イタリア語ではcorno＝角）角笛をその祖先とし、レトリック的には狩人や森の象徴ではあっても、決して英雄の楽器ではなかった。

ベートーヴェンの時代は戦争の時代である。そのなかで英雄讃美の芸術的、社会的潮流（ヒロイズム）が生まれ、変ホ長調とホルンはそれを描くために独自に編み出したベートーヴェンのレトリック的手法なのである。

ただ単なる娯楽を超えた芸術作品として音楽を成立させるには、音楽に意味を持たせねばならないとベートーヴェンは考えた。このためにベートーヴェンが出した一つの答えがレトリックであり、その伝統的な手法に新たな光を当てた。

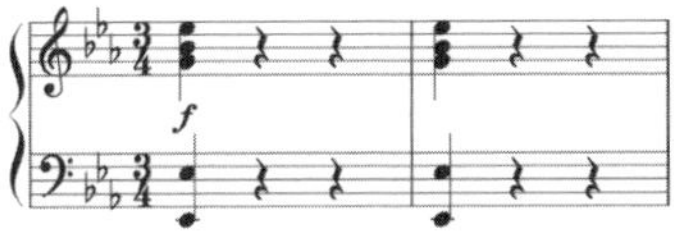

譜例5　《英雄交響曲》冒頭

譜例6　交響曲第五番冒頭

作品を作曲するのではなく「構築」する

ベートーヴェンの革新的作品は、自身で編み出した作曲手法からも生み出される。

宮廷作曲家が主人の求めに応じて時には数日というごく短期間で作曲をしたのに対し、ベートーヴェンは時には大作に二年近くの時を費やした。ベートーヴェンはこの時間を利用して、先人たちが思いつかなかった、試そうとしなかった方法で大曲を完成させた。交響曲第五番（俗にいう《運命》）がその曲だ。

今日私たちがクラシック音楽の代名詞として知るメロディ、「ジャジャジャジャーン」（譜例6）。

この「ジャジャジャジャーン」がオーケストラで演奏されると、それはそれだけでインパクトがあり記憶に残るが、ベートーヴェンはこの「ジャジャジャジャーン」をおもちゃのブロックのパーツのように組み合わせたり、織り込んだりして、演奏に四〇分近くかかる大曲を組み上げたのだ。

ベートーヴェンが試作を繰り返した「スケッチ帳（Wielhorsky Sketchbook）」

その「ジャジャジャジャーン」の用いられ方は冒頭のように直接的なものから、楽譜を見ながら聞き取ろうとしても難しい暗示的なものまで、第一楽章だけでその登場回数は二〇〇回を超す。

曲のもととなるメロディのひらめきは、作曲家や音楽家でなくても鼻歌のような形で出てくるものである。しかし、ひらめきを関連性があるまとまった形にするためには、ある程度の音楽のトレーニングと経験が必要となる。経験を積んだ作曲家はひらめきさえあれば、あとは自動的に湧き出てくるように曲を理路整然と作曲することすらできる。

しかしベートーヴェンはそのような道を捨て、熟考に熟考を重ね、後世の人々が「スケッチ帳」と呼んだ五線紙の束で試作を繰り返した。

今までの作曲家が「作曲」して作品を送り出したのに対し「構築」してこの傑作を完成させたのだ。

新しい楽器の機構を作品に取り入れる

ベートーヴェンの時代は、イギリスが先鞭をつけた産業革命が大陸にも伝播してきた時代でもあり、新しい工業製品も次々と開発された。

楽器も例に漏れず、特に需要が高まりをみせたピアノはウィーンでも次々とメーカーが産声を上げる。ベートーヴェンが初めて弾いたピアノの音域は四オクターブ強の音域しかなかったと想像されるが、メーカー同士の競争のなかで、ベートーヴェンが最後に手にしたピアノは6オクターブを超える音域を誇った。ベートーヴェンは新型のピアノを手に入れるたび、その性能を余すところなく発揮する作品を次々と作曲した。またベートーヴェンが聴覚を失ってからも新機構を持ったホルンなどが開発され、その機構で実現できる音楽を書いている。ただ、筆者には耳の聞こえないベートーヴェンが、どうやってその機構を理解し作品に活かしたのかは不思議である。

革新的であるが、新奇ではない

ベートーヴェンの手法と創造は革新的ではあっても新奇ではない。徹底した学習と研究に基づいたその作品は、張りぼての音楽とは一線を画する。

ドイツ語で芸術を表すクンストとか、英語のアートという言葉は元々「手仕事」を意味する。それを日本語のいわゆる「芸術」という意味合いにまでベートーヴェンは音楽を引き上げた。そのためにベートーヴェンは先人たちの知恵から新たな作曲手法を導き出し、自分が創作活動に打ち込める環境を整えた。ベートーヴェンが遺した芸術音楽作品とその思想は、二〇〇年たった今でも私たちを感動させてくれると同時に、後世の人々が音楽を評価するときの指標となった。

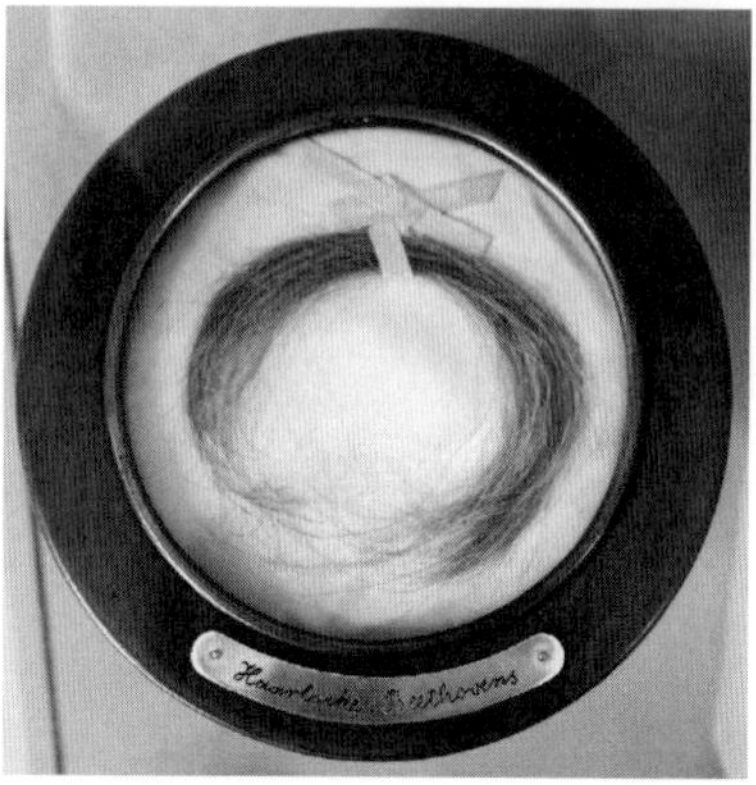

ベートーヴェンの遺髪：ウィーン・ベートーヴェン・ミュージアム所蔵、筆者撮影

5　現代の科学が解き明かそうとする、天才の秘密

ベートーヴェンの伝記を開くと、聴覚の減衰と喪失といった、いわば音楽家にとって致命傷ともいえる疾患との闘いにページが割かれている。また、ベートーヴェンの手紙のなかには、腸疾患で長期間病床から起き上がれなかったことが綴られたものがある。

ベートーヴェンは一八二七年に死後解剖も行われ、一八六三年、墓を改葬するときに頭蓋骨も再調査されているが、長年ベートーヴェンの持病について決定的な結論は得られなかった。ところが二〇世紀末、ベートーヴェンの遺髪と頭骨が科学調査され、新たな事実が明らかになった。

二〇〇〇年九月、シカゴに近いアルゴンヌ国立研究所でベートーヴェンの遺髪のシンクロトロンX線の実験が行われた。またアルゴンヌではベートーヴェンの頭骨の検査も行われている。その結果、頭骨と遺髪からみつかったのは健常者の九〇倍もの高濃度の鉛だった。[*4]

これらの結果はなんらかの理由で体内に蓄積された鉛が、ベートーヴェンの持病と深いかかわりを持っていたことを示している。[*5]

ベートーヴェンの伝記のなかには、その生涯を知る人たちによって「伝説の巨匠」のような虚像が作り上げられたものもあった。今日の私たちはもちろん遺された偉大な作品を通じて彼を偲ぶことができるが、同時にこの巨匠の真実の姿も知りたいと願う。
しかし、科学によってその真実が解き明かされる一方で、ミステリアスな部分も残っていて欲しいと願うのはわがままだろうか？

注

＊1　K. Anders Ericsson (2006) "The Influence of Experience and Deliberate Practice on the Development of Superior Expert Performance", Cambridge University Press, pp.683-704

＊2　Immanuel Kant (1755) "Allgemeine Naturgeschichte und Theorie des Himmels" Petersen, Königsberg und Leipzig

＊3　曽我大介『《第九》虎の巻 歌う人、弾く人、聴く人のためのガイドブック』音楽之友社、二〇一三年　p.25

＊4　ラッセル・マーティン／リディア・ニブリー『ベートーヴェンの真実』児玉敦子訳、ＰＨＰ研究所、二〇一二年　pp.125-128

＊5　酒井邦嘉（二〇二一）「ベートーヴェンの病跡と芸術」BRAIN and NERVE, 73 (12): 1327-1331.

おすすめ本

藤田俊之『ベートーヴェンが読んだ本』幻冬舎、二〇二〇年

ラッセル・マーティン『ベートーヴェンの遺髪』高儀進訳、白水社、二〇〇一年
曽我大介『ベートーヴェンのトリセツ　指揮者が読み解く天才のスゴさ』音楽之友社、二〇二一年

第3章

マンダラ：視覚化された最高真理
――そして芸術への傾斜――

正木晃

人間相互の情報伝達は、おおむね言葉がになう。では、宗教が想定してきた最高真理は言葉で伝達できるか。世界中の宗教のほとんどは可能とみなしてきた。しかし、仏教だけは不可能とみなしてきた。なぜなら、開祖のゴータマ・ブッダが、仏教の最高真理にあたる「悟り」は、言葉では表現できず、ましてや伝達など不可能と主張したからだ。以来、仏教の歴史は、「悟り」とは何か、をめぐる試行錯誤の連続となった。この難問を、最後発の仏教である密教は、「悟り」を視覚化することで解決しようと試みた。それがマンダラである。本論考では、マンダラ開発の経緯、本来の機能などをまず説明し、日本伝来されると次第に芸術へと傾斜していった過程を、日本人の真理観や自然観と照らし合わせながら考察する。

【密教】

インド仏教の最終段階で登場した仏教の形態。系譜としては大乗仏教の発展形であり、心身で直接、真理を獲得できるとみなすなど、神秘主義的な傾向が強い。欲望も悟りへの原動力になると主張し、従前の仏教ほど禁欲的ではない。象徴的な表現を好み、儀礼や造形美術に熱心だった。

【マンダラ】

密教が設定する最高真理、たとえば世界の構造、精神の構造、悟りへの過程などを視覚化した図像であり、修行の用具として用いられる。通常は、仏菩薩や神々の姿もしくはシンボルを一定の秩序に沿って配置するので、幾何学的な構造をとる作例が多い。

【宮曼荼羅・参詣曼荼羅】

日本人が独自に創造したマンダラ。幾何学的な形態や自然物の排除など、マンダラ本来の要素がほとんど無視され、結果的に風景画に近似する。その背景に、日本独特の自然観、とりわけ自然即真理の顕現という思想があると考えられる。

【逸脱か発展か】

日本のマンダラは、一方でマンダラ本来の要素や機能を継承しながら、他方で自由奔放ともいえる方向へ展開した。このような傾向は、インドでもチベットでも見られない。逸脱なのか、発展なのか、判定は難しいが、日本化であったことは確かだ。

1　真理と言葉

情報の伝達は、主に言葉によって行われてきた。文字による伝達も盛んに行われてきたが、文字という方法はまず言葉が成立していなければ、存在しえない。図像や数式による伝達もあるが、言葉による伝達に比べれば、問題にならないくらい少ない。

この事情は宗教の領域でも共通する。宗教によっては、言葉は唯一絶対の存在である「神」そのものでもある。たとえば、新約聖書の『ヨハネによる福音書』第一章第一節には、「初めに言《ことば》があった。言は神と共にあった。言は神であった。この言は、初めに神と共にあった。万物は言によって成った。成ったもので、言によらずに成ったものは何一つなかった。言の内に命があった」と書かれている。

ここで「言」と訳出されている原語は、ギリシア語の「ロゴス」だ。そして、神学では、ナザレ人のイエスこそ神の言葉が受肉した人物だったと解釈されている。[*1]また、イエス自身は、母語にあたるアラム語かヘブライ語によって、父なる神と意思の疎通が可能と考えていた。このことは、逮捕の前日、ゲッセマネの園における祈り「アッバ、父よ、あなたは何でもおできになります。この杯をわたしから取りのけてください。しかし、わたしが願うことではなく、御心に適うことが行われますように[*2]」や、十字架上における語りかけ「わが神、わが神、なぜわたしをお見捨てになったのですか[*3]」から確認できる。

また、イスラム教の聖典『クルアーン』はアラビア語で筆記されている。「直接じかに神自身がマホメットにのりうつって、その口を借りて話しかけて来るその言葉をその時その場で記憶に留めたものである。なまの神様の語りかけである」[*4]。

ヒンドゥー教の聖典として尊崇されてきた各種の『ヴェーダ』も、その点は同じだ。「正統派の伝承では、ヴェーダは人間の著作ではなく、聖仙が神秘的霊感によって感得した啓示であるとされ、『天啓聖典』と呼ばれている」[*5]。

このように、宗教の領域では、言葉に対する信頼度がきわめて高い。多くの宗教で聖典が絶対視される理由も、突き詰めていけば、言葉に対する信頼があるからだ。要するに、言葉によって、最高実在あるいは最高真理を表現できるという認識が、そこに見られる。

ところが、例外がある。仏教である。開祖のゴータマ・ブッダは、仏教における最高真理にほかならない悟りを、正確を期せば悟りの具体的な内容を、言葉によって表現することを拒否した。その証拠に、原始仏典のどこにも、悟りの具体的な内容は説かれていない。

ゴータマも弟子たちに説教した、つまり言葉を用いて指導している。しかし、四五年にもおよぶ布教活動で、弟子たちに語り続けたのは、もっぱら悟りの境地がもたらす快適さと悟りへ至るための方法論であり、悟りの具体的な内容については絶対に語らなかった。

ゴータマが、なぜ、悟りの具体的な内容について語らなかったのか。その理由を、大乗仏教が生んだ最大の宗教哲学者、龍樹（ナーガールジュナ　二〜三世紀）は、主著の『中論』第二二章の第一五偈《げ》に、こう解説している。「言葉の仮構を超越した不壊なるブッダを言葉で仮構する人々はみな、言葉の仮構によってそこなわれて如来を見ることがない」[*6]。そもそも、最高真理は概念作用の彼方にある。言葉は必然的に概念作用を喚起する。したがって、言葉を用いる限り、概念作用に妨げられて、最高真理に至れないとみなす。

その一方で、『中論』第二四章の第一〇偈に、こうも述べている。「言語習慣に依らないでは最高の真実は説きえない。最高の真実に従わないでは涅槃は悟りえない」[*7]。すなわち、「言語習慣に依らないでは最高の真実は説きえない」。ゆえに、ゴータマも言葉をもちいて弟子たちを指導したのだと主張する。

2　マンダラと密教

本論考の主役は、「マンダラ」と呼ばれる図像である。マンダラはインド宗教界における公式言語として、古代以来ずっと使われてきたサンスクリット（梵語）の語だ。漢訳経典では大概の場合、発音をそのまま写して、曼荼羅・曼陀羅・漫拏羅などと表記されてきた。「輪円具足」、すなわち「円形で、すべてが完備されているもの」という、マンダラの特徴をうまく言い当てた意訳もあるが、使用例はごく限られる。

マンダラという言葉が最初に登場したのは、インド最古の聖典として知られる『リグ・ヴェーダ』である。時期は、紀元前一五〇〇年から紀元前一〇〇〇年ころだ。『リグ・ヴェーダ』は全部で一〇巻あり、各巻がマンダラと呼ばれてきた[*8]。つまり、マンダラという言葉は「巻」あるいは「本」というほどの意味で使われていた。マンダラが「聚集」、つまり「（真理を）一つに集めたもの」と意訳されることもあった理由は、このあたりに求められるかもしれない。

表現様式としての「マンダラ」は、広い意味では「仏画」の部類に入る。ただし、通常の仏画が本尊だけ、あるいは本尊と脇侍というように、一体かせいぜい数体くらいの尊格が描かれているのに対し、マンダラは複数どころか膨大な数の尊格が描かれている。

今、私たちが眼にする図像としてのマンダラは、密教（仏教タントリズム）が開発した。密教は最後発の仏教であり、インド大乗仏教の最終形態にほかならない。仏教がヒンドゥー教に圧倒されて衰退傾向が目立ち始めた四～五世紀に姿を現し、七～八世紀に完成度を高め、一三世紀にインド仏教がほぼ壊滅するまで展開し続けた。

近年の研究によれば、最末期のインド仏教は密教中心だったようだ。現状で密教を伝承するのは、チベットと日本である。日本へは、インドから直接ではなく、唐時代の中国を経由して、主に平安時代に伝来した。宗派で言えば、真言宗が密教を名乗るほか、天台宗の中にも密教が継承されている。もっとも、同じ密教でも、チベット密教が八世紀以降に成立した後期密教経典を重視するのに対し、日本密教は七世紀段階で成立した中期密教経典を重視する点などが異なり、基本は共通するが、細部は相違が少なくない。

密教は思想や修行法はもとより、関連するさまざまな領域でそれまでの仏教（顕教）とかなり異なる。それを一つ一つ指摘していくときりがないくらいだが、悟りや真理に対しても全く次元の異なる発想に到達した。言葉では表現できなくても、図像であれば表現できるのではないか、と考えたのだ。いわば、真理の視覚化である。特にシンボルの操作によって、真理そのものを伝達でき、ひいては悟りを体得できるのではないか、という発想に到達した。その最も有力な方途として開発された用具が、マンダラだった。

この経緯について、日本密教の祖となった空海が著作の『請来目録《しょうらいもくろく》』に、「密蔵は深玄にして翰墨《かんぼく》に載《の》せ難し。更に図画を仮りて悟らざるに開示す*9（密教の教えは深く神秘的なために、文字では伝えがたい。そこで図像をもちいて、理解できない人の眼を開くのだ）」と述べている。

3　視覚上の特徴と用途

マンダラの視覚上の特徴は、以下の四つが指摘できる。

①強い対称性／②基本的に円形か正方形、もしくはその組み合わせ／③閉鎖系／④幾何学的な形態

最大の特徴は、強い対称性である。対称性のないマンダラはありえない。基本的に円形か正方形、もしくはその組み合わせという特徴も、強い対称性に直結する。

閉鎖系とは、要するにマンダラが閉じられた世界もしくは空間という意味である。たとえば、完成度の高いマンダラの、最も外側に目を凝らすと、ダイアモンド製と経典に記述される障壁が描かれ、マンダラの内部と外部を完全に遮断している。こうして、内部の聖なる領域に、外部から邪悪な存在が侵入してこないようにしているのである。

色彩にも重要な意味が込められている。完成された段階のマンダラは五元論（五蘊＝地水火風空の五大要素・五智・五仏など）を採用したために、原則として五色（白・黄・赤・緑・青）に塗り分けられる。また、マンダラの中央に位置する内庭部分では、黄＝昼・赤＝夕・緑＝夜・青＝朝というように、一日の時間帯をも色によって象徴する。

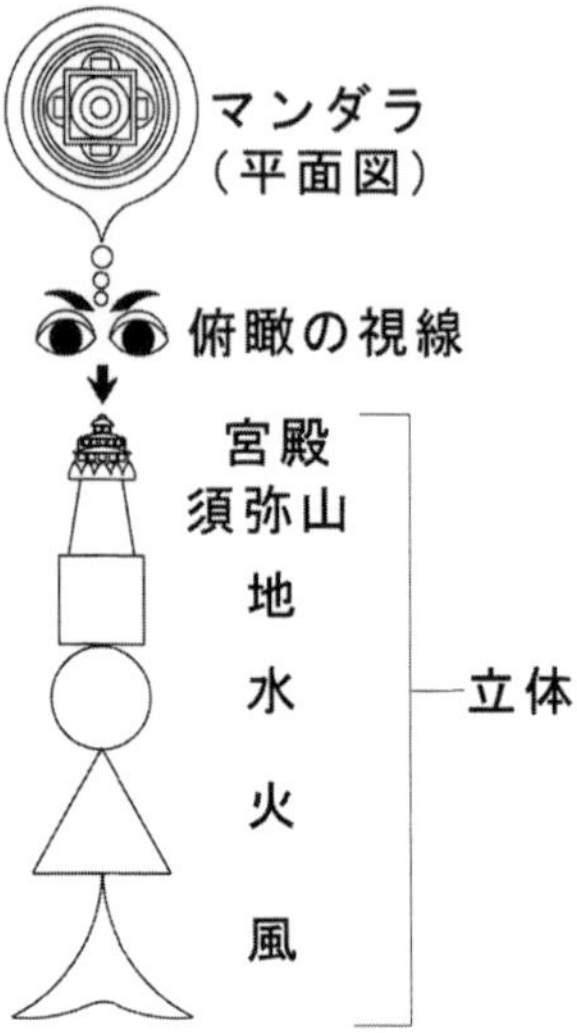

図1　マンダラの概念図　作成：著者

以上の特徴をならべると、全体は必然的に、色鮮やかな幾何学的形態になる。印象としては、万華鏡をのぞいたときに見えるような世界である。さらに、自然物はすべてシンボル化され、そのままの姿で描かれることもない（カラー口絵 図2―1）。

ただし、例外はある。四つの特徴のうち、いずれかを欠くマンダラもないではない。特に日本で制作されたマンダラに、その傾向が顕著だ。それどころか、強い対称性も円形も閉鎖系も幾何学的な形態も、全て無視するマンダラすらある。そうなるとマンダラと呼べるか否か、はなはだ問題だが、その種のマンダラも実はほぼ日本でのみ制作されてきた。

原初のマンダラは、実物が残されていないので、古い文献などから類推するしかない。おそらく簡単な仏壇のような形態で、用が済めば、折りたたんで持ち運べたのではないか、と推測されている。

完成された段階のマンダラの基本的な構造は、世界あるいは宇宙を真上から見下ろした形態をとる。密教の、というよりインドの伝統的な宇宙論では、宇宙の中心に、須弥山と呼ばれる高山がそびえたち、その頂上もしくは上空に仏菩薩や神々が住まう宮殿があるとみなされてきた。したがって、マンダラは、須弥山上の宮殿の内部にあまたの尊格が整然と配置される様子を描く平面図になる（図1）。後世になると、平面図を立体化する動きも出てくるが、作例は稀なので、おおむね平面図と考えていただいていい。

では、マンダラを使って、何をしていたのか。これも時代とともに変化したが、おおむね以下の三つに要約できる。①悟りあるいは真理に至るための瞑想／②聖なる場の創出・確保／③邪悪な存在の侵入を阻止する結界。このうち、最も重要なのは、言うまでもなく、①である。②と③は、密教に期待されていた呪術的な行為と密接な関係にあるが、そもそもは①を成就するための準備段階でもある。

4　マンダラ瞑想

では、①について、七世紀にインド密教で創造され、日本でも空海以来、伝承されてきた金剛界マンダラを例に説明しよう。結論から先に言えば、自分の身体をまるごとマンダラを入れてしまうという瞑想、すなわち「五相成身観《ごそうじょうじんかん》」をおこなう。

まず自分の心の中に、①菩提心を象徴する梵字の「𑖀」を想い描く。②やがて、「𑖀」が、金剛杵《こんごうしょ》と呼ばれる密教法具に変容する。実際には、「変容する」ではなく、「変容させる」と表現すべきかもしれないが、瞑想が深くなると、自他の区別が曖昧になるので、「おのずから変容する」と表現した方が実情に沿う。③次に金剛杵を拡大していく。極限まで拡大したら、今度は逆に極小化していく。このように、極大化と極小化を幾度となく繰り返し、④金剛杵を自分の身体の中に取り込んでしまう。さらに、取り込まれた金剛杵を、⑤金剛界大日如来の姿に変容させる。そしてその本尊は、実は外に存在するのでもなければ、中に存在するのでもない、自分そのものであるという認識をもつに至る。密教では、この状態こそ「梵我一如《ぼんがいちにょ》」と呼ばれる最高真理であり、ゴータマ・ブッダの悟りそのものとみなしてきた。*10

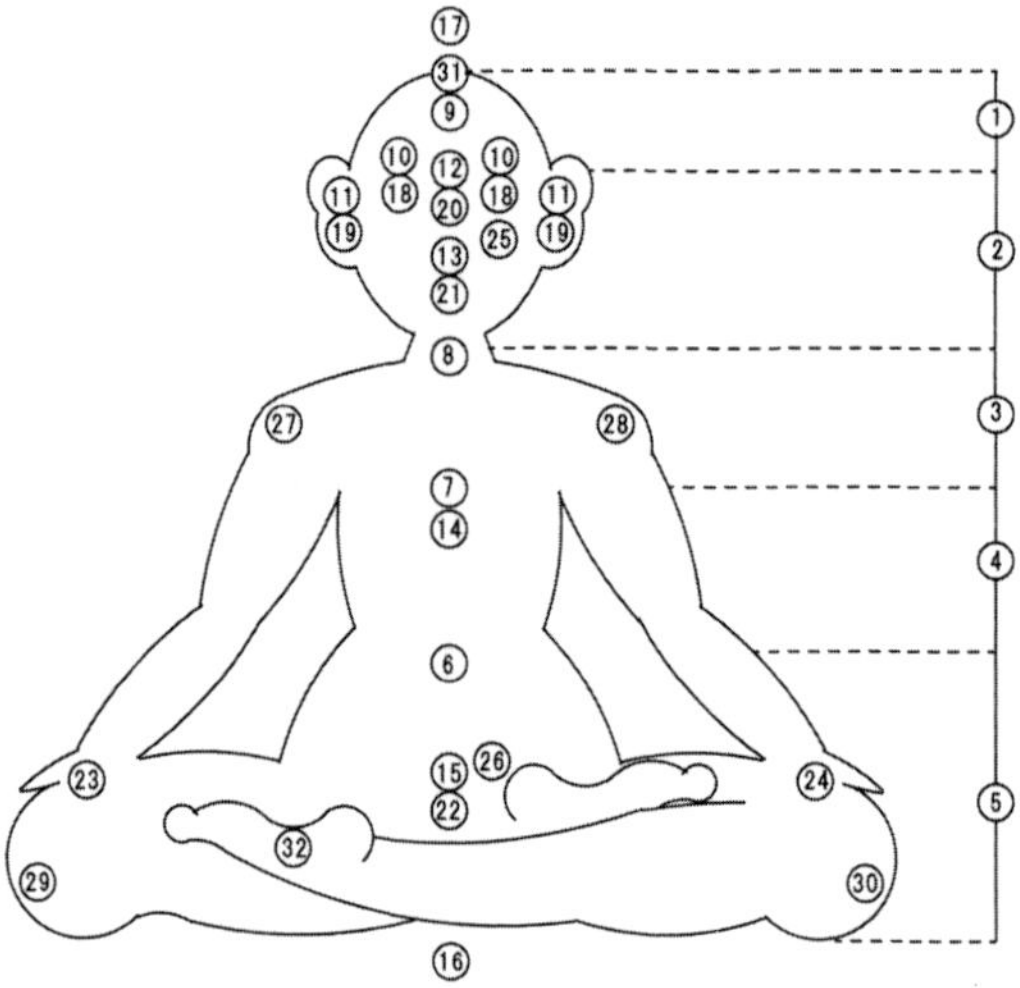

図２　チベット密教「秘密集会マンダラ諸尊配置図」　身体の32箇所に仏菩薩や神々を配置して、自身が仏菩薩や神々が本質的に同じという境地を体得する。作成：著者

日本密教では、金剛杵をイメージするという修行法の他に、五輪塔を想い描く修行法、すなわち「五字厳身観《ごじごんじんかん》」も実践されていた。自分自身の中に、下から順に、世界を構成する地・水・火・風・空の五大要素を、それぞれ方形・円形・三角形・半月形・宝珠形という形で積み上げて、五輪塔をつくりあげ、その五輪塔を、金剛杵の場合と同じように、極大化と極小化を繰り返して、悟りを目指すのである。

チベット密教は、日本密教よりもさらに後発のインド密教を継承してきたので、マンダラの使い方も複雑である。実例として示した「秘密集会マンダラ諸尊配置図」では、修行者は自身の身体が三二の仏菩薩や神々から構成されていると想い描き、自身が聖なる存在と本質的に同じ、つまり密教が想定する仏そのものであるという真理を体得する（図2）。

このように、マンダラは悟りあるいは真理に至るための、きわめて特殊な用途のために使われる、というのが本来である。チベット密教では、現在に至るまで、この原則がかたくななまでに守られてきた。

5　逸脱か発展か

ところが、日本では本来の目的や用途とは異なる方向へ転換したマンダラの作例が少なからずある。色鮮やかな幾何学的形態から完全に離れ、自然物が特に加工されることもなく、言い換えれば自然の光景をそのまま描いた図像が、なぜか、マンダラと呼ばれてきた。

発端は、平安中期頃から、もともとマンダラと縁のない図像、たとえば極楽浄土のありさまを描いた浄土変相図がマンダラと呼ばれ始めたことに由来する。典型例は奈良の當麻寺《たいまでら》に伝来する当麻曼荼羅《たいままんだら》だ。画面が左右対称をたもち、しかも膨大な数にのぼる仏菩薩や往生人たちが描かれているあたりは、確かにマンダラと共通する。

おそらくその延長線上に、自然を背景に神社仏閣までこまかく描き出す様式のマンダラが登場した。制作された時期は、鎌倉時代から室町時代である。この型のマンダラは、お宮、つまり神社や仏閣が描かれているので、宮曼荼羅と呼ばれる。お宮なのに、なぜ、仏閣まで描かれるのか。その理由は、明治維新まで、日本中の神社のほとんどは、神宮寺という形態をとり、神官ではなく、仏教僧によって主宰されていたからだ。具体例をあげれば、鎌倉の鶴岡八幡宮の正式名称は鶴岡八幡宮寺であり、天台宗に属す三井寺（園城寺）の末寺だった。

宮曼荼羅は、大概の場合、豊かな自然の中に鎮座する神社を、はるか上空を飛ぶ鳥の視線で描き出し、そこに祀られている神々と、それら神々の本体とされる仏菩薩を、併せて描き出す。思想的な背景には、日本の神々はインドの仏菩薩が、日本の実情に合わせて姿を出現したとみなす「本地垂迹《ほんじすいじゃく》」という考え方があった。要するに、仏と神が蜜月の状態にある「神仏混淆」という発想が生み出した、日本独特のマンダラにほかならない。

ここまで来ると、構図も極端な縦長となり、まさに掛け軸と呼ぶしかない形態になってしまっている。対称性など、画面のどこを探しても、まったく見当たらない。技法の面でも、いわゆる「大和絵」を踏襲し、使われている色彩も風景画となんら変わらない。

このような展開が、逸脱なのか、発展なのか。にわかに判定できない。

6　マンダラと自然観

ただし、宮曼荼羅の制作や利用にかかわった人々が、この型の図像を世俗的な風景画と認識していたわけではない。見た目は大きく異なっていても、マンダラと呼ばれる以上、かれらにとって、それはやはり最高真理を表現する聖なる図像だった。ということは、宮曼荼羅に描かれた風景こそ、最高真理の表現にほかならない。では、なぜ、風景が最高真理の表現なのか。この問いは、密教に独特の、そして日本密教に独特の思想から説明できる。

①インドで誕生して以来、密教の本尊である大日如来は、世界もしくは宇宙そのものとみなされた。歴史上に実在したゴータマ・ブッダは、その化身もしくは分身にすぎない。

②日本密教では、「非情成仏」といって、自然も悟ることができるとみなされた。あるいはすでに

悟っている、さらには最高真理を説いているとみなされた。ちなみに、インドやチベットでは、自然が悟れるという思想は育まれなかった。

とりわけ注目に値するのは②である。この思想は、空海の『吽字義《うんじぎ》』に「草木也成　何況有情[*11]（草や木ですら仏になれるのだから、人間が仏になれないはずがない）」や、同じく『声字実相義《しょうじじっそうぎ》』に「五大皆有響。十界具言語。六塵悉文字。法身是実相[*12]（この世界は最高真理を伝達する音声・言語・文字であり、真理そのものを身体とする大日如来とはこの世界のあるがままの姿にほかならない）」と明示されている。

しかも、この思想は密教以外の伝統仏教でも共有されていた。現に、日本曹洞宗の祖、道元も同じ思想をもっていた。七五巻本『正法眼蔵《しょうぼうげんぞう》』の第二九「山水経」に、「而今《しこん》ノ山水ハ。古佛ノ道現成《げんじょう》ナリ。トモニ法位ニ住シテ。究盡《ぐうじん》功徳ヲ成セリ。……山ノ諸功徳高廣ナルヲモテ。乗雲ノ道徳。カナラス山ヨリ通達ス[*13]（今、私たちの現前にある山水は、古来の「仏」が実現してきた道を同じく実現している。山水も古仏も、ともに悟りの境地に住して、究極の功徳を成就している。……その功徳をもって、山水は、仏として、説法している）」と述べている。

7　信仰から芸術へ

とはいえ、時代が下るにつれ、宮曼荼羅が、礼拝の対象としてよりも、芸術作品として鑑賞される傾向が見られるのは否めない。その実例は、奈良国立博物館に所蔵されている「山王宮曼荼羅」（一四四七年制作・カラー口絵 図2―2）だ。同館のホームページには、こう解説されている。「比叡山の東麓に鎮坐し、延暦寺の鎮守社として発展した日吉神社《ひよしじんじゃ》（山王社）の景観を主要素とする礼拝画。……本地垂迹説による、超越者である仏が仮にこの世に現れた存在という神の性格を、神社の実景描写をもって表したものである。図の上部には別に区劃を設け、二十一社の祭神・本地仏・種子を並べる。各像に名称の短冊形を付すのは説明的で、尊像の存在感を損ないかねない。それは各社殿についても同様であり、宮曼荼羅としては時代の下降により、礼拝画たる重厚さの薄れる傾向は認めざるを得ない。[*14]」

この傾向は、宮曼荼羅の一部が強調され、神社仏閣やそこに参詣する人々に焦点を合わせたマンダラ、つまり参詣曼荼羅にいっそう強く見られる。制作の目的が、有名な神社仏閣への参詣を促すための絵解き（案内図）として使われ、すこぶる実用的だったからだ。

しかし、それでもなお、参詣曼荼羅には図像そのものが、礼拝の対象となるという性格が残されていた。この性格は、各地の名所旧跡をもっぱら憩いや遊楽の場として描いた名所遊楽図と比較すると、よくわかる。具体例をあげると、参詣曼荼羅は目的の地に至る「道」の描写が、名所遊楽図に比べ、はるかに詳しい。この事実は、さまざまな事情ゆえ、対象となる聖地に参詣できない人々に、描かれている「道」を辿ることで、実際に参詣したと同じ功徳が得られるという期待をいだかせたようである。[*15]

参詣曼荼羅と名所遊楽図は、一見したところ似た目的で、また同じように京都周辺の画工房で、専門の職人たちによって、制作された可能性が高い。にもかかわらず、名所遊楽図では、聖地や霊場ですら、現世的な憩いや遊楽の場とみなされ、宗教性をほとんど感じさせない。その理由は、名所遊楽図が伝統的な大和絵における四季絵ないし月次絵《つきなみえ》や名所絵といった障屏画の系列、つまり世俗の絵画から誕生したという由来に、言い換えれば、両者の出自の違いが大きく影響している。[*16]

そして、このような特徴をもつ参詣曼荼羅をもって、日本におけるマンダラの展開は終わった。参詣曼荼羅の制作も、一七世紀の後半にほぼ終わった。この事実は、参詣曼荼羅に象徴される宗教性が、名所遊楽図に象徴される世俗性に、もはや対抗できなくなった状況を物語る。以後も、空海によってもたらされた様式のマンダラは、密教系の寺院の中で、変わることなく伝承され続けたが、マンダラという語を冠した図像が一般の人々の眼に触れることは絶えてなくなる。密教のマンダラが人々の関心を集め、マンダラという言葉が多少なりとも知られるようになったのは、二〇世紀も終わりに近い時期になってからである。

実は、マンダラによく似た図像は、地域や宗教という枠を超えて、世界中に見られる。この事実から、マンダラという形態には高い普遍性があると考えられる。マンダラ研究にとって、これも大きな課題だが、紙幅の関係から、今回は割愛させていただいた。

注

＊1　『新共同訳　新約聖書略解』日本基督教団出版局、二二二四頁
＊2　マルコによる福音書　一四：三六
＊3　マルコによる福音書　一五：三四
＊4　井筒俊彦訳『コーラン（上）』岩波文庫、二九九頁
＊5　服部正明「インド思想史」『岩波講座　東洋思想　第五巻　インド思想Ⅰ』一九八八年、八頁

＊6　梶山雄一『梶山雄一著作集』第四巻「中観と空Ⅰ」春秋社、二〇〇八年、一一四頁
＊7　梶山雄一『梶山雄一著作集』第四巻「中観と空Ⅰ」春秋社、二〇〇八年、一〇五頁
＊8　土田龍太郎「ヴェーダとウパニシャッド」『岩波講座　東洋思想　第五巻　インド思想Ⅰ』一九八八年、一一五頁
＊9　『弘法大師　空海全集』第二巻、筑摩書房、一九八三年、五五二頁
＊10　宮坂有勝『インド学　密教学論考』法蔵館、一九九五年、二五五頁
＊11　高野山大学編『十巻章』改訂版、高野山大学出版部、一九六六年、六四頁
＊12　高野山大学編『十巻章』改訂版、高野山大学出版部、一九六六年、三八頁
＊13　『大正新修大蔵経』第八二巻、六二頁
＊14　https://www.narahaku.go.jp/collection/732-0.html。
＊15　大阪市立博物館編『社寺参詣曼荼羅』平凡社、一九八七年、二三五頁
＊16　大阪市立博物館編『社寺参詣曼荼羅』平凡社、一九八七年、二一九頁

おすすめ本

立川武蔵『マンダラ観想と密教思想』春秋社、二〇一五年
田中公明『曼荼羅イコノロジー』平河出版社、一九八七年
正木晃『世界で一番美しいマンダラ図解』エクスナレッジ、二〇二〇年

第4章

理学・工学・アート・デザインとウェルビーイング

前野隆司

理学、工学、アート、デザインの関係について学術的な知見を述べる。すなわち、理学とアートは基礎的な分野であるのに対し、工学とデザインは実用的な分野であることや、アートとデザインは感性に、理学と工学は理性に関連するという基本的分類について述べる。また、これらとウェルビーイングの関係についても述べる。すなわち、美しいものを創造する人は幸せであることや、ウェルビーイングは現在では科学の研究対象であることなどについて述べる。

【アート】
芸術、美術。広義には人文科学も含む。
【デザイン】
意匠デザイン、工学的設計。
【理学】
自然科学、社会科学。
【工学】
理学の結果を役に立つ形で応用する学問。
【ウェルビーイング】
幸せ、健康、福祉。

はじめに

理学、工学、アート、デザインの関係について学術的な知見を述べる。理学とは自然科学の別名であり、物理学、化学、天文学などを指す。サイエンスは自然科学と社会科学の総称であるので、理学よりもやや広い概念というべきであろう。工学はエンジニアリングと訳され、一般に自然科学の知見等を用いて有用な製品やサービスを構築するための学問を指す。アートとは芸術・美術を意味するが、広義には人文科学も含む。デザインは、意匠デザイン、工業デザインから製品やサービスの設計までを意味する。本稿ではこれら四つの関係について述べるとともに、これらとウェルビーイングの関係についても述べる。ウェルビーイングとは、健康、幸福、福祉のことである。言い換えれば、身体的、精神的、社会的に良好な状態を表す。

1　理学・工学・アート・デザインに関するこれまでの研究

まず、二〇〇七年、John Maeda 氏が "Rich Gold Matrix" を提唱した。[*1] Art, Design, Science, Engineering を四象限で整理したものである。和訳した図を図1に示す。上下は、普遍的（universal）であるか、特異的（specific）であるかを表している。左右は、原典では、Move minds、Move molecules となっていたものを意訳して「対象は心」「対象は分子」とした。スペキュラティブデザインは問題解

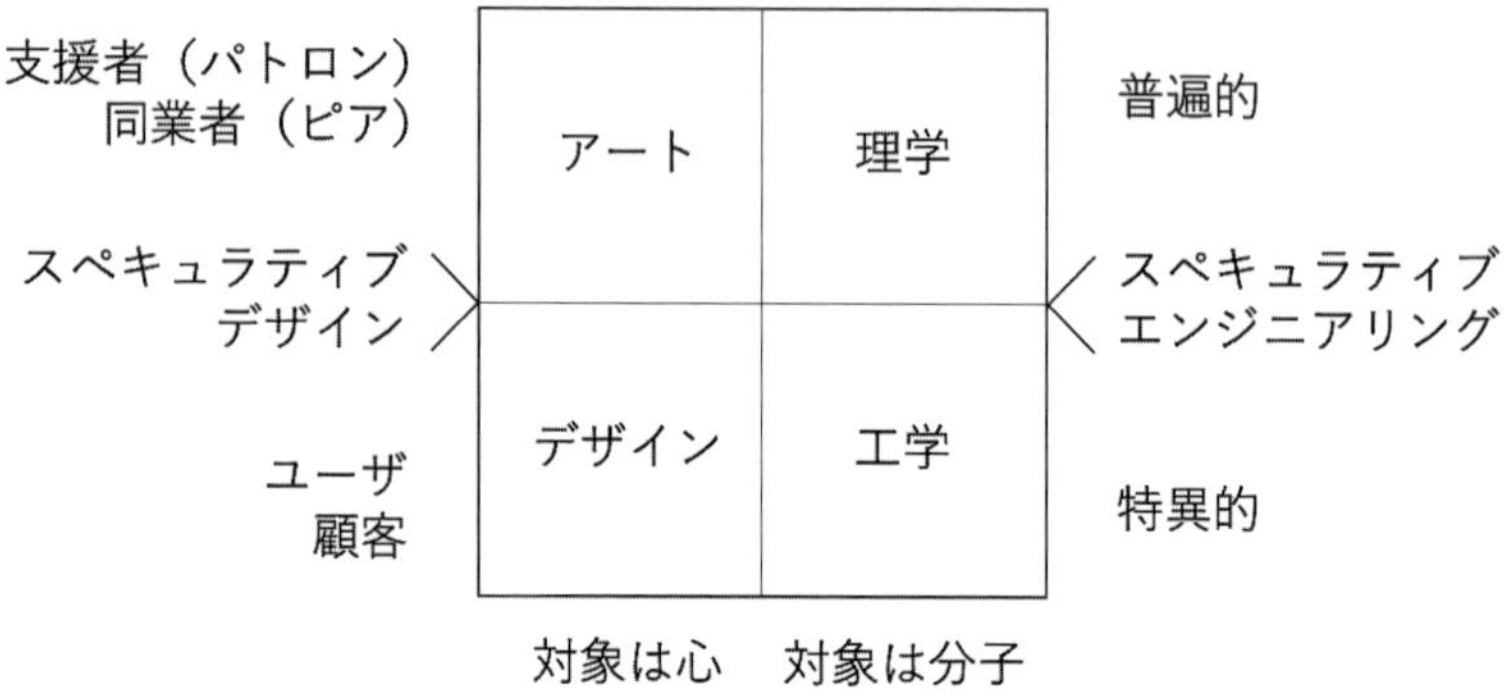

図1　John Maeda による Rich Gold Matrix

決ではなく問題を提起するデザインとして注目されている。スペキュラティブ（speculative）とは、思惟する、推測する、という意味であるので、スペキュラティブデザインとは未来について考えるきっかけを提供するデザイン、スペキュラティブエンジニアリングとは未来について洞察する工学、と考えられている。

また、二〇一六年には、Age of Entanglement において Neri Oxman が "Krebs Cycle of Creativity" を提唱している。[2] "Rich Gold Matrix" が四象限であったのに対し、円の上に理学・工学・アート・デザインの四つを配置しており、相互循環をより強調したものと言われている。

さらに、一橋大学の延岡健太郎は、消費財において機能的価値と意味的価値の統合的価値を考えるための枠組みとして、SEDA（シーダ）モデルを提案している。[3] 図3のように、サイエンス（Science）、エンジニアリング（Engineering）、デザイン（Design）、アート（Art）の四つの視点から成る。横軸は機能的価値と意味的価値の対比で、縦軸は問題提起と問題解決に分類されている。問題提起は

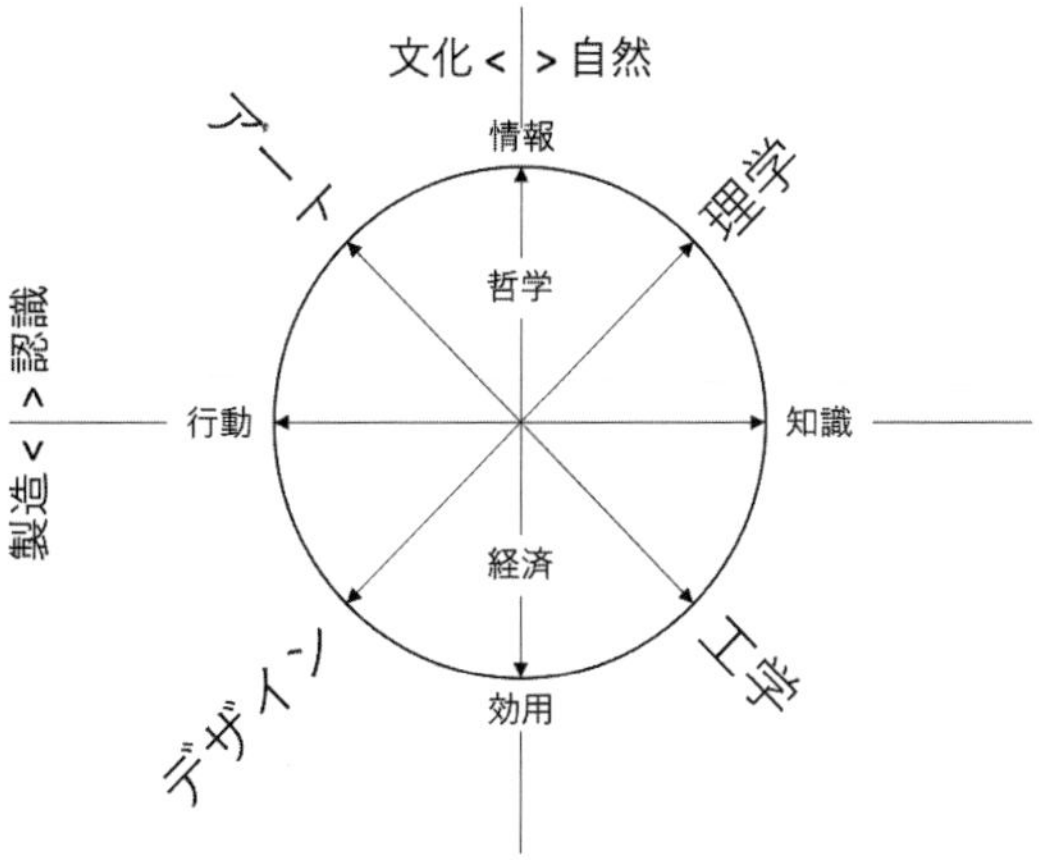

図2　Neri Oxman による Krebs Cycle of Creativity

新たな価値を探索することであるのに対して、問題解決は既存の知識を活用・深化させることであると説明されている。

以上のように、様々な場で、理学、工学、アート、デザインを四分割する試みが行われている。いずれも四つに分けるという点で一致している。しかし、工学部出身で、過去および現在において理工学部やシステムデザイン・マネジメント研究科に勤務した経験のある私から見ると、理学、工学、アート、デザインという言葉をきちんと四分割することには違和感を感じる。

まず、工学について考えてみよう。工学は理学の内容を有益で応用的で特異的な方向に展開するものであると定義すると、従来の定義で十分と思えるかもしれない。しかし、感性工学、人間工学、経営工学、サービス工学、デザイン工学などの分野は必ずしも理学の応用とはいえない。むしろ、広義のアートやデザインの応用という側面も持つ。また、エンジニアリングサイエンスという言葉がある。エンジニアリングのために基礎的なサイエンスを追求する分野

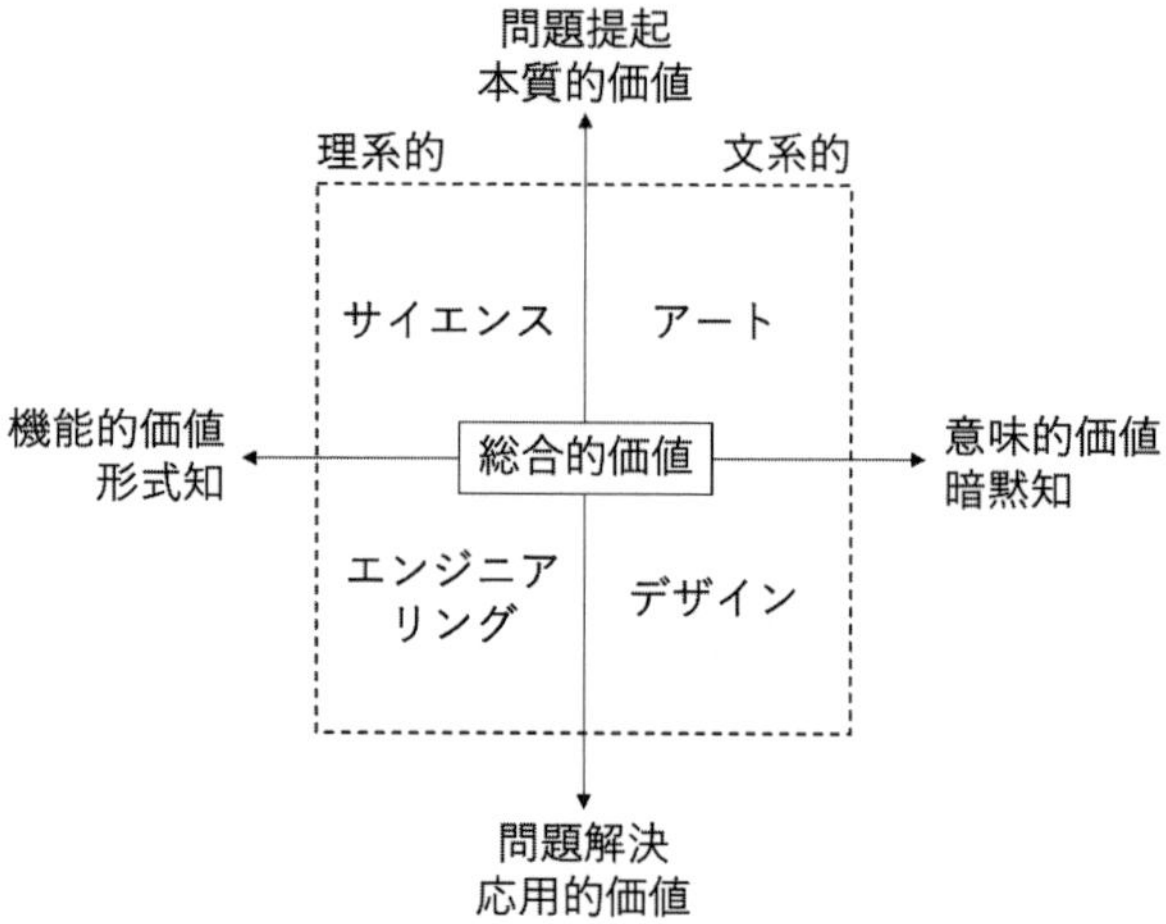

図３　延岡健太郎によるSEDA（シーダ）モデル

である。たとえば、燃焼工学のために燃焼自体の特性を追求する分野はエンジニアリングとサイエンスにまたがる。よって、エンジニアリングの境界は、図４のように他の象限にはみ出す方が妥当なのではないかと思われる。

他の三つも同様である。デザインは右側の象限のみならず、デザイン工学、設計工学、工業デザインなど、左側の象限にもはみ出している。また、最近はアート思考といってアートの考え方をデザインや工学に応用することを目指す分野も存在する。応用倫理学では、理学の研究者もその研究結果がどのように役に立つのかあるいは社会に害を与える可能性を持つのかにも考慮すべきであるという科学者倫理の考え方が主流になりつつある。理学も下側の象限にはみ出しているというべきであろう。教養学部は英語ではdepartment of art and scienceと訳されることが多いが、近年は学際分野の研究・教育も盛んである。このことからも、理学とアートの境界はあいまいさを増しているというべきであろう。

以上のように、理学・工学・アート・デザインの境界

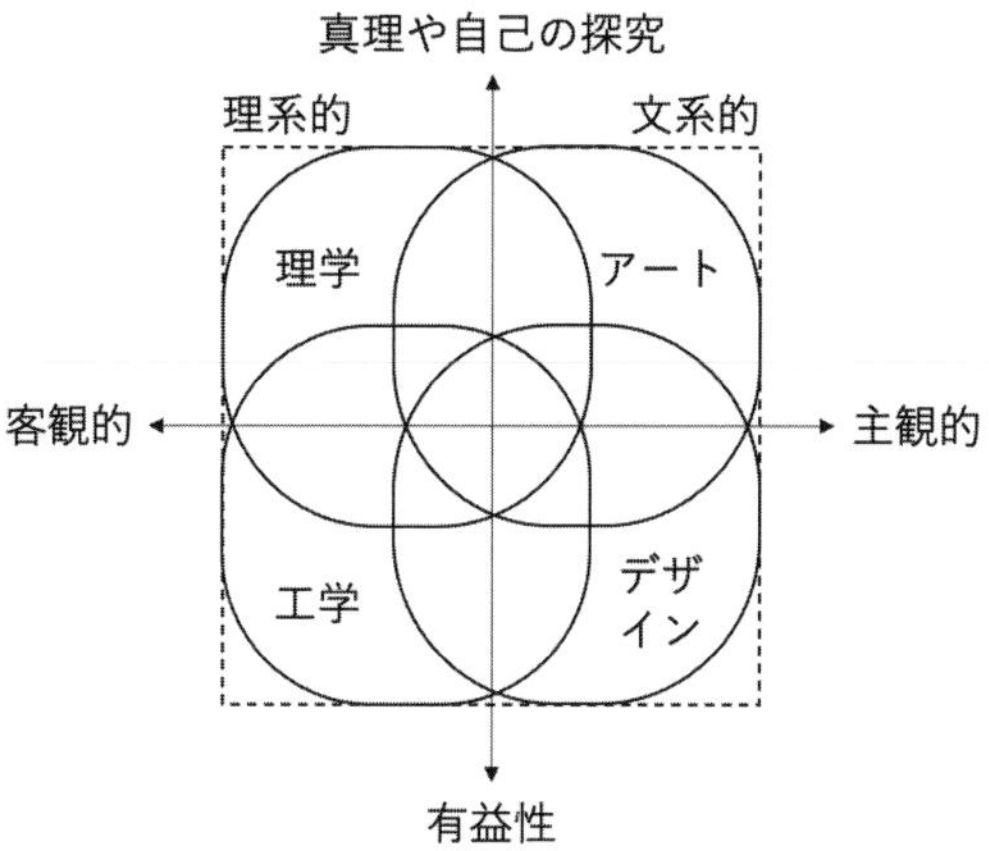

図4　前野隆司による理学・工学・アート・デザインの整理

は今後さらに重なり合っていくことが重要であると考えられる。

2　理学・工学・アート・デザインとウェルビーイングの関係

まず、アートとウェルビーイングの関係について述べよう。かつての筆者の研究室の学生が「美しいものを創造する人は幸せ」という研究を行った。[*4] 彼女の研究によると、「音楽、絵画、ダンス、陶芸などの美しいものを鑑賞する人よりも、それらを創造する人の方が幸せ」であった。

彼女は、美しいものを鑑賞するのが大好きだという学生だった。音楽、絵画、ダンス、陶芸。美しいものを見たり聞いたりしていると、幸せな気分になれる。そこで、もっと、アートや文化にあふれた社会にしたい。みんなを幸せにしたい。だから、人々はどんな種類の美しいものを見ると幸せになれるのかを調査したい、というのだ。

私は、絵画も音楽もダンスもやった経験があるので、それらを見るよりもやる方が圧倒的に幸せなことを実感している。個人差はあるだろうが、私の場合は、全く異なる。絵を見るよりも描く方が、音楽を聞くよりも演奏する方が、ダンスを見るよりも演じる方が、圧倒的に楽しく幸せで充実感がある。苦悩もあるけれども、それも含めて、幸せである。

このため、相談の結果、彼女が行ったアンケートには、鑑賞する場合だけではなく、創造する場合も加えることにした。鑑賞も幸せに寄与するだろうが、創造の方がさらに寄与するだろうと思ったからだ。

結果は明白だった。美しいものを多く鑑賞している人は、思ったほど幸せではなかった。美しさの鑑賞と主観的幸福の相関はさほど高くなかったのだ。つまり、学生の期待に反して、美しいものを鑑賞しても、みんなが幸せになれるわけではなかった。ショッキングな結果である。美術展も、音楽会も、ダンス公演も、陶芸展も、人々にその場の感動は与えるだろうが、その人の幸福度には、有意な影響を与えていなかったのだ。

一方、美しいものを作っている人は幸せだった。面白いことに、ロックバンドで演奏している人も、管弦楽団の人も、絵を描いている人も、ダンスを踊っている人も、陶芸をやっている人も、華道をやっている人も、料理を作っている人も、何かを作っている人は概ね幸せな傾向にあったのだ。驚くべきことに、化粧と幸せにも相関があった。化粧とは自分の顔を美しくすることだからだ。しかし、美容整形手術と幸福には負の相関があった。化粧と同じく美しくなろうとしているのに、一見不思議である。自分の本来の顔を活かす化粧と、本来の顔を変えてしまう美容整形には、「ありのままの自分を受け入れる」という点で差があるのかもしれない。

興味深いことに、美しいものをただ見ているだけでは幸せになれないが、美しいものを創造している人は幸せになれるのである。

では美しいものを見ても幸せになれないのかというと、私は自分の経験から思うところがある。美しいものを創ってから鑑賞すると、感動の大きさが違う。だから、「ただ見るだけでなくて、創ってから見よ」だと思う。たとえば自分で絵を描いてから見ると、微妙なタッチの難しさもわかる。構図や色の配置の絶妙さも。その絵を描くことがどれくらい難しいかも実感としてわかる。だから、百倍感動できる。そういうことなのだと思う。

以上述べてきたように、美しいものの創造と幸せには相関があった。これより、アートはウェルビーイングに寄与するというべきであろう。

科学的な発明や発見もウェルビーイングに寄与しそうである。こちらも創造性だからである。何らかの形で創造性を働かせる行為は、美しいものを創造する行為と同様にウェルビーイングに寄与すると考えられそうである。

また、利他的で親切な人は幸せという研究結果もある。*4 このことから、真理の探究を行う理学や自己表現を行うアートと並んで、世の中の役に立つことを志す工学やデザインにおける創造も、ウェルビーイングに寄与するものと考えられる。

さらに、やりがいを感じている人、チャレンジ精神の旺盛な人、自分らしさを持っている人は幸せな人であるという研究結果もある。*4 そういう意味では、理学、工学、アート、デザインにかかわらず、自分が行っていることにやりがいを感じ、チャレンジし、自分らしいアウトプットを出している人は幸せな人であると言えるであろう。

多様な友人を持つ人は幸せであるという研究結果もある。[*4] 多様な仲間がいるとレジリエントである（折れそうになっても立ち直る力が強い）とも言われている。いずれも、多様な者と多様な形で助け合えることが幸せやレジリエンスに寄与するからであろう。この点からは、図4に描いたようにそれぞれの人が領域横断的に他の領域にはみ出していくことが、助け合う幸せのために重要であるというべきであろう。

おわりに

本書のタイトルは『科学と芸術』であるが、この章では欲張って、理学、工学、アート、デザインの関係について述べてきた。それぞれがそれぞれの分野で深く探究を行うとともに、それぞれ同士が他分野と広く関わり合うことが、さらなる発展につながると考えられる。グローバルインターネット社会と言われる現代社会。環境問題や貧困問題など待った無しの課題が山積する現代。古今東西の英知を結集して共にウェルビーイングな未来を創造すべき時ではないだろうか。

注

＊1　https://ic-pod.typepad.com/design_at_the_edge/2007/11/red.html
＊2　https://jods.mitpress.mit.edu/pub/ageofentanglement/release/1
＊3　延岡健太郎「特集論文Ⅱ　顧客価値の暗黙化」一橋ビジネスレビューSPR. 64巻4号、二〇一七年
＊4　前野隆司『幸せのメカニズム　実践・幸福学入門』講談社現代新書、二〇一三年

おすすめ本

前野隆司『幸せのメカニズム　実践・幸福学入門』講談社現代新書、二〇一三年
前野隆司／慶應大学大学院システムデザイン・マネジメント研究科編『システムデザイン・マネジメントとは何か』慶應義塾大学出版会、二〇一六年

第Ⅱ部

人と生物

第5章

「温故知新」の普遍性

〜能と論語とbeyond AI〜

安田　登

死者という異界の人（シテ）の魂を慰め、そして生者（ワキ・観客）自身もその生を生きなおす芸能が能楽である。「古」によって「新」が更新される。世阿弥は「古きを学び、新しきを賞する」と言った。それは論語の「温故而知新」が元となる。「知」とはおそらく孔子によって生み出された精神活動だ。そして、人類の到達した「知」の最先端がＡＩであろう。「古」から「新」へ至るための方法やＡＩの次の可能性を能と論語から読む。

【夢幻能と現在能】

能には、主人公が死者や神などの不可視な存在であるという「夢幻能《むげんのう》」と、登場人物がすべて生きている人という「現在能」とがある。

【世阿弥】

室町（南北朝）時代に、父・観阿弥とともに能（申楽）を大成した。演者であるとともに現在演じられている能の名作の作者でもある。また、「初心忘るべからず」などの言葉が書かれる『風姿花伝』をはじめとする能芸論の著者でもある。

1　最初に

最初にお断りを。

私は能楽のワキ方に属する能楽師である。本書の第一部は芸術表現者による執筆なので、読者の皆さまもそういうつもりで気楽にお読みになられているとは思うが、念のために申し上げておくと、私は「役者」であって「学者」ではない。学問的に正しいとか、間違っているとか、そういうことはあまり気にせず自由勝手に書いていこうと思っている。むろん先行研究などには当たっていない。しかも、能楽師が能について書いていくのだから我田引水である。能に対して、かなり好意的に書いていく。どうぞ眉に唾をつけてお読みいただければと思う。

さて、もうひとつ。私は能楽師であると申し上げたが、一九九〇年代に３ＤＣＧ（３次元コンピュータグラフィックス）の本を二冊書いている。Lightwave3Dというソフトのマニュアル本だ。その関係でプレイステーションのゲームのプロデュースにかかわったり、ゲームの攻略本を数冊書いたり、３ＤＣＧの会社の立ち上げにかかわったりもした。今は会社経営には携わっていないが、ＶＲ（仮想現実）、ＡＲ（拡張現実）、ＭＲ（複合現実）などのＸＲ部門などには顔を出していて、３ＤＣＧソフトやゲームエンジンのUnityなどを使ってＶＲやＡＲの簡単なゲームを作ったりはしている。

そのようなわけで、以下では能という芸能の話題だけでなく、そちらの方面の話題も入ってくるが、むろん素人である。どうぞご笑覧いただければと思う。

古典芸能である能を仕事にしながら、3DCGやVRのプログラミングをしているというと、「ああ、それがタイトルの温故知新ね」と思われるかもしれないが、温故知新はそんな甘いものではない。それに関してはあとでお話しすることにして、本書の読者の中には「能」そのものについてあまりご存知ない方もいらっしゃるかもしれないので、能と、そして私の所属するワキ方について最初に少し話をしておきたい。

2　能楽について

能は正式には「能楽」という。しかし、能楽という名称が与えられたのは明治時代になってからだ。それまでは「猿楽（申楽）能」と呼ばれていた。

室町（南北朝）時代の観阿弥・世阿弥父子によって大成されたことはよく知られている。しかし猿楽能のルーツは何かというと、これがはっきりしない。奈良時代に中国から入ってきた「散楽」がその始まりだと言う説が現在では有力だ。しかし、今に残る散楽を描く絵画は曲芸的なものが多く、とても現在わたしたちが演じている能の祖型とは思えない。文献によって証される正しさと、感覚の正しさがどうも一致しない。

それよりも『古事記』の「天岩戸神話」で、天児屋命《あめのこやねのみこと》が「ふと詔戸言《のりとごと》」を禱《ことほ》き白《もう》す中で、さまざまな植物を身に纏った天宇受売命《あめのうずめのみこと》が神懸かりするさまに、笹を手にして狂女や巫女が舞う能の「ものぐるひ」の舞の数々、すなわち憑依芸能としての能の祖型を見るし、「山幸彦と海幸彦の神話」で、勝者

能舞台。左に立つ女性がシテ、右手前で僧の姿をしているのがワキ。舞台奥には囃子方（左から太鼓・大鼓・小鼓・笛）がおり、右側には八名の地謡と呼ばれる斉唱団が座る。舞台奥には老松の絵が描かれる。

である山幸彦（山佐知）の前で自らが負けたさまを演じることを誓約する海幸彦（海佐知）の舞に『土蜘蛛』や『紅葉狩』などのような敗者の芸能を見るのである。

『古事記』の神話には身体的な描写が多い。これは、『古事記』神話が祭礼の場で演じられ、舞われたものであったことを意味するのではないだろうか。それはフランスのシノロジスト、マルセル・グラネのいう「王朝の舞踊」のようなものではなかっただろうか。グラネは『中国古代の舞踏と伝説（Danses et légendes de la Chine ancienne）』の中で次のように書いている。

王朝の舞踊は、音楽とみぶりによる紋章のようなものだ。宗族の図柄は舞踏の旗に見いだされる（Une danse dynastique est une espèce de blason musical et mimique. L'emblème d'une famille se voit sur l'étendard de sa danse.）。

これは『春秋左氏伝』に出てくる桑林の舞に関する記述だが、しかし、世界中の神話は歌われ、そして舞われ、演劇として伝えられてきた。天宇受売命や海幸彦の舞は、王族の王族たるものを示すものとしての舞踊の流れを汲むものであり、それを継いだものが猿楽能の祖型となり、それに中国からの散楽の要素が加わって猿楽能として完成したのではないだろうか。

3　ワキについて

最初に私は「ワキ方の能楽師」と書いた。

多くの方が「能」といってイメージする、能面をかけて舞を舞っている役者、あちらはシテ方の役者で、演劇やドラマでいえば主役である。では、ワキ方は脇役なのかというと、それは少し違う。

能の演目は「夢幻能」と「現在能」というふたつに分類することができる。夢幻能のシテは、たとえば神、たとえば幽霊、たとえば動植物の精霊など、本来は不可視の存在だ。この世のものでない。その、この世のものではないシテを、この世に呼び出す、それがワキの役割である。

ワキがこのようなことができるのは、この世とあの世との「あはひ（あわい）」に生きる者だからだ。ワキという語は「分く」の連用形、すなわちふたつの世界の「あはひ＝境界」が原義である。ワキとは、死者と生者との「あはひ」、神と人との「あはひ」に生きる者なのだ。

「あはひ」に生きるワキには定住の地はない。多くが漂泊の旅人だ。

それに対してシテである幽霊は、その地に留まるものであることが多い。そして、念を残した（残念）まま亡くなり、その念《おも》いを解き放ってくれる旅人の通過を待つ。

このようなシテとワキが登場する夢幻能の多くは以下の構造を持っている。

最初に登場するのはワキである旅人（多くは僧）だ。ワキは旅の途中で何か（自然物が多い）に出会う。そして、ここに突然の驟雨や暗闇の到来といった自然現象の変化が起きたりもする。

と、そこに里人（女性か老人が多い）が現われ、ふたりは会話をする。里人の話はだんだん昔話になっていく。昔話の主語は曖昧となり、いつの間にか話は、里人本人の物語のようになる。

不審に思った旅人が、あなたは誰かと尋ねると「実は私こそ、その物語の主」と里人がその本性をほのめかし（あるいはほのめかさないこともある）、いずくともなく消えうせる。ここで里人は一度幕の中に入ることが多い（「中入り」という）。

旅人がお経を読んだり、半睡半覚状態の睡眠に入ったりして「待つ」。すると里人が本来の姿で再び現われ、「残念」の物語をさらに詳しくしたり、あるいはそのさまを舞ったりして念いを晴らす。

やがて夜が明けると物語の主の姿は消え、里人の夢も覚める。

夢幻能の多くは、このような構造になっている。

４　「能」と脳内ＡＲ

能は、不可視の存在をそのシテ（主人公）とする。見えないものを主人公とする（おそらくは）世界でも稀有な芸能だ。

そして、能を演じる能舞台には大道具などを置かない。囃子という音楽はあるが、いわゆる音響も照明もない。昼でも夜でも同じ明るさだし、そこが山の中でも海上でも背景にあるのは松の絵だけだ。現代の演劇に馴染んだ観客の目から見ると、なんとも不親切で、そして不思議である。しかし、それを演劇として可能たらしめているのは、他ならぬ観客自身の能力なのだ。

何もない空間で、海を見、月を見、そして松籟《しょうらい》を聴き、鳥の声を聞く。それはまるでARのようだ。しかも能は、ガジェットもプログラミングされた空間も与えずに、観客の能力にそれを期待する。脳の中で行うことを期待しているのである。

かりにそれを「脳内AR」と呼んでおくことにしよう。

日本人は昔からこの脳内ARに親和性が高かったのではないかと思う。

子どものころ、算盤を習っていた同級生たちは級が上がると暗算を学んだ。暗算をするときには、空中で算盤を弾く仕草をした。障子があると桟を算盤に見立てることができて、あるとよりやりやすいと言っていた。

また、六義園（東京、駒込）などの大名庭園は、江戸時代に造られた武士のための脳内ARのトレーニング場である。

六義園の中には、八八柱の石柱が立っている（ふだんは一六柱しか見ることができないが）。この石柱のひとつひとつには文字が刻まれている。六義園を歩く者は、まずその石柱を見つけ、そして文字を読む。たとえばそのひとつには「出汐湊」と書いてある石柱がある。

それを見つけた散歩者のすることとは、その文字に関連する和歌を想起することだ。ここでは鎌倉時代の慈円の次の歌が想起されることが期待されている。

「和歌の浦に　月の出汐の　さすままに　よるなくたづの　こゑぞさびしき」

その歌によって脳内にはその景色が浮かぶ。和歌の浦というのは、和歌山県にある名勝である。そこに月が現れ、月とともに潮が満ちてくる（月の出汐）。時刻は昼から夜に変わろうとする「あはひ」の時間だ。潮が満ちれば干潟がなくなる。干潟にいた鶴（たづ）たちは新しい足場としての葦辺をさして夜空を鳴きながら渡る。その声は子を尋ねて鳴く鶴のように寂しい。そのような情景が、いま見ている六義園の景色に重なる。

このような一連の行為を八八の石柱とともに行い、脳内ARをトレーニングする、それが六義園である。

文字が書かれている石柱はARマーカーといえるだろう。

六義園の石柱のひとつ。「出汐湊」と書いてある。

5　日本人は脳内ARを使うのが得意

六義園といい、空中に算盤を出現させて行う暗算といい、日本人は脳内ARを使うのが得意だった。そして、その能力を補強するものとして「歌」があったのではないだろうか。

六義園は「和歌」の庭である。いまも宮中の歌会始などではそうだが、和歌は本来歌われるものである。また、暗算をするときにも歌を歌う。「二二五円なーりー、一六八円なーりー」とかいうあれだ。歌には、脳内ARの発動を促進する力がある。

作曲家である間宮芳生は、次のように書く。

私が通った旧制青森県立青森中学に、教科書を節つきで調子も面白く音読して聞かせてくれる風変わりな国語教師がいた。（略）

「節つき」とはつまりメロディーつき。ことばにメロディーがつけばそれは歌ということになる。しかも日本伝統の五音音階にもとづく民謡旋法によるメロディーなのだから、それは立派に歌といってよい。

『現代音楽の冒険』（岩波新書）

作家、太宰治もこの教師の授業を受けていたようである。しかし、節つきで文章を読むのはこの先生だけではない。間宮芳生のおじいさんも、毎朝夕、新聞を読む時に歌っていたという。知人のおじいさんもそうだったと聞いた。活字を読む際には、朗読するだけでなく節をつけて歌っていた。しかもその方は、興に乗ってくると読みながら踊りだしたそうだ。

また、六義園と西洋の庭とを比べてみると、西洋の庭が高台から俯瞰できるパースペクティブな庭なのに対して、日本の庭は多くが六義園のようなウォークスルー型であることにも注目しておきたい。

いまは六義園に行くと、俯瞰的に描かれた地図が渡される。しかし、江戸時代の六義園図は絵巻物であった。ウォークスルー型案内図である。全体を見るのではなく、いまこの時点の景色を楽しみ、さらには数歩進めばそこにはまったく違う景色が広がる。その変化を楽しむのがウォークスルー型の庭である。

私が3DCGの本を書いた九〇年代、アメリカの3Dのシューティング・ゲームをお手本にして3DCGを作った。ウォークスルー型のゲームである。が、だいたいつまらなかった。ところが同じ時期、日本には2Dながらもウォークスルー型ゲームである『ドラクエ（ドラゴンクエスト）』や『FF（ファイナルファンタジー）』などの素晴らしいRPGゲームがあった。

いまお話しした「脳内AR」、「歌」、そして「ウォークスルー」はこれからのXRを考えていくときに大事なものになるだろうと思われる。そして、そのためにはプログラミング言語自体の次元を超えたアップデートが必要となる。それに関しては最後に述べようと思う。

6　温故（而）知新

では、これから本稿のタイトルにもなっている「温故知新」の話をしたいと思う。

この語の出典は『論語』だが、「故（古）」と「新」の両方を大切にすべきことは古来、さまざまな人が言っている。能を大成した世阿弥は「古きを学び、新しきを賞する」といい、俳諧師である松尾芭蕉は「不易流行」と言った。しかし、「故（古）」と「新」、どちらかを選ばなければならないとすればどちらかといえば、両者とも「新」の方が重要だといっている。

世阿弥は「住する所なき（とどまらないこと）を、まづ花と知るべし」といい、変化の重要性を述べ、芭蕉は「かりにも古人のよだれを、なむる（舐める）ことなかれ」といい、古人を崇拝しすぎることの危険性を述べている。「古」を大切にしながら、変化をする。そうしなければ能も俳諧も滅ぶことを知っていたのだろう。

そして、世阿弥も芭蕉も、おそらくは『論語』の「温故知新」を意識して、上述の言葉を言ったと思われる。そこでこれから『論語』の温故知新についてお話ししていきたいと思うが、四字熟語として知られているこの語は、「温故」と「知新」の間に「而」があり、「温故而知新」と『論語』では書かれる。この「而」の重要性についてもあとで話をしたい。

本稿で温故知新を扱うのは、この熟語が「知」とは何かをよく物語っているものであり、そして人類の「知」や人工知能が進むべき道を示しているように思うからだ。

孔子が活躍した時代は春秋時代と呼ばれる時代で、その時代の文字は金文と呼ばれる青銅器に刻まれた文字として残っている。しかし、孔子の時代の金文に「知」という文字はまだ発見されていない。『論語』の中には「知」という語は二〇〇回以上使われていて、孔子の思想の中核のひとつになってはいるが、孔子が活躍した時代の文字にそれが発見されていないのである。これは「知」という精神活動そのものを孔子が発明・創出した可能性もあるということを示す。そこまで言うのはむろん飛躍しすぎではあるが、しかし孔子時代の遺物に「知」という文字がまだなく、そして『論語』の中では二〇〇回以上使われているということは覚えておきたいことではある。

7　脳の外在化としての文字

「温故而知新」から「知」とは何かを見ていく前に、文字について簡単に触れておこう。「知」は文字とともに生まれたといってもいい。人は文字を手にしたことによって、はじめて「知」という精神活動への道が開けた。

文字というものは「脳を外在化するツール」である。現代でいえば人工知能（AI）だ。古代メソポタミアでは、さまざまな商取引などが書かれた「契約文書」や、神殿の作成者や神の名などが記された「定礎」などが粘土板や石に刻まれた。

この古代メソポタミアの楔形文字（シュメール語）は、人との約束や、王が神殿を建てた記録を文字化したのである。これらは「記憶」を代替するものとして使われたといってもいいだろう。人や神との

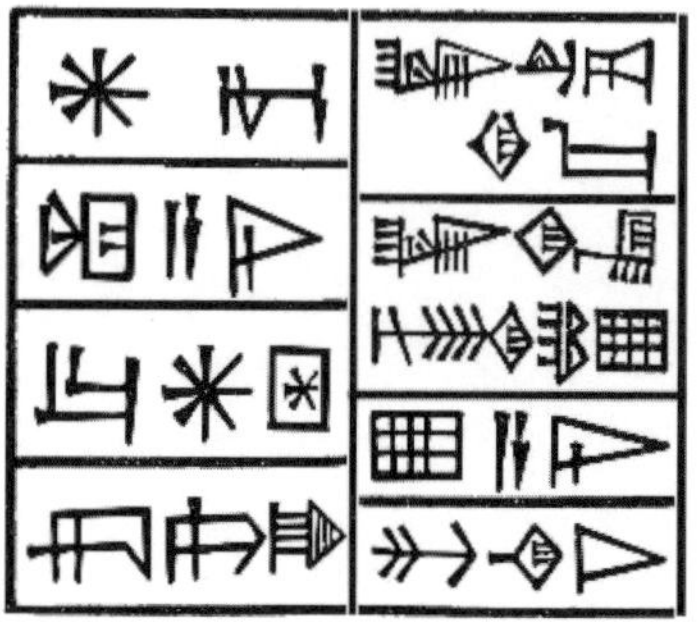

ウル・ナンム王による神殿の定礎。

シュメールの契約文書。ビールや麦などの金額が書かれる。

契約の記憶を、脳の外部装置としての文字に移し替えることによって脳には新たな余裕が生まれた。その余裕によって行われたのが文字革命であり、もしシンギュラリティというものがあれば、人類が直前に体験したシンギュラリティが文字革命であった。

たとえば、この原稿を書く前に、どのような構成にするかをまず私は考えた。この作業を、文字を使わずに頭の中だけですると大変だ。脳のメモリはすぐにいっぱいいっぱいになってしまい、途中の段階で新たな思考ができなくなる。それを紙に書いたり、PCに打ち込んだりすると、その分は忘れることができるので、脳に余裕が生まれ、さらなる思考が可能になる。

脳で処理していたことの一部を「文字」という外部脳に移し替えることによって、脳は解放され、そしてその領域を使って知能（意味記憶）の関係性の新たな構築が行われた。

そして、それによって「知」が生まれる余地もできたのである。

8　温故

では、それによって生まれた「知」とは何か。それを「温故而知新」とともに見ていこう。

温故の「故」は「古」と同じ意味で「古いこと」を意味する。

この字は「固い」が原義であった。やがて「固くて変らないもの」ということから「古い」という時間の概念が現れ、やがて過去の出来事や事象から現在や未来を説明するという用法で「古＝故」が生まれ、論理を導くような使われ方をし出した（「大盂鼎」銘文。紀元前一〇〇〇年ごろ）。

温故而知新の「故」は、「古いこと」というような意味で使われている。自分の内部にある「故」とは記憶の中層（知識の層）に沈んださまざまな知識だ。過去に学んださまざまなことがらであって、ふだんは意識にはあまり上がらない事項で、かつ血肉化したもの、それが「故（古）」である。ちなみに、孔子はそれを「識」とも呼んだ。

本を読んだり、人から聞いたりする「故（古）」もあるだろう。たとえばそれがどんなに新しいものであっても、すでに誰かによって考えられたものであるならば「故（古）」である。ましてや論文や書籍になったものであるならば、充分に「故（古）」である。

さて、温故の「温」だが、この字は俗字で、本字は「溫」と書く。盤（皿）の上で何かを温めていることを意味する文字だ（ちなみにこの字も孔子の時代にはない）。

スープやカレーを何日もかけてぐつぐつ煮込むように、じっくり、ゆっくり、時間をかけて煮込む。それがこの「温」の字である。

すなわち「温故」とは、記憶の中層に沈んだ知識（識）を、ゆっくり、じっくりと煮込むことをいう。

9　知新

後半の二文字、「知新」、まずは「新」から見てみよう。

「新」という字の左側にあるのは「立」と「木」だが、古い文字を見ると「立」は「辛（針）」であり、これが「シン」という音を表す。そして、その下の「木」は、この文字が木に関する字であることを示す。右側の「斤」は「おの（斧）」だ。

すなわち「新」というのは、斧で木を切ったときに現れる新たな切断面をいう。

次は知新の「知」である。

この文字は孔子の時代にはなかったと書いた。では、孔子はどのような文字を頭に浮かべていたのだろうか。おそらく、それは「知」から「口」を取った「矢」だったのではないだろうか。古代の文字を見てみよう。

この字は矢の象形だ。これを逆さにして、矢が地面に突き刺さったことを表す文字がある。

いまの漢字にすると「至」だ。目の前に突然、矢が落下してくるように、何かが忽然として出現することを「至」という。ちなみに「至」と「矢」は音が同じだが、「至」の古代音（tjiet）は「知」の古代音（tie）」とも同じ語系に属す。

10　問い

さて、「温故知新」とは、長い時間をかけて古いこと（知識）をグツグツ煮ていると、ある日、「おお、こんな手があったのか」と、ものごとのまったく新しい視点や知見が突然、出現することをいう。孔子の発見した「知」とはそのような精神活動を言ったのではないだろうか。

「温故知新」をするために大切なのが「問い」である。いくら知識があっても、それは「知」にはならない。知識を並び立てるだけではただの雑学だ。

「何か企画を立ててくれ」とか「新たな研究をせよ」のような依頼がある。それを具体化するためには、まずは正しい「問い」を立てることが必要なのだ。生徒（中高生）の間は先生が立ててくれる。学生（大学）になると、問いを立てる練習をする。そして研究者は自分で問いを立てる。

孔子は、「『どうしようか、どうしようか』と言わない者は、私にもどうしようもない（如之何、如之何と曰はざる者は、吾れ如之何ともすること未きのみ）」と言った。古代中国の殷（商）の時代には、問いを立てる専門家である「貞人」という人たちがいた。朱子は易においてももっとも重要なのは問いだという。『楚辞』の中には「天問」という、ただただ問いだけが書かれる一篇がある。

問いは答えよりも重要であるとすらいえる。

正しい「問い」を立てる、それが温故知新の最初にすべきことであり、そしてもっとも重要なことなのである。

11　知新のための魔術的時間

さて、温故而知新の「温故」と「知新」による「知」の話をしたが、もうひとつ大切な「而」が残っている。この「而」は、高校などでは「時間の経過を示す文字だが、置き字なので無視していい」などと教わる。

しかし、白川静氏はこの字は雨乞いをするときの巫女の姿だという（『字通』）。

同じ時間の経過でも、これはただの時間の経過ではない。巫女的な時間、あるいは魔術的な時間の経過が「而」である。「温故」と「知新」の間には、不思議な魔術的な時間がある。

そのために必要なのは、一度それを忘れることであろう。

欧陽脩《おうようしゅう》は「余、平生作る所の文章、多くは三上に在り。乃ち馬上・枕上・厠上なり」と言った。馬上（乗り物に乗っているとき）・枕上（横になったとき）・厠上（トイレの中）のような、意識を一度手放したとき「知新」が起きる。

そう考えると、「温」のメタファーとしてはスープを煮込むよりも、発酵の方がいいだろう。ぬか床に「故」としての茄子を入れて、ときどきかきまわす。そして、寝かせる。またかきまわす。長い間、かきまわすのを忘れるとぬか床自体もダメになってしまうし、やりすぎもダメ。

温度も高すぎでもダメだし、低すぎてもダメ。まさに「温」である。そして、「温」の本字「溫」の右側の上が「囚」であることもこれの証左となる。「囚」とは、狭いところ（口）に閉じ込められた人（人）が煩悶する姿である。鬱々とした発酵状態、まさに「囚」だ。

12　まとめ

「温故而知新」の一連の流れをもう一度まとめておこう。

（一）問いを立てる
（二）さまざまな「識（知識）」を脳内（鍋、ぬか床）に投げ込む
（三）「温」をする（ぐつぐつ煮る、かき回す）
（四）忘れる（しかし、煮ることやかき回すことは忘れずに）
（五）やがて「新（まったく新しい知見）」が突然出現する

紀元前五〇〇年ほどの孔子の考えた「知」の方法論だが、二五〇〇年以上経った今でもそれを十全に使いこなしている人は少ないのではないだろうか。特に近年、四半期決算などが当たり前になり、効率性やスピードが重視されるようになると、「温」と「忘れる」ことの時間を充分に取れなくなった。これがないと驚くべき変化、「至＝知」は起きない。前例の流れを汲んだリニア思考の産物ができるだけだ。イノベーションを必要とするビジネス界が特にそうであるのは、せっかくの「知」を台無しにしているようでもったいない。

むろん、孔子の時代に比べると驚異的に進歩したものがある。それは（二）の「識」である。インターネット上には膨大な「識」が存在し、私たちはそれに容易にアクセスできるようになった。検索エンジンの窓は膨大な「識」に向かって常に開かれているために、記憶する必要のあることは大きく減った。私たちの祖先が文字によって外在化した脳は、クラウドによってより外在化され、脳にはさらなる余裕が生まれた。

これは、孔子時代以上の温故知新が現代においては可能になったということを示す。

しかし、それらの「識」は、そのままでは「温故」には使えない。それを記憶し、さらには血肉化したときに、はじめて自分の「識」となり「温故」ができる。

そこで現代における温故知新で、まず必要なことは「クラウド化していい知識」と「血肉化すべき智慧（識）」を区別することであろう。膨大な「識」のネットワークは他人の「識」を自分の「識」だと勘違いする、その危険性がある。

ひょっとしたら「クラウド化していい知識」と「血肉化すべき智慧（識）」を多くの人類が区別することができるようになる前に、自ら問いを発する能力も含めて、人工知能がこの「知」の能力を獲得することができるようになるかもしれない。

それはまた素晴らしいことだ。

その時、人は「知」に代わる、まったく新しい精神活動を発見することであろう。そのためにも「if」や「when」などの従属節のない言語によるプログラミングなどの新しい言語の開発が必要であると思うが、それを開発できるのは従属節のない言語を使う、たとえば日本人ではないかと思っている。

これについては紙幅が尽きたので、みなさまに期待することにして筆を擱こう。

第6章

歩行について

境界例からのライヴ・アート（生の芸術）考

外山紀久子

「歩く」という動作は、ふだん意識されないありふれた身体運用に過ぎない。他方、パフォーマンス系のアートでは、歩行をめぐって多様なアプローチがなされてきた。私たちは歩くこと（二足直立歩行）で「人間」となり、文化を獲得し、大地・自然・世界から離脱するが、歩くことを通して文化と自然、人間と非人間の境界を横断するための技法もまた開発してきたのではないか。この問題を現代アートや舞踊のかなりマイナーな事例を通して考えていく。

【パフォーマンス・アート／ライヴ・アート】

芸術家が観衆と同じ時空を共有し、生身の身体が参与する仕方で行う表現活動を指す。演劇・舞踊・音楽などの上演芸術では「パフォーマンス」は作品の公演や上演の意味で用いられるが、「パフォーマンス・アート」は主に視覚造形芸術出身の作家たちが一九六〇年代から七〇年代にかけて、物（オブジェ）としての作品を作る代わりに行為によって観客に直接訴えることを試みたもので、「ハプニング」「イヴェント」「アクション」「ボディ・アート」等の多彩な活動を包摂する用語。

【ポストモダンダンス】

一九六〇年代から七〇年代初期、ニューヨークのジャドソン記念教会を拠点とする「ジャドソン・ダンス・シアター」およびそれに続いて展開した活動について用いられる。ジョン・ケージ、マース・カニンガム、アナ・ハルプリンらの影響のもと、同時代の美術や演劇、音楽、映像等々との相互交通によって多彩な実験が行われ、「舞踊の定義を拡大する」「非舞踊の舞踊」（nondance dance）とも言われるコンセプチュアルな傾向も見られた。

【ポスト・ヒューマン】

西洋の人文主義の伝統に連なる「人間中心主義」の発想が地球環境や他の生物種に破壊的な影響を及ぼしてきたという自覚を受けて、ヒューマン・スケールを相対化する見方／生き方を模索する環境思想ないし新たな人文学を構想する最近の動向。

【中動態／中動相（middle voice)】

インド＝ヨーロッパ語の能動態（active voice）と受動態（passive voice）に対し、能動／受動の対立では捉えられない第三の態を指す文法用語であり、動詞によって表される動作・作用・状態が自然展開的・無作為的に成り立っている場合に用いられる。行為以前に存在し、その過程を外側から制御する安定した自己同一的主体に対し、その動詞が表す過程や状態の中で構成され、過程を通じて変化していく主体を含意する点で、主体や世界の成立の問題の再考と関わっている。

1　歩くことの二重のベクトル

「歩くこと」一般についてごく簡単に確認する。まず、歩行は二足直立歩行である限り、必ずしも自然で安定した身体運用ではない。バランスを崩して躓《つまず》いたり、転んだりすることは（幼児や老人でなくとも）ふつうにある。狼に育てられた少女の事例が示すように、「骨格筋や神経系の発達にともなって徐々に習得する後天的運動能力」である（野田 1998: 34-36）。四足での歩行から直立二足歩行にシフトしたとき、両手の使用や発声機能、大脳の発達、視界の拡大といった大きなベネフィットがあったのは言うまでもないが、同時に脊椎の磨耗による腰痛、痔疾、痛風等々の身体疾患、生きていく上での困難を抱えたという面もあった（ゲッツ - ノイマン 2005: 1-4、内田／成瀬 2011: 91-97）。

さらに、二足歩行には定型がなく、人によって（同じ人でも年齢や心身の状態、環境によって）歩き方は様々である。その上、多様な文化的地域的偏差があり、「世界中の社会集団ごとに歩き方がみな違う」。マルセル・モースは「人間がそれぞれの社会で伝統的な様態でその身体を用いる仕方」を「身体技法《テクニク・デュ・コール》」と呼ぶが、歩き方や走り方も例外ではなく「社会的、文化的な成形の力がつねにおよんでいる」と指摘した（宮島 1985: 35-36）。日本でも「ナンバ歩き」と明治以降の体育・音楽教育による矯正がもたらした軍隊式の行進や集団行動の歩き方との落差はよく言及される例だろう。二足歩行によって人はヒトになる、のみならず、特定の歴史の中の特定の文化に入る＝棲みつくのである。

とは言え、二足歩行は単に反自然・プロ社会なのではなく、その外部（野生／大地）へと逸脱する矢印、レジスタンスのためのささやかなツールも潜在している。このような歩行の二重性、ヒューマン／ポスト・ヒューマンの境界を横断する契機について考えよう。

2　「ただの歩行」はダンスなのか？

スティーヴ・パクストンは、ごくふつうの「ただの歩行」を舞踊として提示した。《サティスファイン・ラヴァー（Satisfyin' Lover）》（1967）、ダンサーたち（というか思い思いの服装・体型の人々）が数人ごとのグループに分かれ、一人ずつ順にステージを横切って、歩いたり、途中で止まったり、椅子に座ったりする。いつどこまで歩くか、何秒停止するか、誰がどのようにキューを出すのか、舞台上の椅子の数や向き、人数やスペースの長さの幅等々を含め、細かくスコアで決められている。初演時は四〇人が六〇メートル強の長さを横切って歩いたが、人数は三〇人から八四人、舞台の長さは六五フィートが最小、最大は「地平線」、つまり無制限とされる（Banes 1988: 71-74）。パクストンは翌年、二、三回位置移動する以外ほぼ立っているだけの《ステート（State）》（1968）も発表している。四二人が中央に向かって歩き、バラバラと停止し、三分間そのままでいる（それを二回）、一五秒の暗転が二回あってその間に動いたり姿勢の調整をしたりするほかは、歩行と静止がセットでダンスの素材として「発見」された（Banes 1988: 64）。

パクストンの歩行作品とよく並べて言及されるのが、イヴォンヌ・レイナーによる《走りましょう（We shall run）》（1963）、これは、ベルリオーズの《レクイエム》を使いつつ、やはり思い思いのストリート・クローズを着た十二人が複雑なフロアー・プランにしたがって七分間走る（だけ）。レイナーはのちにベトナム反戦運動の一環となる《ストリート・アクション》で、歩行によるパフォーマンスを行っている。一九七〇年五月、ケント州立大学で学生四名が州兵に殺害されるという事件の直後、四〇人が彼女のソーホーのロフト前に集合し、黒い腕章を付け、三列に並んで「M-Walk」を行った。「M-Walk」はフリッツ・ラングの映画《メトロポリス》(1927) から借用した工場労働者の歩行であり、顔を伏せ、脚を伸ばしたまま引き摺るような歩き方、それを極端にまで緩慢にした行進だった（外山 2017: 309-311）。

レイナーやパクストン等は、一九六〇年代、ニューヨークのジャドソン教会を初めとするオルタナ系サイトで、（もはやモダンダンスではない、という意味で）ポストモダンダンスと呼ばれるラディカルな活動を展開した。舞踊だけではなく美術・音楽・映像等の他ジャンルの参加者とともに数々の実験が行われ、日常動作《ファウンド・ムーヴメント》を無加工のままダンスとして枠付ける――ウォーホルの《ブリロ・ボックス》(1964) やケージによる楽音とノイズの非差別を彷彿とさせる――「ダンスの定義の拡大」も試みられた。「歩いている・走っている・静止している」だけの動きがダンスと言えるのかという疑問は当然残るだろう。無造作に見えても予め厳密なプランが定められているので、振付にしたがって「踊っている」と見ることもできる一方、指示にしたがって一定の課題《タスク》を遂行するパフォーマンス・アートに分類することも可能かもしれない。当時は絵画・彫刻・舞踊といった表現媒体《メディウム》の純化を追求するアメリカ型モダニズムから離れて、「類としてのアート」に全てが包摂される傾向が顕著になっていく時期だった。芸術作品の「脱物質化」、コンセプチュアル・アートへの展開とも連動して、とりわけ六〇年代後半から、歩行は様々な形でアートの文脈に取り込まれることになる。*1

3　超低速歩行と瞑想

歩行が決定的な意味をもつ美術家の嚆矢、リチャード・ロングは、《歩くことによる線（Walking Line）》（1967）以降、地球上の様々な場所を歩き、その痕跡を現地の草や石、木切れ等によって記し、写真や地図をドキュメンテーションとして提示している。刈り取った草が成長してその痕跡が目に見えないものとなり、石や木切れも風化して作品が消滅する場合もある一方、歩く過程で採取した石や流木を円形や長方形に並べる屋内（および屋上）での展示作品も制作している。

ロングの同窓で「ウォーキング・アーティスト」を自称するハミッシュ・フルトンは、さらに徹底して、もっぱら「歩行の経験から結果するもののみ」によるアートを追求している。連続七日間一日に（四〇〜七〇キロ余の）長い距離を単独で歩く場合もある一方、九四年からは各地で有志によるグループ・ワークも試みている。彼が「Slowalk」と呼ぶ緩慢な歩行は、ほとんど動きが知覚できないような超低速で歩いている、いや、もはや歩くというよりはほぼ止まっているように見える場合もある。「二フィート（＝六〇センチ程）進むのに十分はかかった」と報告されている先述したレイナーの《ストリート・アクション》を思い起こさせるエクストリーム低速歩行である。

同様の超低速歩行は、ポーリーン・オリヴェロスが各地で行ってきたワークショップ「Extreme Slow Walk〜ひじょうにゆっくりと歩く」でも採用されている。彼女のインストラクションは、「可能なかぎりゆっくりと動きながら、まず、踵を床につけて踏み出しなさい。そのとき、足の外側の縁に沿って、小指から親指に向かうように体重を移動させましょう。／体重が十分にその足のうえにかかったら、体重をもう片方の足に移します。／バランスが崩れないように小さな歩幅をとることを勧めます。／肩の力を抜き、頭をまっすぐにして、よい姿勢を維持すること。／呼吸をしなさい［呼吸を使いなさい］。／この演習の目標とは、いかにどれだけゆっくりと歩けるとしても、さらにもっとゆっくり進むということなのです」（Oliveros 2005: 20、藤枝 2006: 51）。超低速で歩きながら重心移動の感覚に集中し、注意力を拡張するとき、「身体の中の非常に微細なエネルギーとのつながりを取り戻す」ことが可能になり、「ゆっくり歩くという、通常は行われない作業に注がれるため、意識が変容する状態」になるとも言われる。

「ほとんど止まっている」かに見える超低速の歩行による「意識の変容」は、パクストンがコンタクト・インプロヴィゼーション（接触型デュエットによる即興）を創始する中で導入する、立ったまま身体を観察する「スタンド」「スモール・ダンス」とも通ずるものだろう。パクストンによれば、「じっと静止して立っている」とき、「二本の足でバランスを取る」「たえず重力とともに動いている」のであり、「倒れないでいるために身体が休みなく行っている調整を観察することは、全体に鎮まりをもたらす。それは瞑想である」（Paxton 1988）。大きく動いているときのそれではなく、静止ないし超低速での運動時の微細な筋肉の感覚、体性感覚に注目し、「〈在ること〉の感覚」と呼んでいる。禅（経行、立禅）やヴィパッサナー、太極拳、気功などの「行の身体」が、瞑想、鎮まり、意識の拡張といったその効果と結びついて多分野の――美術（フルトン）、音楽（オリヴェロス）、舞踊（パクストン）の――リソースとして取り込まれているのである。

4　歩行と現前――観客との関係性

二〇〇五年十一月金沢二十一世紀美術館で行ったワークショップの際のインタヴューで、オリヴェロスは「身体の動きをほんの少しばかり増大させる」、「まさにダンスなんですね、見た目にも美しいものでした」と述べている（藤枝 2006: 51）。では本来自己充足的な「行の身体」は、その参加者に一定の経験を提供するだけでなく、見る者（観客）にとっても美的な価値を持つのだろうか。

エウジェニオ・バルバはグロトフスキの流れを汲む演劇集団オーディン・テアトレット（1974～）に続いて、演劇人類学国際学校（ＩＳＴＡ= International School of Theatre Anthropology）を設立し、世界各地の芸能・上演芸術が培ってきた身体技法を研究している（1979～）。とくに、演者の示す「プレゼンス presence =現前、存在感」（「そこからエネルギーが放射される核」「私たちの注意を捉え、五感を拡張する」経験をもたらす「俳優の生命」）がどこからくるのか、アジアの演劇や舞踊（能や歌舞伎、インドやバリ島、タイ、中国など）に見られる身体運用を中心に探求している（Barba 1986: 115）。彼が導き出した基本原則のなかで最初に来るのが「バランスの変更」である。「直立の姿勢を保ち、空間を移動する」ときの「自然なバランス」の安定性やエコノミー、それを損ない、過剰にエネルギーを消費する「贅沢なバランス」への転換こそ、様々な様式化の基礎にあると主張する。超絶技巧（virtuosity-technique）とは区別されつつ、日常の所作とも異なる、日常外的技巧（extra-daily technique）として、「意図的な個々の表現に先立つ段階（前表現的な段階）で肉体の現前を強調する」ものとなる（Barba 1986: 138-140）。

そのようなバランスの変更を伴う「日常外的技巧」の典型としてバルバが最初に、そして繰り返し言及する技法のひとつに「摺り足」がある。重心やバランスの変化、軽い前傾姿勢（「準備の姿勢」）、なかでも重要なのが「腰」（hips）（＝体の中心）を入れること。腰を曲げ胴体をひとまとまりにして、膝の動きにつれて腰が動かないように固定することで、下半身と上半身に異なる緊張が生じ、頭部、首、胴体、脚、腰骨、全身の筋肉のトーンが変わる（Barba 1986: 117）。テンションを伴う不安定なバランス、それに耐えうる腰、中心を据えた動き――それが「身体の生命の、オーガニックな過程や局面を強める方法」であると同時に、「俳優の生命」を生み出し、舞台の上での存在感を増すとされる。[*2]

バルバが主宰するイタリアの「演劇実験室」で長期にわたる参与観察を行った松嶋健によれば、トレーニングで最初に行われるのが「極限までゆっくり」「〈中心〉で歩く練習」であり、摺り足／ハコビの原理の応用となっている。「最初から能役者の形を真似るのではなく、片方の足に体重がしっかり乗ってから、それをもう一方の足に移すということを繰り返しながら極限までゆっくり歩くようにすると、重心を落とし、膝をまげ、しかし肩の力は抜いて頭を下げないようにするというように身体自身の論理で動くようになってくる」（松嶋 2014: 308-309）。長年の訓練によって獲得される身体技法とそのまま等価ではないにしろ、仮にオリヴェロスやフルトンの超低速歩行にも同じように摺り足の近似値的要素が認められるとすれば、「極限までゆっくり歩く」身体の現前は確かに「見た目にも美しいもの」となり得るのではないか。

それでは、「ただの歩行」を選択するパクストンのケースはどうだろう。「劇場は観客から演者へとエネルギーを集中させる機械」と言うパクストンにとって、あくまで観客を想定し、見せる／見られることを目的とした上演作品なのであるが（Banes 1987: 64）、「超絶技巧」でないのはもちろんのこと、「日常外的技巧」ですらない。とは言え、無造作な「ただの歩行」に見えるように観客の前で歩くことは、日常のなかでの歩行と同じではない。《サティスファイン・ラヴァー》の演者たちへのノートには、目線の方向、キューの出し方などとともに「ペースは楽な歩行、しかしゆっくりではなく」「パフォーマンスの際の態度は落ち着いて、自若として」「心は安らいでいなければならない」といった指示も記されている。「このダンスは歩くこと、立つこと、座ることについてのものだ。これらの要素をクリーンで純粋なままに維持するように」（Banes 1987: 74）。身体の特殊な秩序化・様式化を伴わない日常的な「素の身体」を素材としながら、心の在り方まで含む繊細なインストラクションを与え、その実行が求められている。「歩くこと」「立つこと」「座ること」の純粋な形を体現することに専心する演者には、ベーンズの言葉を借りれば、「リラックスしていながら、同時に、権威ある風情のパフォーマンスの現前」がそこから醸成される場合もあるのだろう（Banes 1987: 60）。

このような別種の現前の効果を認めるとすれば、「日常の技法」と「日常外的技法」、「自然のバランス」と「デラックス・バランス」の二分法の外にも、歩行による表現価値を探ることができるかもしれない。そもそも直立して歩くことがすでに「自然」で「安定」した身体運用ではない、のではなかったか。歩くことの基本のキ？　に戻って、もう少しスペキュレーションを進めてみよう。

5　大地からの離反とそのリメディ

歩くことはまず立つこと、踏むことである。折口信夫は「反閇《へんばい》」が「鎮魂《タマフリ／タマシヅメ》」と並んで日本の芸能の起源を構成し、「土地の霊、邪悪な霊、デーモンを封じ込める」環境調整（キヨメ、ハライ、結界形成）的な面と、「大地に籠っている魂を呼び覚ます」（大地からエネルギーを汲み上げる）力の伝達・増強という面を有すると指摘した（折口 2009: 39-51）。舞楽では「舞人は南の開口部から舞台に上がり、天からの力と、足を踏みしめて導き出す地からの力を身に帯びて、北側の開口部より、天子に向かってその力を送り出す」（佐藤 2012: 77）と言われる。地鎮祭や力足、翁舞&三番叟の「天地人」の足拍子、「天円地方」の四股《しこ》踏み等々、古来「足拍子を踏む」「踏むこと」で、身体が「エネルギーの通り道」であることが実感されてきた。

足裏で地面に触れ、大地を感じ、地球の中心から身体に作用する重力を感ずる――ふだん意識することはないこの大地と身体の関係性が何がしか前景化される時に歩行はマジックに、もしくはダンスにもなる。この感覚はアナ・ハルプリン（ケージおよびマース・カニンガムと並んでポストモダンダンスの誕生に寄与した伝説的な舞踊家）がその後半生を捧げた、誰でも参加可能なコミュニティ・ダンスにも見出される。その毎年世界各地で開催される「惑星（地球）のダンス（Planetary Dance）」（1987～）は、ドラムの拍子とともに集団で円を描いて走ること、歩くこと、休むことによって構成されている（Halprin 1995: 226-239）。彼女がワークショップの参加者に与えたインストラクションに「大地を感じなさい」

というものがある。「躰の中へ心を置き入れて、自分を大地に繋げなさい。大地にしっかり接続していれば、岩のようにしっかりしていられる」（Perron 2016: 182-183）。

歩行の基本にはさらに、単純な動作の反復、一定のリズム、身体サイズに縛られた「遅さ」が加わる。いくら早足であっても、目の前の「一歩一歩」、現在の瞬間から離れることができない不自由さ（と堅固さ、安心感）。レベッカ・ソルニットによれば、「生産性志向の文化の中で」「歩くことそれ自体は意思的な行為だが、身体の非意図的なリズム、呼吸や心臓の鼓動にもっとも近いもの」であり、「仕事することと怠けること、在ることとすることとの間のデリケートなバランス」がそこに見出される（Solnit 2014: 5）。

言い換えれば、歩くことは（呼吸のように）意志的に調節できるのだが、通常自動的に「身体の非意図的なリズム」にしたがって行われる動作でもあって、「私が動く」ことと「動かされている」こととの中間のような状態が想定される。先に触れたバルバの「演劇実験室」での「〈中心〉で歩く練習」でもこの（自分が動くのではなく「身体の論理」で動く）感覚への気づきが重視されていた。「動きが常に「生命の中心（centro vitale）」「肝（hara）」から発出するようにしながら、「スピードをかぎりなく遅くするだけで、からだの内なる微細な力に気づき、しかもそれを新たなかたちで統合しなおす必要が生じる。そうすると、自分が自らの身体をコントロールしているというのがいかに間違った思い込みであるかということが、それこそ〈からだで〉わかってくる」（松嶋 2014: 308-309）。

「自分」（理性的自己）が主体的意識的に動く、コントロールするのではなく（理性にとっての他者、身体の論理、「肝」によって）「動かされる」。あるいは、「動く（能動）」から「動かされる（受動）」への転換というよりも、むしろ主体の意志や作為に依らない出来事の自然的展開を記述する「中動態」的事態の出現をそこに見るべきかもしれない。[*3] バルバが「決まっている身体（A DECIDED BODY）」という言い方で述べようとした「役者の生命」、その関連で引用されるグロトフスキの理想とする「樹の表現」では（自ら決める、意志するといった）作為的な行為がエネルギーの分割、分裂をもたらす。「もし俳優が表現しようとする意志をもつなら、そのとき彼は分裂している。意志することを行う部分と表現することを行う部分、命令している部分とその命令を実行している部分がある」（Barba 1986: 149-150, 153）。「私」が周囲の世界・状況に先立って、そこから独立して措定されるのではなく、むしろ最初から外界に埋め込まれ、外界との相互還流の中にあってたえず流動し反応するものとしての、非意志的／非意識的な主体の状態、脱主体化の状態。[*4]

そもそも二足歩行には定型がなく「開放系」であって、歩く際には身体資源が総動員され、「センサーの感度」がもっとも敏感になる（内田／成瀬 2011: 100）のだとしたら、世界に開かれ世界にじかに触れる脱主体化の経験は（摺り足や「中心で歩く」ときに限らず）本来誰にでも可能なものではないか――「歩くことは、理想的には、心、身体、世界が同盟する状態だ、あたかもその三者がついに会話を始めた三人の登場人物、突然和音を奏で始めた三つの音であるかのように」（Solnit 2014: 5）。フルトンは「歩くことのリズムの内部で〈流れに委ねる〉」「一時的な多幸感の状態、心が外の自然の世界と融け合う状態を経験することを求める」と述べて、歩行を介した環境世界との融即、一体化、再結合の感覚に言及していた（Fulton 1999: 34、西村 2011: 344）。かつてソローが講演のタイトル「歩く、または野生」で端的に示したように（ソロー 2013: 35）、二足歩行への転換によって失った「大地」（文化＝人間中心的世界の外部）との接続は、「理想的には」、歩くことそのものによって回復する――歩行の二重性は、文化の枠を尽くした「日常外的技法」だけではなく、「ただの歩行」の域であっても成り立つのだ、たとえば、歩行そのものを「クリーンで純粋なままに維持する」ことによっても。[*5]

最後に、歩くことは、特にそれが（レイナーのストリート・デモンストレーションに限らず）人々が自由に参加して行われる「行進」であれば、今でも、いつでも、レジスタンスの身振りとして機能することを思い出したい（Solnit 2014: 217）。パクストンの歩行作品の再演時（二〇一二年一〇月）、ニューヨーク・タイムズの批評家は「スマートフォンもない、マルチタスクもない」ただ歩くだけ、立っているだけ、たまに位置を変えるだけのミニマルで反復的なソースに豊かな振付の可能性があると指摘している（Claudia La Rocco The New York Times, Oct. 18, 2012）。六〇年代の「退屈の美学」は対抗文化と多幸感の両方に結びつくアヴァンギャルドの手段であった（Morse 2016: 99）。その半世紀後も、ますますサイボーグ化の進む身体による高速移動や効率的なマルチタスキングの処理が優先される社会のなかで、身ひとつで歩くことを選ぶ意味が更新されているのである。

注

＊1　二〇一五年にデ・ゴルドヴァ彫刻公園美術館で行われた「Walking Sculpture 1967-2015」展はそのような動向を明示している（Sullivan 2015）。

＊2　腰を入れた動きの訓練には、文字通り「命／生を養う」養生法的側面が認められる。安田登によ

れば、深層筋の重要性はロルフィングで一九五〇年代より提唱され、近年はスポーツ界や医療、美容の世界でも注目されている。「能楽師は稽古を通して、いつの間にか深層筋を活性化させ、体のバランスを整えている」（安田 2006 :25）。特に「背骨を中心とした体の軸についている筋肉群」「コアの筋肉群」（体の重心、仙骨の二番目の前あたり、「腹」「丹田」）が養われる（安田 2006: 29 -35）。

＊３　松嶋は「規範化の権力が作動し、誰もが〈強い主体〉たることを要請される社会において、中動態の次元を十分に生きることを許してくれる貴重な場」として演劇や芸術活動全般の意義を唱え、それが「強い主体であろうとすることの病い」（「近代病」）のレメディとなり得る可能性を指摘する（松嶋 2014: 339 -345）。現象学的身体を始め、広く芸術体験のあり方に敷衍して論じている森田亜紀の中動態論（森田 2013）を併せて参照。

＊４　作曲家オリヴェロスのワークショップが周囲で生じる全ての音に耳を傾ける「ディープ・リスニング（深い聴取）」「ソニック・メディテーション」の一環として行われていたことはこの点で興味深い（Oliveros 2005: 59）。《這う（Crawling）》（1975）のように「ヒューマンから四足獣への一種の退化」、動物や幼児の身体／視点を開示するシモーン・フォルティも、レイナーたちに影響を与えたその活動の初期から「聴くこと」に特別な位置を与えている（Morse 2016: 158 -159）。

＊５　小論では様式化された歩行と「ただの歩行」の連続性に注目したが、長年の稽古や修練を経て可能になる無心・有主風の境地（西平 2009: 117）と、身体図式として形成されている習慣的行動・ハビトゥス・暗黙知のステージ、さらに比較的短期のトレーニングやワークショップで経験されるステージといったもののより慎重な区別や比較検討が求められるだろう（と自覚だけはしている）。

参考文献

Banes, Sally (1987) *Terpsichore in Sneakers: Post-Modern Dance* (with a new introduction), Wesleyan University Press.

Barba, Eugenio (1986) *Beyond the Floating Islands* (trans. Judy Barba, Richard Fowler, Jerrold C. Rodesch, Saul Shapiro), PAJ Publications (A Division of Performing Arts Journal, Inc.).

Fulton, Hamish (1999) *Walking Through*, Stour Valley Arts Limited.

Halprin, Anna (1995) *Moving toward Life: Five Decades of Transformational Dance*, ed. Eachel Kaplan. Wesleyan University Press.

Morse, Meredith (2016) *SOFT IS FAST: Simone Forti in the 1960th and After*, The MIT Press.

Oliveros, Pauline (2005) *Deep Listening: A Composer's Sound Practice*, iUniverse / Deep Listening Publications.

Paxton, Steve (1988) Fall after Newton Transcript, *Contact Quarterly* (Fall 88), a booklet for Contact Improvisation Archive

Perron, Wendy (2016) You Make Me Feel Like a Natural Woman: My Encounters with Yvonne, Simone, Anna, and Trisha, Ninotchka Bennahum, Wendy Perron, and Bruce Robertson eds. *Radical Bodies: Anna Halprin, Simone Forti, and Yvonne Rainer in California and New York*, 1955-1972, University of California Press, pp.174-188.

Solnit, Rebecca (2014) *Wanderlust: A History of Walking*, Granta Books.

Sullivan, Lexi Lee (2015) *Walking Sculpture 1967-2015*, Yale University Press.

折口信夫『日本藝能史六講』講談社学術文庫、一九九一年／二〇〇九年

内田樹／成瀬雅春『身体で考える。不安な時代を乗り切る知恵』マキノ出版、二〇一一年

ゲッツ－ノイマン、キルステン『観察による歩行分析』医学書院、二〇〇五年

佐藤浩司『雅楽「源氏物語」のうたまい』天理教道友社、二〇一二年
ソロー、ヘンリー『歩くWalking』山口晃編・訳、ポプラ社、二〇一三年
外山紀久子「ポストモダンダンスと現代美術：《トリオA》のエニグマをめぐって」田中正之編『ニューヨーク　錯乱する都市の夢と現実』竹林舎、二〇一七年、二九七―三二二頁
西平直『世阿弥の稽古哲学』東京大学出版会、二〇〇九年
藤枝守「非常にゆっくりと歩く――ポーリーン・オリヴェロスのディープ・リスニングとは？」、プラクティカ・ネットワーク編『Practica 日常を変える！　クリエイティヴ・アクション』フィルムアート社、二〇〇六年、四八―五五頁
西村清和『プラスチックの木でなにが悪いのか：環境美学入門』勁草書房、二〇一一年
野田雄二『足の裏からみた体：脳と足の裏は直結している』講談社、一九九八年
松嶋健『プシコナウティカ：イタリア精神医療の人類学』世界思想社、二〇一四年
宮島喬「ハビトゥスとしての文化：文化社会学序説」『現代思想』一九八五年八月号、三〇―三六頁
森田亜紀『芸術の中動態：受容／制作の基層』萌書房、二〇一三年
安田登『疲れない体をつくる「和」の身体作法：能に学ぶ深層筋エクササイズ』祥伝社、二〇〇六年

おすすめ本

観世寿夫『心より心に伝ふる花』角川ソフィア文庫、二〇〇八年
松岡心平『宴の身体：バサラから世阿弥へ』岩波現代文庫、二〇〇四年
▽当代一級の能役者と彼に感化されて能楽の研究を始めたという世阿弥研究の第一人者による書籍で、文庫化されているので気軽に手に取れる。「歩行舞踊」とも言われる能のハコビの迫力が「腰を据える」カマエから出てくる点にも言及がある。

玄侑宗久・樺島勝徳『実践！「元気禅」のすすめ』宝島社、二〇〇四年
▽数多ある瞑想法、呼吸法、禅についての解説書のなかでも、「禅的生活」の全般にわたって、写真と図解入りでその思想と方法論を詳細かつ平易に論ずる出色の指南書。坐禅や禅的体操が深層筋のトレーニングという面があること、歩行中の身体感覚を「今、ここ」として積極的に味わう歩行瞑想も紹介されている。この本をもっと真面目に勉強していればよかったのに、と今回かなり後悔した。

マーク・チャンギージー『〈脳と文明〉の暗号――言語と音楽、驚異の起源』中山有訳、ハヤカワ文庫、二〇二〇年
▽小論ではまったく触れることができなかったが、認知科学・理論神経科学を基礎として、音楽の起源が自然界の模倣、人間の動作音、なかでも足音に由来するという画期的な仮説を展開しており、歩行について考える際の射程が一挙に広がるものである。故金子務先生に教えていただいた書籍。

第7章

科学論の中の美と芸術
──近代日本の見た「実在」

岡本拓司

明治維新以降、科学が日本に大規模に導入されるのに伴い、種々の科学論も発表されるようになった。これらのうちには、美や芸術についての主張を展開するものもあり、その系統は、北輝次郎や篠原雄などの、進化論を議論の基礎に置くものと、田辺元や石原純の、同時代のドイツ哲学の学問分類や実在観を採用するものの二つに分けることができる。敗戦後にこれらはいったん消滅し、別系統でありながらやはり特定の実在観を前提とするマルクス主義科学論が主流となり、大学紛争後はパラダイム論がこれにとってかわることとなったが、その過程で美や芸術に関する議論は科学論では取り上げられなくなっていった。

【木村駿吉】

内村鑑三の不敬事件に関連して第一高等中学校を辞したことや、イェール大学のギブズ（Josiah Willard Gibbs、一八三九－一九〇三）の下で博士号を取得したこと、日露戦争で海軍が使用した三六式無線電信機の開発に携わったことなどで知られる。

【北一輝（輝次、輝次郎）】

進化論の独自の解釈に基づく社会主義論である『国体論及び純正社会主義』を一九〇六年に発表したが、同書は刊行後五日で発禁となる。以後、天皇を利用しつつ社会主義的変革を志向する革命の可能性を探り続け、国家構想を『国家改造案原理大綱』（一九一九年）にまとめる。

【田辺元】

数学を志したのち哲学に転じ、一九一九年に西田幾多郎（一八七〇－一九四五）に招かれて京都帝国大学で教鞭をとり始める。新カント派から、解釈学・現象学に及ぶ幅広い思潮を吸収したほか、科学論・数理哲学においても活発に著作を発表した。

【石原純】

日本では最初期の理論物理学者であり、量子論の研究で成果を上げたが、一九二一年に大学を辞し、以後は主に科学に関する著作家として活動する。昭和前期全般にわたって、多くの書籍や新聞・雑誌記事を発表した。

【篠原雄】

動物学を学んで大学院に進学するが、綜合科学の構築を目指す活動に転じ、雑誌『綜合科学』の刊行や綜合科学協会の運営に携わる。戦後は科学哲学の学問的な自立に向けた活動を展開した。

1　科学論と美・芸術

二十世紀半ば以降、科学論、すなわち、科学の認識論的な意味や、科学に特有の方法論、或いは科学の社会や国家にとっての役割を検討する議論において、美や芸術が取り上げられることはあまりない。ところが、明治維新からおおよそ敗戦に至るまでの時期、日本において発表された科学論関連の著作には、美や芸術について、主題的にではないにせよ検討を加えたものが少なくない。その理由は、この時期の科学論が、現代の科学論にはない特徴をもっているからであり、それは、端的にいえば、実在に関する議論を含んでいるというものである。具体的には、この時期の個々の科学論は、実在や自然の構造について、なんらかの前提をもっていることが多い。

方法や認識論的な側面を取り上げる科学論に慣れ親しんだ人々は、科学論が実在に関して特定の前提を持つことに違和感を覚えるかもしれない。しかし、学問的な営みが何らかの成果を得ようとする際には、方法の検討に加えて、その方法が適用される対象の性格についても一定の議論が必要である。対象の性格にあまりに密接に適応した方法では、ほかの場面では有効性を失い、一般的な検討を行うための材料が得られなくなる可能性があるが、対象の性格に適していない方法を用いるのでは、対象からいかなる情報も得られない可能性がある。方法論に特化した科学論においても、対象について一定程度の前提を設けているのは自然であるが、そのような科学論の多くにおいては、これを明示していないために、一見、対象についての前提のない科学論が可能であるかのように思われてしまうのであろう。

明治期から昭和前期にかけての科学論においては、科学が対象とする実在がどのようなものであるのかが検討されることが多く、その際、美、或いは芸術が対象とする実在についての議論が現れることがあった。以下では、そのうちの、必ずしも典型的ではないが特徴的・個性的であるとはいいうる幾つかの議論を取り上げ、科学と芸術から捉えた実在の姿について、どのような主張が展開されていたのかを辿ることとしたい。

2　木村駿吉と連続説・進化論

明治維新から二十年ほどたち、啓蒙主義的な著作によって科学の概要が人々に知られるようになったころ、第一高等中学校（一中）で物理学を講じていた木村駿吉（一八六六―一九三八）が、文科生向けの講義内容を『科学之原理』（木村一八九〇ａ）と銘打って刊行したが、これは表面的な科学の内容の紹介を超えて、科学の方法やその前提にわたる議論をも含む、本格的な科学論書であった。ここでは美や芸術が取り上げられているわけではないが、後に検討する科学論との関連で、その内容のうち、連続説・進化論に関わる部分を紹介する。

木村は当時、キリスト教徒であったが、木村の紹介により一中に勤務するようになった内村鑑三（一八六一―一九三〇）と同様、進化論を正当なものとして受け入れていた。その論拠となったのは、『科学之原理』の第四章で取り上げられる連続説であり、この実在に関する規定は、現在存在する万有は、時間的にも空間的にも不変であるという法則と、万有に変化はあるもののそれは漸進的であり跳躍的ではないという法則の二種に分けられる。進化論に関わるのはこのうち第二の法則であり、木村はまず、ティンダル（John Tyndall、一八二〇－一八九三）の、生物が無生物から進化によって連続的に発生するという説を、この第二法則に従ったものであるとして紹介する。その真偽は不明であるとは断っているが、物質界を含んだ進化論を、木村は「万有に於けるの連続則」であり「公理的のもの」であると主張している（木村一八九〇a：一〇五－一一〇）。木村の語法では、進化論とはこの連続説を指しており、物質をも含んで成立する。ダーウィン（Charles Robert Darwin、一八〇九－一八八二）の説はこれを特に生物に適用したものであると理解されている。

木村は前年に「基教と進化論」という文章を発表しており（木村一八九〇b：一八九〇c）、そこでは、連続説が相転移のような場合にも成立するという研究成果を引用して、突発的に見える事態においても連続性が成立しており、これは道徳、社会、人間生活の中でも観察できると論じていた。連続説そのものは「公理的」と言われる通り、当然の主張であって大きな意味はないと木村はみなすが、天体における進化をもたらす要因が力学の法則であるのと同様に、ダーウィンが、生物における進化をもたらす要因として、自然淘汰、使用淘汰、両性淘汰、生理淘汰といった具体的内容を挙げている点には価値があると認めていた。木村は、宗教は科学の示す真理を受け入れながら、それ自体、進化を遂げていくべきものであるとも主張しており、議論全体が、同時代に得られていた科学の成果に基礎をおいて組み立てられている。

物質（非生命）と生命の連続性を説き、両者を通貫する進化を認めるというのであれば、よりよく知られているのはマルクス主義（科学的社会主義）の同様の主張であろう。木村の場合にはマルクス主義の影響は認められないが、実在に関する「公理的」な了解として、連続説を随伴する進化論が、キリスト教徒から社会主義者に至る幅広い層に支持されていたことをうかがわせる。木村の『科学之原理』は広く注目を集めてきた書籍ではないが、一九世紀末の日本の科学論の水準を伝える著作として重要な位置を占める。

3　北輝次郎における進化と美

社会主義を標榜しつつ、進化論を議論全体の前提に据えて、国体論への攻撃と、みずからが「純正社会主義」とも「科学的社会主義」とも呼ぶ主張の擁護を、一九〇六年に刊行された書籍『国体論及び純正社会主義』（北一九〇六。以下、『国体論』と略す）において展開したのは、後に一輝の名で知られるようになる、弱冠二三歳の北輝次郎（一八八三―一九三七）であった。同書の主題は必ずしも科学そのものではないが、進化論の理解に関する独自の検討もあり、また科学・哲学・宗教の融合した境地を指し示すことが結論の一つでもあるため、科学論に類する検討が随所で試みられている。

『国体論』の中で、特に注目したいのは、人類の進化に伴って美にも関わる変化が生ずると論じた第八章である。科学的な言説に依拠しながら美について検討した試みとして、紹介に値する（ただし、北がこの章で論じているのは、真・善・美という伝統的な価値全ての進化についてである）。

北が論ずるのは、具体的には、美という点から判断して、進化する人間にどのような変化が生ずるかという問題である。北はまず、現状では文化によって美の基準は異なるが、人類共通の理想としては、男子ではキリストや釈迦、女子では観世音やマリアであろうと指摘し、社会主義が実現して経済的な格差が解消し、人間社会における競争が雌雄競争のみになった段階では、優れた男子が優れた女子と結ばれるという状態が実現するため、二、三代のうちに、理想的な男子・女子へと人類は進化すると予言する。北の理解では、進化は人間が理想と信ずるものに向かっていくのである。現段階の人類の理想は神や仏であるが、そうすると、現在の人類が行う「醜怪」な行為もまた、人類が神仏に近づくにつれて消滅するであろう。具体的に北が消滅を予想するのは、排泄と交接である。

実際、人類の進化の過程では、第三臼歯や上側門歯に変化が生じており、虫様垂など消化器官にも退化のあとがみられると北は論じ、食物の進化もあって、いずれ人類は「脱糞放屁」から逃れられることになるであろうと予想する。排泄を恥ずる感覚は下等な生物にはなく、高等な人類に至って発生することからも、人類の一層の進化がその消滅をもたらすと北は信ずるのである。

排泄よりさらに大きな恥辱を感じさせる交接についても、北はその消滅を信ずる。「産婦の膨大なる腹」は「美の理想」に反するために、妻が妊娠中の夫は乱行に及ぶことがあり、交接が恥辱であるがゆえに児童は母の臍から生まれたと教わるのであるが、これらはいずれも交接が美とは反する行為であることの証拠である。生殖もまた、アメーバの段階から人類に至るまでの間に変化してきたのであるから、今後もさらに変化を遂げるであろう。ただし、北は、社会主義実現の後に人類の進化の原動力となるのは雌雄競争であると考えているため、生殖作用が廃滅するのは、人類が雌雄競争の必要がなくなるほどに進化したのちであると断っている。その段階では、キリストや釈迦のように人類を感化することによって自身の思想を受け継ぐ者を増やすというかたちでの生殖が実現し、「人類」は「神類」になるとも北はいう。

進化論によってその実現が正当化される社会主義の理想が、排泄と交接の消滅した神類の社会であるというのが、若き北一輝が到達した、人間の美に関する結論であった。木村駿吉とは全く異なる前提に基づく議論ではあったが、それでも進化という原理が、多方面の論者を捉えた思索の指針であったことが窺えるであろう。

4　実在の多様な側面――理想主義における科学と芸術

日本における本格的・学問的な科学論の検討は、桑木彧雄《あやお》（一八七八―一九四五）による、特殊相対性理論出現前後のヨーロッパにおける物理学の基盤や目的をめぐる議論の紹介から始まるが、続いて、同時代までの西洋における蓄積を消化したうえで独自の科学論を展開したのは、田辺元（一八八五―一九六二）と石原純（一八八一―一九四七）であり、桑木同様、検討の中心に置かれたのは物理学であった。こうした、二〇世紀初頭の物理学の変革に刺激を受け、物理学によって科学を代表させたうえで行われる検討においては、同時代の、主としてドイツ語圏の哲学からの影響もあって、進化論のやみくもな原理化は行われない。彼らの科学論においては、科学が明らかにする実在の一側面と比較するかたちで、芸術や美についての主張が登場する。

田辺の場合には、本格的な学問的科学論として最初の著作である『最近の自然科学』（田辺一九一五）の末尾に「自然科学と理想主義」という一節を置き、そこで自然科学の限界を説きつつ、倫理や理想、人間の個性に関しては、歴史学や文化科学が担当すべきであると論ずる。さらに、田辺は、人間の理想は真にあるばかりではなく、善、美、円満という、道徳、芸術、宗教が実現を求めるものの中にも存在し、科学が真を求めることに根拠があるのと同様、これらの営みと理想にも同様の根拠があると指摘する。真・善・美・円満を人間が求める理由についても田辺は説いており、それは、これらの追求によって、発展しつつある実在を顕《あきら》かにするのが人間の使命であることにあるという。個々人の「小我」を超えて実在に没入すること、それによって個別の局面における「大実在」の現れを実現することが人間の本分なのである。

『最近の自然科学』において既に、田辺は自然科学の成り立つ根拠は人文歴史の検討によって明らかにされるべきことを論じているが、更によく読まれた『科学概論』ではなお進んで、「自然は文化の手段でなければならぬ」（田辺一九一八：三五四）とも指摘している。田辺にとって、人文科学は自然科学よりも優位にあり、科学的認識の中で最も具体的かつ最も完全な知的表現は、人文歴史の世界にあるのである。個々人の使命も、実在の部分的表現として実在の「無窮の進展」に寄与するため、人文の建設に努力することとされる。

対するに、物理学者であると同時に歌人としても知られた石原純は、個人を超えた普遍的な実在の姿を明らかにする点において、自然科学がもっとも強力であることから、自然科学こそが「人文の精華の究極」であると論ずる（石原一九二三：一三）。また、自然科学は各人の個性を超えたところで成立し、それは神性ともいうべき性格を備えているが、これを個々人が理解できる以上、人間が神性に至る道は開かれている。神性に至るためには「人格の高上〔原文通り〕」が必要であるが、美を求める場合にもそれは必要であり、自然科学における真摯な探究者はその模範であるともいえる（石原一九二三：一六）。見方を変えれば、芸術や倫理において普遍的なものが存在することは、自然に関して自然科学が普遍的なものを明らかにしているという事実によって示されている。個別の我が絶対的な普遍性、或いは絶対的な神性に至ることは可能であり、芸術も道徳もそれを目指すのであるが、この営みが正当なものであることは、自然科学という前例によって保証されていると石原はいう（石原一九二五：三二―三三）。さらにまた、神が実現する完全な調和においては、「綜合美」に至った芸術と、「不易の自然法則」に至った科学が融合している（石原一九二五：六二）。

石原は、芸術も自然科学も自然への働きかけの形態であるとみなしており、芸術の場合は一定の価値判断に従ってそれが行われると考えている。ただし、自分に適合するものを調和・美と考えて表現しようとするにせよ、それもまた自然であることには変わりはなく、その調和・美は人間が働きかける以前の自然の中に存在しているともいうことができる。人間は美の淵源を自然の中に求めるのである（石原一九二五：一四一―一四二）。

人間の創造的な活動における自然の価値や意義を重視する石原は、科学の殿堂が美であるとも説く（石原一九二六：三一）。美や善に関わる判断は直観に依存することが多く、そこには個性的要素が含まれることになるが、自然の調和をより普遍的な方法で明らかにする科学は、人文の中に独特の地位を占めている（石原一九二六：三七）。

石原にとって、自然の神秘とは、自然法則の「整美な姿」を意味しており、神はそのなかに姿を現している。宗教の追い求めるものと自然科学が明らかにしつつあるものは、この意味で一致しており、宗教と自然科学の争いは愚挙であるとも石原は断ずる（石原一九二九：四五三）。

田辺や石原の著作は、大正末から昭和前期にかけて、高等学校に学ぶ者を中心に、広く読まれていた。人文歴史の優位を主張し、科学という営みの解明は、科学を作り上げた人間を解明することによって実現するとする田辺と、真・善・美の理想が自然の中に示されているとして、その自然の解明に関して最も強力である自然科学の到達度をほかの知的営為のそれよりも高く評価する石原の間には、無視できない姿勢の違いがあるが、実在を構成する要素としての真・善・美・聖の間に区分を認め、そこに至ろうとする科学・道徳・芸術・宗教を支配する方法にも、それぞれ固有の価値を見出している点は共通している。旧制高校教養主義の中で広く受け入れられた常識的な理解は、そのようなものであったとも言いうるであろう。

石原も田辺も、自然科学と社会科学・人文科学の差異については繊細な配慮を示している。石原は、社会に関する経験科学の可能性を示すものとしてマルクス主義・唯物弁証法に注目しており、特に人間の思想ではなく社会における物質的要素を取り上げた点、経済的関係に進化発展を認めている点、また対象を没価値的に扱う点で自然科学に帰着する可能性が開かれている点に関心を示している。ただし、対象の多くが数量化を許さないために、唯物弁証法という論理が用いられたとも観察している（石原一九二九：三三五）。可能性は認めながらも、一九二九年の段階では、その後の展開に注目するという姿勢を保持しているといえよう。

田辺は、たとえば、後年になるが、一九三六年の日本文化教官研究講習会の自然科学科第一回講習において「自然科学教育の両側面」（田辺一九三七）という講演を行っており、そこでは、自然科学における統計的法則が、個々がそれぞれの自由を発揮しつつも全体としては秩序を構成することを示しているのと同様、国家がその中で個人を活かし、個々の自発性によって全体の統一を実現しながら、個人は国家において初めて真の自由を得ると論じているが、それでも、自然科学が国家社会のかたちを積極的に示すことはないと断っている。マルクス主義を意識しながら、自然に依拠する論理で社会や政治を断じてはいけないと語ろうとしていたように思われる。

理想主義、あるいは教養主義の中の議論においては、真・善・美・聖の区分が尊重されるのみならず、自然科学・人文科学・社会科学の弁別についても丁寧な検討が行われていた。これを別の方面から観察すれば、本稿では詳述しないが、自然や自然科学にも根拠を持つ論理（唯物弁証法）によって、社会や歴史を論じ切ろうとするマルクス主義には、田辺・石原の議論に飽き足りない若者に訴えかける魅力があったということもできよう。

5　芸術を包含する科学──篠原雄と綜合科学

科学に依拠して社会変革を進めようとするマルクス主義の影響を受けながら、しかしマルクス主義とは一線を画した運動として、人類のあらゆる知的営為を「綜合科学」として統合し、そこから得られた指針に基づいて「積極的世界建設」を実施することを標榜した運動が、一九三〇年代の日本において展開されている。この運動も、その主唱者の篠原雄（一八九三－一九六七）も、広く知られているとはいいがたいが、科学のあるべきかたちについての議論の中で、詳論はしていないものの、芸術にも一定の位置を与えている点で注目に値する。

綜合科学の起源は、篠原の友人でもあった北川三郎（一八九八－一九二八）の綜合自然史学という構想にあったが、北川の死後、その遺志を受け継ぐために活動を始めた友人たちの間で、理論的な体系の構築と雑誌編集などの実務において先導的な役割を果たしたのが、篠原であった。ただし篠原の理論体系は独自のものであり、以下で見る通り、おそらくは北川と知り合う以前に形成されていたものと考えられる。

篠原は、動物学を学ぶ学生であった一九二一年に発表した「生物学的理想国」（篠原一九二一）において、ヴァイスマン（篠原の表記ではワイズマン。Friedrich Leopold August Weismann、一八三四－一九一四）のカイムプラズマ（Keimplasma、生殖質）に言及しており、親から子、子から孫へと伝わるこの物質は、新たに種が出現する際にも受け継がれるので、全生物はこれを通じて連結されていることになると指摘している。個々の生物には新陳代謝があるために、それらが物質として連結されているわけではないが、「他の物質を同化して自己と同じものに変へる力」が受け継がれるのである。

篠原はまた、生物を構成する「根本単位体」が存在するという主張にも触れ、これがダーウィン（Charles Robert Darwin、一八〇九－一八八二）のパンゲン説に現れるジェンミュール（gemmule、ジェミュール）以降、ヴァイスマンのイドなどの発想に引き継がれてきた歴史を振り返って、近年には具体的な発見を目指す研究もなされていると指摘する。この方面においても全生物界の自己同一性（篠原は「固定」と呼び、「アイデンチチイ」とルビを振る）の具体的な探究は進んでおり、この事態を篠原は、「禽獣をも魚介をも昆虫をも吾等と等しきもの否同一のものと見ることに於て人類は未だ嘗つて今日程明瞭なる意識をもつたことはない」と評している。あらゆる生物は、大きな違いを含みつつも連続する一体であり、「一大家族」であるというのである。そのうえで、人類は、一大使命として、あらゆる生命のために、あるいはそれらに代わって、「一大使命の理想国」、「地上に生き来り死に去りしあらゆる生物の霊魂の安住し得る如き一大極楽浄土」を築くことを引き受けるべきであると論ずる。生物は無生物から発生した、或いは生物と無生物は連続した存在であるという広く受け入れられている見解に基づけば、この「生命の理想国」のもつ意味はさらに拡大することとなる。篠原は、自分の動物学研究についても、これがそうした理想国の建設にわずかなりとも役立つであろうとみなし、その意義を認めるというのである。

木村駿吉の連続説に依拠する進化論と、北輝次郎の人類の神類への進化の主張を組み合わせたかのような議論であるが、メンデルの法則の再発見（一九〇〇年）とその遺伝学上の意味を理解する篠原は、物質から生命に至る全存在の最高位に立つ人類が理想国の建設に向かうという発想には、科学的な根拠があると考えていた。

北川三郎の死後に集結した友人たちは、一九三一年には綜合自然史学会と称する組織を結成するが、そこで採択された、篠原が書いたと推測される趣意書（「発刊の辞に代へて【綜合科学協会趣意書】」一九三四）には、上述の篠原の実在観が反映されている。

趣意書ではまず、一八世紀以来の自然科学の発展が称えられ、しかしいまだ生物界における合目的性や進化の方向性といった問題が解決されていないことが指摘される。次いで、人類の社会生活の記述について自然科学が払ってきた努力は不十分であり、社会科学もまた実践的原理を得ることに汲々として学問的な基礎を疎かにしているとの観察が現れる。そのうえで、「最も正しい人類生活の建設」という事業において指導的役割を演ずべき「完成された科学」の構築を目指し、そのための「基本原則」を獲得することの必要が論じられる。つまり、この趣意書においては、正しい人類生活の建設という実践的な目標も掲げられており、「客観的認識の成果」を「意志的現実的な活動」の指導原理にすることも目指されている。趣意書ではさらに、学問と実践を架橋するものとして心理学が重視され、また哲学と歴史学、芸術と宗教が科学と一体となることが想定されている。このような綜合を経た科学こそが、人類がその生活を建設するにあたっての信頼すべき答えを与えるのである。こうした科学の建設を目指し、正しい方法の検討と共に豊富な資料の収集を行い、あらゆる視野を検討しながら真実の「綜合」を行うというのが会の指針である。

科学とはいいながら、綜合科学においては、人間の知的活動の一つとして、芸術をも含み込んだ体系の構築が目指されている。ただし、篠原自身の関心を反映してか、その後、綜合科学の枠内において、芸術に関するより詳細な議論が展開された形跡はない。それでも、綜合科学が、ヨーロッパで同様の運動を展開しようとしていたウィーン学団との差異を主張する際には、綜合科学が目指すものは、彼らのように分科科学の外あるいは上になんらかの哲学を作り出すことではなく、分科科学の融合と、その前提および帰結としての、科学・哲学・芸術・宗教および実践の結合であることが主張されている（「編輯者の立場から」一九三四）。また、一九三六年から翌年にかけて、国体明徴運動などに基づいて、科学や合理主義を否定する論調の高まりが生じた際、田辺元、小倉金之助（一八八五―一九六二）、石原純らが科学的精神の擁護の論陣を張ったが、これに対する篠原の批判のうちには、科学的精神が人類生活の建設的発展のための指導原理となるためには、科学の綜合的体系化が必要であり、さらにそれは、科学のみならず、哲学・宗教・芸術に加えて地球上の諸民族の伝統文化をも含んだ綜合体系化でなければならないという主張があった。この点について理解のない田辺や小倉は、篠原から見れば、科学的精神について語る資格はない（篠原一九三七）。

篠原の綜合科学に基づく積極的世界建設の構想は、やがて、日本の大陸への進出に伴い、日本こそが世界の一角において積極的建設を行う主体たるべきであるとの期待へと変貌し、その過程で、綜合科学においては、民族伝統の包含や日本の国体との接合も試みられるようになる（篠原一九四二）。この結果、篠原の構想そのものが、敗戦とともにいったんは消滅するという結末を迎えることとなる。

6　実在に向き合う科学論

以上、明治期から昭和前期の科学論の変遷を瞥見すれば明らかなとおり、科学について語ろうとする者は、科学が取り組む実在の姿や、人間の知的活動全般、あるいは人類が進むべき方向について論ずることに躊躇は覚えていなかった。こうした問題について論ずる以上、そこには美や芸術への論及もしばしば生ずることとなった。わずか八〇年ほど以前には、科学論と芸術・美の間には、大きな懸隔はなかったのである。

敗戦後も、科学論が実在に関わる一定の前提を持つ時代は続いた。それは、マルクス主義の復活により、この陣営の科学論が主流となり、そこで前提とされる自然の弁証法が議論を拘束し続けたためである。しかし、国際情勢なども影響し、マルクス主義の内部での分裂は一九五〇年代初めから顕著になり、一九六〇年代末の学生紛争までには、科学や研究への批判が、科学と民主主義が手を携えて進むという公式的なマルクス主義の主張に対しても向けられることとなった。学生紛争期の問題提起がそのまま受け継がれたわけではないが、一九七〇年代に日本に紹介されたクーン（Thomas Samuel Kuhn、一九二二―一九九六）のパラダイム論は、科学理論の交代が必ずしも合理的な判定基準の下に行われるわけではないと指摘するものとして読まれ、科学批判や相対主義的な科学の理解に一定の理論的根拠を与えた（岡本二〇一六）。

科学論において、方法論や認識論が中心的課題となったのは、以上のような経緯を経てのことであるが、明治期から昭和前期に展開されていた、ときには放言とも思われる議論の数々を見る時、一種のなつかしさやうらやましさを感ずることも否定できない。現在の学問的状況から言って、科学論が実在や人類の理想について率直に語ることは困難であるともいえるが、いずれ、予想もしないかたちで、新たな、より広い範囲の課題を扱う議論が登場し、多くの人々を魅了する可能性も皆無であるとは言えない。それまではむしろ、歴史の中の科学論に理想や夢の跡を見ることのほうが、知的関心を集める作業であり続けるのかもしれない。

参考文献

石原純『人間相愛』一元社、一九二三年
石原純『永遠への理想』岩波書店、一九二五年
石原純『科学と人生』興学会出版部、一九二六年
石原純『自然科学概論』岩波書店、一九二九年
岡本拓司「科学論の展開――武谷三男から廣重徹へ」、金森修編『昭和後期の科学思想史』勁草書房、一四七－三〇一頁、二〇一六年
北輝次郎『国体論及び純正社会主義』北輝次郎、一九〇六年
木村駿吉『科学之原理』金港堂、一八九〇年 a
木村駿吉「基教と進化論」『標準』第二号、六－一一頁、一八九〇年 b
木村駿吉「基教と進化論（承前）」『標準』第三号、八－一二頁、一八九〇年 c
篠原雄「生物学的理想国」『国本』第一巻第三号、六一－七〇頁、一九二一年
篠原雄「新しき科学的精神の樹立――田辺元博士及び小倉金之助博士の所論に対する綜合科学的立場からの批判――」『科学評論』第二巻第一号、二－一三頁、一九三七年
篠原雄『我ガ国体ト綜合科学的世界建設ノ理念』久保田孫一、一九四二年
田辺元『最近の自然科学』岩波書店、一九一五年
田辺元『科学概論』岩波書店、一九一八年
田辺元『自然科学教育の両側面』文部省思想局、一九三七年
「発刊の辞に代へて【綜合科学協会趣意書】」『綜合科学』第一巻第一号、一－二頁、一九三四年
「編輯者の立場から」『綜合科学』第一巻第二号、五五－五六頁、一九三四年

おすすめ本

北一輝『北一輝思想集成』書肆心水、二〇〇五年
▽『国体論及び純正社会主義』が読みやすく組まれて収められています。古本などではまだ入手可能です。

西尾成子『科学ジャーナリズムの先駆者――評伝　石原純』岩波書店、二〇一一年
▽戦前期に独自の科学論を展開した石原純の生涯を辿った評伝です。

第8章

科学と芸術をめぐる近代のパラドックス

——ゲーテ自然科学における形態学と菌類生物の〈ポリネーション〉

前田富士男

近代の自然世界は、神のような超越的な存在も神話的物語も許容しない。科学は合理的理論モデルを構築し、芸術は制作者の感性と想像力にもとづくイメージ世界を創出する。しかし、こうした取り組みは、今もなお豊かな生命的自然界にくらす人間に重いパラドックスを突きつける。本章は、芸術家で科学者だったゲーテによる植物・動物と第三の生物「菌類」の形態学研究をテーマに、パラドックスのありかとその豊かさの発見法を試論として提示する。

【パラドックス：paradox】

人間の思考に、奇妙な混乱や矛盾をもたらすような発言や認識をいう。「嘘をつかない人はいない」と嘘つきが言う、のような場合である。論理としては矛盾で無意味だが、認識にとって新しい観点や、体験の組み換えをもたらす契機にもなりうる。

【ゲーテ：Johann Wolfgang von Goethe 一七四九―一八三二】

ドイツの文学者・芸術批評家・素描画家・色彩論研究者・自然科学研究者。戯曲《ファウスト》（第一部一八〇八・第二部一八三二）ほかで知られるが、今日ではむしろ地質学・植物学・動物学の科学研究の成果が注目され、科学史からの個別研究も多い。

【形態学：morphology】

ゲーテの創始した学問領域。植物や動物の研究で生理学とともに基本となる方法で、静止した形式やその属性ではなく、たえず生長し変化する形態（ゲシュタルト）を追究する。

【菌類生物：fungi】

十八世紀半ばに生命科学研究はC・リンネ以後、大きく発展する。その焦点は生物界に植物と動物のほかに第三の生物として菌類を加えるか否かの問題。菌類生物とはキノコ・カビ・酵母・地衣類など真核生物の総称。一七八〇年代からドイツで専門研究が始まった。十九世紀初頭からは、遺伝や進化の研究が展開する。わが国では南方熊楠による紀伊での菌類研究（一九〇一～）が名高い。

1　パラドックスの近代

近代の自然科学は、自然以外の実在を認めず、もはや超越的真理を要請しない。もとより、こうした自然主義の、本論では自然内在的（naturimmanent）と呼ぶ立場は、合理的論証を規範とするから、パラドックス（アンチノミー／二律背反）とは無縁のはずである。科学者は、経験科学としての自然科学の対象領域に、それぞれの問題意識に則したコンテクストを設定し、それにもとづく対象の分析と実験の過程を経て、特定の理論法則モデルを、数字・特殊記号・文字からなる人為的記号システムとして構築する。この作業方法では、自己矛盾のない知的な整合性が要請される。したがって観察・実験から理論モデル構築へ進行する過程は、飛躍や矛盾を持たない厳密な「知識」の歩みでなければならない。理論モデルは精確化・専門化し、それゆえ多様化する。

ところがこのモデルはつねに、より先鋭なコンテクスト設定を目指す以上、隘路を歩むことを躊躇《ためら》わない。たとえば「生物学は、人間を感覚知覚とニューロン思考装置を備えた有機体として記述し、それによって、自然認識そのものを自然認識の対象としてしまう」[*1]。科学哲学の専門家ならずとも、私たちはこうしたパラドックスの重みを肌で感じとっている。

ゲーテ（一七四九―一八三二）は、文学活動、芸術批評、素描画制作、色彩論研究、そして地質学・植物学・動物学など自然科学研究に傑出した成果をもたらした人物である。同時に、ゲーテは、異才の「傍流」哲学者であった――哲学者R・ローティは、著名な『哲学と自然の鏡』（一九七九）でそう指摘した。[*2] ローティは、認識論に依拠する近代哲学を批判し、「人間の本質とは本質認識者たることだとの考えに疑いを抱いて」いた「傍流」の哲学者の存在を強調し、ゲーテに始まり、後期のウィトゲンシュタイン、ハイデガーにいたる七人の思想家を列挙する。

私は哲学者ローティの顰《ひそ》みに倣う力を持たないけれども、自然認識に関するパラドックスをじつはゲーテ自身が確認していた事実は、いま明記しておきたい。

ゲーテは、重要な論考「客観と主観の仲介者としての実験」（一八二三年初出）で、述べる。すなわち、ある対象の観察を続け、多くの実験を繰り返し、法則や理論モデルを確かめ、それを多くの人と共有することが科学者の仕事なのだが、こうした実験とは本来、実験者自身の体験の変容を導く作業でなければならない、と。これは、ゲーテによるきわめて重要な実験論である。ところが、ゲーテは論述を再度、科学者に差し戻す。「警告として、ここで一種のパラドックスを提出する」と記す――すなわち、いかに的確な実験といえども何ごとも証明しないし、「ある命題を直接に実験によって証明しようとするほど、危険なことはない」[*3]（FA.25.30）。この発言は、科学的な認識行為にむけた否定ではない。近代科学者ゲーテは、むしろ「危険な」パラドックスを、その重みを、つまりパラドックスの能動性を慎重に吟味すべきだと提案しているのではないか。

ゲーテが行った各種の色彩実験や顕微鏡を用いた微生物研究、またヨーロッパ有数のイエーナ大学附属植物園（一五八六年開設）での学術的な栽培・標本収集など、その高度な実験と観察方法を知らない者には、パラドックスとは文豪ゲーテが科学者にむけた単なる非難と括られがちだ。しかし、それは誤解でしかない。「詩人ゲーテによる科学批判」といった平凡な常套句は少なくともローティ以後、無効である。問われるべきは、科学者ゲーテのみた能動的なパラドックスの内実である。

近代芸術に視点を切り替えよう。芸術も、もはや規範的価値を肯定しない。しかし芸術家は、科学者とは異なり、制作過程と作品との間の断絶を許容せざるをえない。なぜなら、神の手で創られたアダムとしての「神のごとき芸術家ミケランジェロ（il divino Michelangelo）」とは、近世の芸術家が浴した最初の、そして最後の賞賛だからである（図1）。近代という劇場の幕を開いたケプラーとニュートンは、「神のごとき」という形容を慎重に回避し、哲学者A・G・バウムガルテンは、近代思想に新たに「感性学（美学）」（一七五八）という素地を開墾した。感性が身を置く豊かで渾然とした力にあふれる生命的自然全体は、人びとの直観（Anschauung）こそがよく捉えうるとしても、しかし哲学的言語のみならず、詩や文学という言語記号でも、絵具・布・紙・石材・木材ほかの絵画・彫刻という造形記号でも、つねに表現の限界に直面せざるをえない。ここには、神の似姿としての人間が持ちうる知の働きや技術は、もはや存続しない。近代の芸術家はパラドックスを了解し、そして闘う。彫刻家・画家の舟越直木（一九五三―二〇一七）による端的な記述と作品を引こう（図2）。

僕はこの作品の作者じゃない。／だれか他の人でもつくれたはずだ。／いつも、なんだかそんな気がするんだ。……／僕には「解らない」って事だけが一番、確かなことなんだ。[*4]

ゲーテにおけるパラドックスとの闘いは、たしかに多くの領域にまたがる。だが、その手がかりをまず植物・動物の形態学的直観と菌類生物の観察に、そして晩年に編集出版した創意に富む個人雑誌『形態学論集』（一八一七―一八二四、全六冊、以下『論集』と略記）（LA.I.9.5-382）のいくつかの論点に求める試みも必要不可欠であろう。

2　リンネとヴォルフとネッカー、そしてゲーテ──「挿図」という記号法

近代植物学の幕開けを示す四点のアヴァンギャルドな挿図・素描作品をあげよう。この時期は、自然内在的な理解を推進する時代でヨーロッパの十八世紀半ばから十九世紀前半を指す。文字通りゲーテの時代である。芸術学の観点から、この時期に始まる近代的なひとつの造形メディアに注目したい。学術書における「挿図」である。C・リンネをはじめ多くの研究者は、自著に版画家に依頼した挿図を掲載した。自筆素描か否かは別問題として、学術的な知の本文を説明し可視化する「図解」＝「挿図」といえば解りやすい。だが、そうだろうか。挿図といえども象徴的記号なのだ。

この時代は、豊かな直観的な自然認識と、言語や絵画のような人為的な記号にもとづく象徴的な認識とを対比し、全体を捉える直観的認識と、悟性と想像力が働きあう象徴的認識との統合を求めた。[*5]他方で、言語にもとづく記号媒体は、詩的文学的記号に向かうか、数字や特殊文字を駆使する科学的記号に向かうか、その岐路にさしかかる。こうした推移において、学術書の図解＝挿図はごく単純な位置づけを与えられてきた。まず知の本文が成立し、それを読者に解りやすく伝えるための「挿図」という理解である。これはいささか素朴な思いこみにすぎない。記号論はおいて、とりわけ対象が植物界であれば、挿図のイメージの孕む生成の動きは言を俟たない。むしろ本文を生みだし、本文を導きだす「挿図」、本文なき「挿図」を理解する試みが大切になる。[*6]

この時代を先導する植物研究はリンネの分類学で、自然を鉱物界・動物界・植物界に分ける（『自然

の体系』一七三五）とともに、植物について『植物の属』（一七三七）と『植物の種』（一七五三）で、生殖形質を体系的分類の指標とした。すなわち、雄蕊1本から20本までの12綱（クラス）、多雄蕊（13－19綱）、雌雄合着（20－23綱）、そして蕊を持たない菌類（キノコ・カビ・酵母）、藻類、蘚苔《せんたい》類、シダ類を「隠花植物（24綱）」とした。『自然の体系』は一七五八年に第十版も刊行され、植物の24クラスの分類挿図は、生物界研究一般に不動の位置をしめた（図3）。

　しかし、学界では少数派ながら、同時期に第二の挿図も登場する。リンネによる植物の系統樹的分類とは対照的に、植物の発生や生長、繁殖をもっぱら自然内在的な契機から追究したC・F・ヴォルフの『発生理論』（一七五九）の挿図である（図4）。ヴォルフは、顕微鏡を用いて組織を観察し、まず植物、つぎに動物について解剖学的かつ形態学的に個体発生の多様性を確認し、初めて後成説を明確に論じた。ゲーテは、当時、ヴォルフの研究領域と方法論について直接に論じ合う場を持たなかったが、後年、その意義を高く評価した。ただしヴォルフの生理学的分析とは異なり、ゲーテはあくまで形態学的観察に即して個体発生（Ontogenese）の過程を追究し、分極性にもとづくメタモルフォーゼとして解釈した。

　第三に、現代の菌類生物研究に通じる道を開いた筆頭に、マンハイムで宮廷医を務めたフランドル出身のN・J・ネッカーによる『菌類概論』（一七八三）を挙げよう。ネッカーはリンネの「隠花植物」分類から検討を始め、結論部でリンネをはっきりと批判する。キノコ類は、隠花植物でも動物界生物でもなく、鉱物界の土壌に生息する点で植物に近いながら、独立した菌界という第三の生物であると主張した。本書は挿図一点のみを掲載するが、これは学術的な菌類生物研究の最初期の図示の一例とみなしてよい（図5）。なお菌類生物とは現代の名称で、糸状菌（キノコ、カビ）と酵母の真菌類、および変形菌類（粘菌類）を指し、真核生物中の一群である。真菌類は有性胞子生殖を、変形菌類は無性胞子生殖を行う。ネッカーは菌糸の生長を観察のポイントにおいている。

ゲーテは、のちにネッカーを称讃する数行のメモを残しており、本書に眼を通していたことは間違いない（FA24.691）。本図は、私の知る限られた範囲ながら、ゲーテ研究でも菌類生物研究でも紹介されないが、菌類研究のターニング・ポイントをなすといっても過言ではない。

ネッカーの散文的記述では学術用語が不安定で、菌の概念も不明確である。しかし、キノコは細胞組織（tissue cellulaire）と柔組織（parenchyme）からなり、自然界の被造物のなかで、形体と色彩の点で「多様性」にあふれた形態を示すと指摘する。

そして第四は、ゲーテのメタモルフォーゼ素描である。ここではメタモルフォーゼ研究のための覚書画稿の一部（CG.Vb.86）を示す（図6）。この素描は従来、一七九〇―九五年の成立と推定されてきたが、私はゲーテのイタリア旅行中の一七八七年五月頃にナポリで制作と推定する（全集11.264）。一年生植物の生長における根本現象を描いた画稿で、画面内に植物に関する用語の記載はないが、最下部に子葉、2番目に節と葉（拡張）、3、4番目に茎葉の形成と葉腋の芽（拡張）、6番目に茎葉から萼の形成（収縮）、最上部に花弁（拡張）と雄蕊・雌蕊（収縮）、果実（拡張）・種子（収縮）の形成などを描く。覚書記載は、画面右上から「三つの体系。受容する、運動する、繁殖する」ほか、下方の昆虫に関する記載もみえる。ゲーテの描いたメタモルフォーゼの画稿中で重要な一点である。

これらの四点には、植物学的研究の根本と変容をめぐる近代的状況がよく浮き彫りにされている。植物の分類体系性と歴史体系性という二つの基軸である。

1．ミケランジェロ《アダムの創造》1508-12　フレスコ　システィーナ礼拝堂

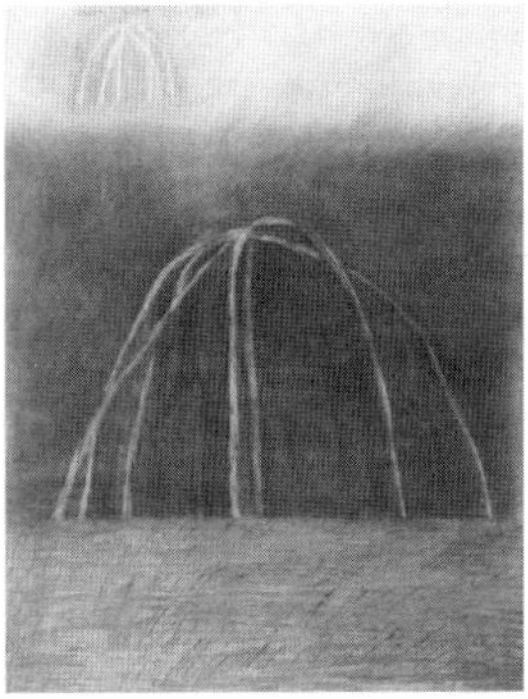

2．舟越直木《Drawing》1989　パステル・色鉛筆　個人蔵

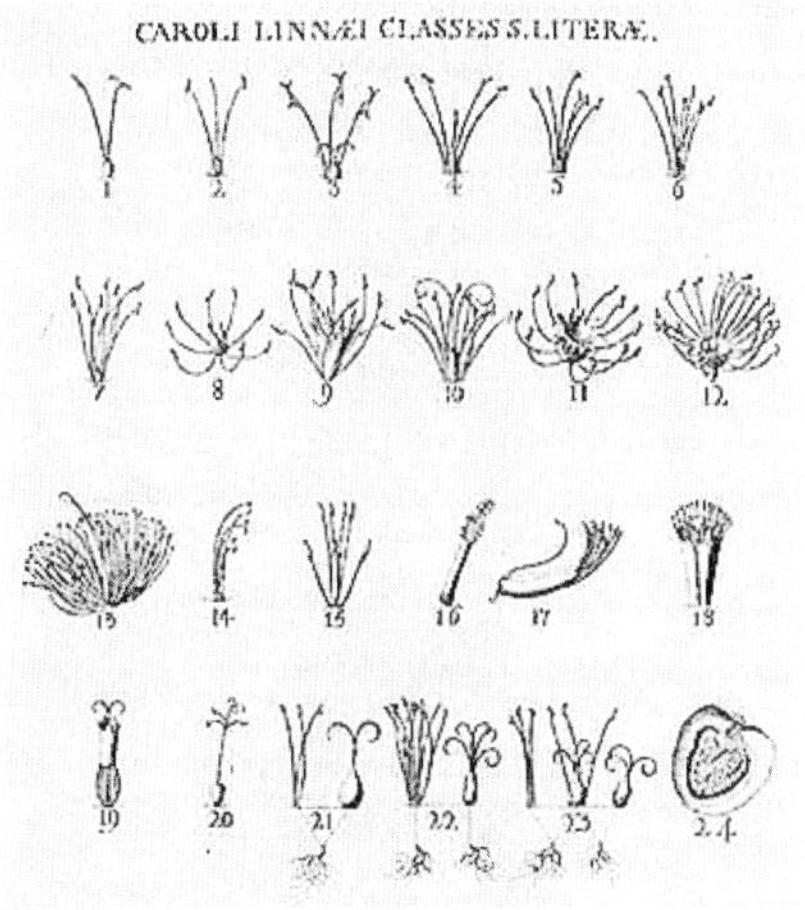

3．リンネ「24クラス」『自然の体系』1735　挿図（C. v. Linné, *Systema Naturae*, 1735.）

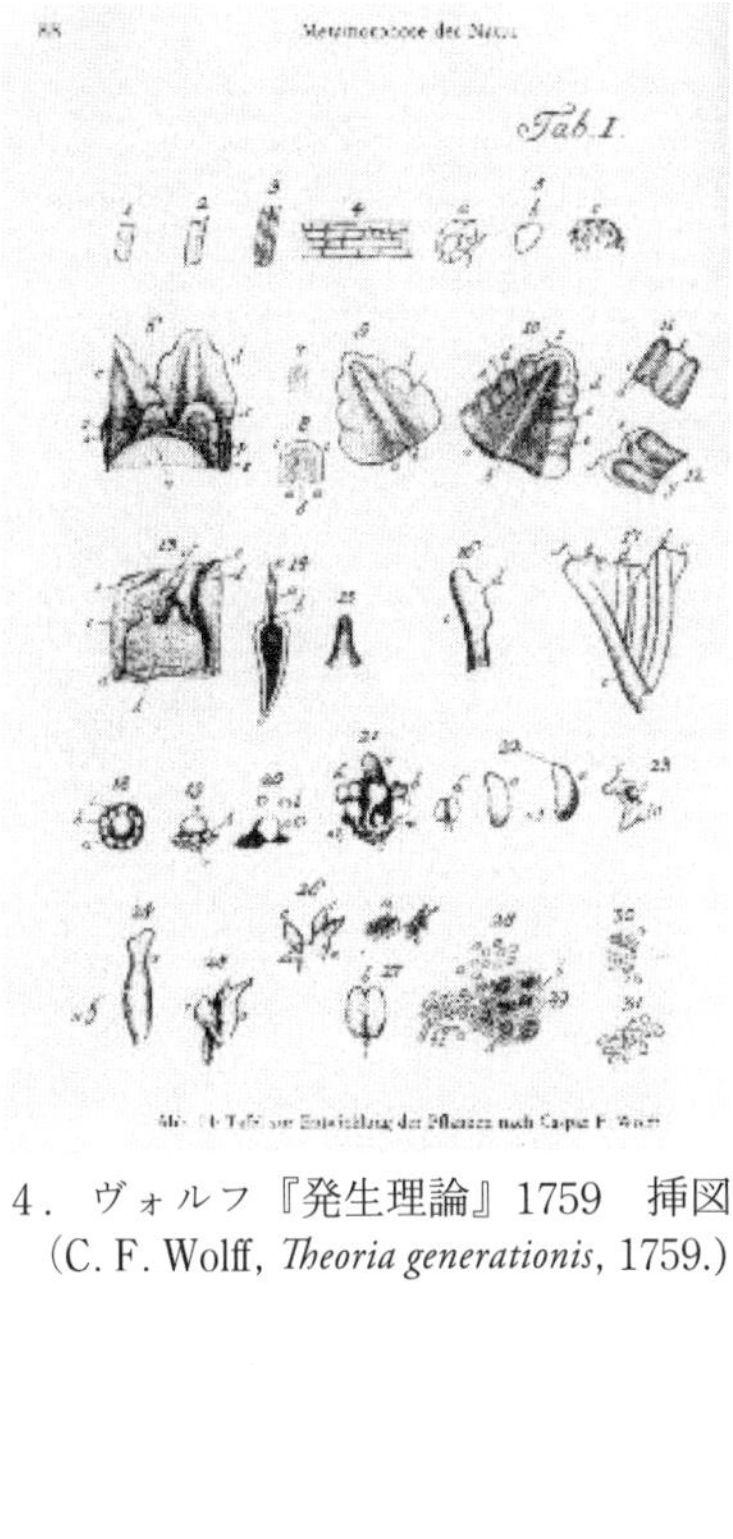

4．ヴォルフ『発生理論』1759　挿図（C. F. Wolff, *Theoria generationis*, 1759.）

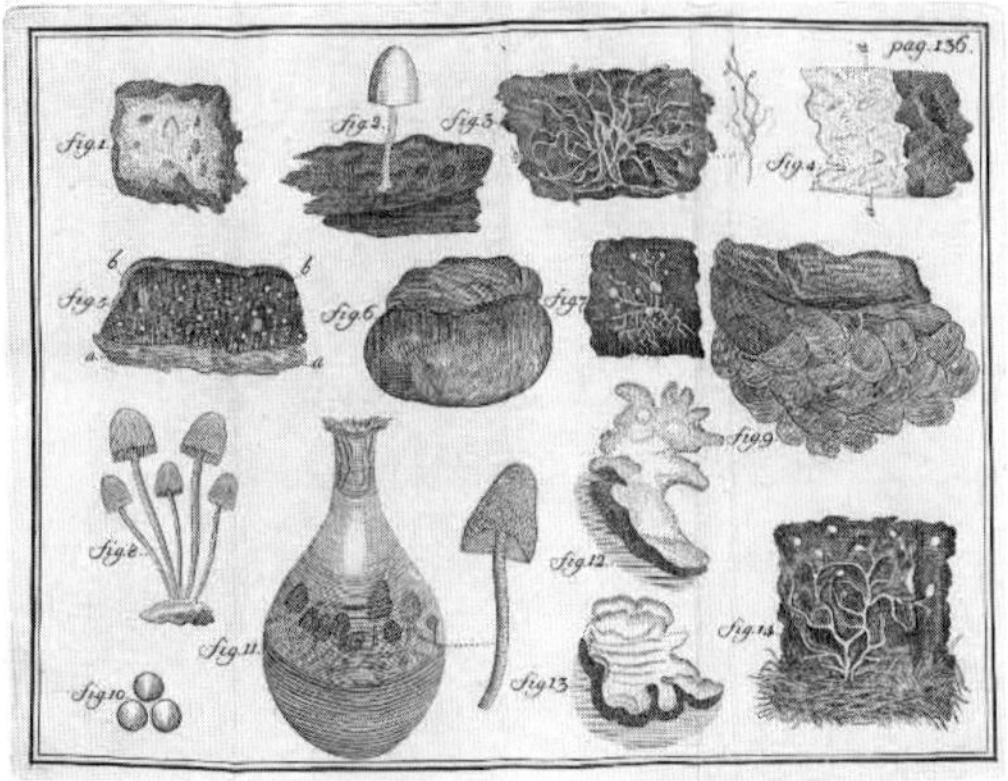

5．ネッカー『菌類概論』1783　挿図（N. M. J. d. Necker, *Traité sur la mycitologie, ou Discours sur les champignons en général*, 1783.）

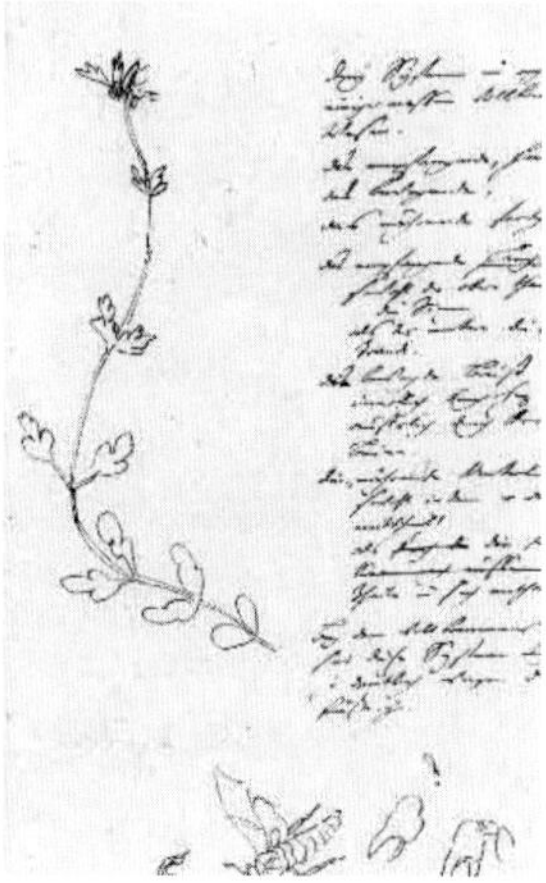

6．ゲーテ《1年生植物の原型》鉛筆・ペン素描 部分　1790年頃　CG.Vb.86.

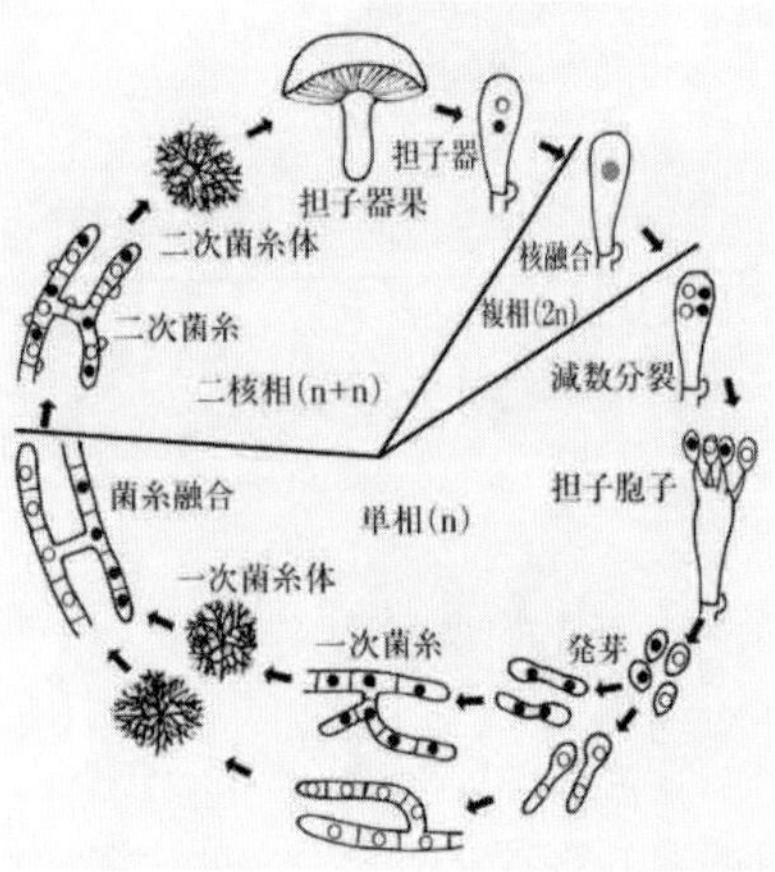

7．担子菌門ハラタケの生活環　『菌類の事典』2013年　30頁

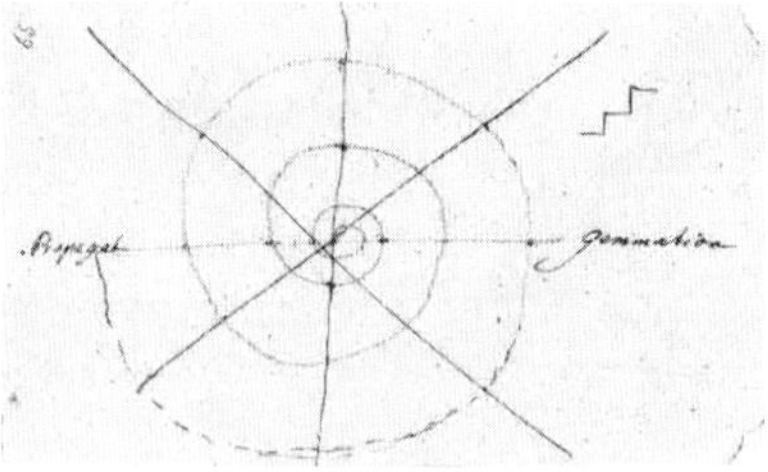

8．ゲーテ《生長の螺旋的傾向》 1820年代　ペン素描　CG.Vb.152.

リンネの分類は合理的確認が可能な雄蕊の数量的属性を指標とする樹木状分類システムで、他方、ヴォルフとゲーテは解釈学的な発生・生長（ゲネジス）的特性に即して運動システムを想定し、とくに「個体発生」を考察の重点に据える。ヴォルフの視点に立てば、個体発生は生活環（ライフサイクル Lebenszyklus）として円環回路（Kreiszyklus）に接続する事態が明らかになる。さらにそれは生活史（Lebensgeschichte）もしくは生態史と呼びうるような、より大きなトポス（場・位相）の回路を想定する。リンネ的「分類学」に対して「系統学（Phylogenetik）」の歴史的視点がここに成立する。

科学と歴史との関連・融合という大きな場面転換が生まれ、しかも注意すべきは、この歴史性がたんに継時的で線型状の時間や運動を意味しないことだ。というのも、ある個体の発生から死へという生活環は、親から子へ、子から孫へ、と反復・循環して円環回路を形成するからで、生命世界が円環＝循環回路を歴史的に形成する事態は、動植物学が近代科学として獲得した大きな学知の展望にほかならない。物理学的領域には生命活動における発生のような歴史的循環は、存在しない。

生物学における円環・循環システムは、ドイツでは動物学のG・R・トレフィラーヌスが胎児と成人との比較から種の突然変異を検討し、その循環を提示（一八〇二）し、J.＝B.ラマルクの『動物哲学』（一八〇九）による獲得形質の遺伝分析や、C・G・ネース・フォン・エーゼンベックによる植物の発生循環（Entwicklungszyklus）論（一八一七）をへて、その後、C・ダーウィンの進化論（一八五九）を、またE・ヘッケルの個体発生／系統発生の反復説（一八六六）を、ひいては今日の生命科学における遺伝子解析による「分子時計」を生みだす。

ゲーテは、個体発生論の重要な研究者として、こうした推移のいわば先導者のひとりだったはずだ。

ところが、ゲーテは「個体発生システム」と「生態環境的循環システム・系統学」とを接続しない。他の生物学者たちが無批判に二つのシステムの連続を承認して進化論に進む趨勢のなかで、際だった彼独自の姿勢だ。むろんゲーテは循環システムの世界を否定するのではない。このシステム両者の差異と境界をよく検証すればこそ、慎重な姿勢をとるのだろう。この問題は二つのアスペクトから考察する必要があろう。個体発生としてのメタモルフォーゼと、菌類生物の二つである。

3　メタモルフォーゼというパラドックス

ゲーテ形態学の中核をなす「メタモルフォーゼ」や、その模式図としての「原型（Typus）」、またその具体化として「原植物（Urpflanze）」については、研究が進展しており、ここに詳論するまでもない。しかし、ゲーテの観察方法の特性は、ともすると看過されがちだ。私にとってゲーテ形態学のキーワードは、彼の用いた語を引けば、「差動・差延（Abweichung）」である。[*7] この語はゲーテ時代から、進路の変更や進路からの逸脱、また進路の分岐・分化を意味したが、私はここでは差動と訳出する。

メタモルフォーゼとは何か。被子植物多年生草のナデシコをみればよい。こうした植物は、地上に芽吹くと茎葉をのばし、やがて葉が育ち、この原器官としての「葉」は、萼や花弁、雄蕊・雌蕊にメタモルフォーゼし、果実、種子をつくりだす。この過程は、あらゆる生物の基本的特性として交配・繁殖を実行し、種の概念にも対応する。ゲーテは、この個体形成としての生長過程を収縮／拡張という分極性（Polarität）と高昇（Steigerung）が作動する過程と把握した。葉は収縮して萼に、拡張して花弁に、収縮して雄蘂・雌蕊に、拡張して果実に、収縮して種子にいたる。

ゲーテが初めて提唱した形態学（一七九六）は、「未だ植物とも動物とも見極めがたい状態から、次第に植物としての、動物としての姿をとりはじめ」、「最後に植物は持続性と不動性にあふれた樹木の形をとり、動物は人間において最高の活動と自由を謳歌する」ような個体形成を究明する。ゲーテの発言は、生命形態を生理学に帰結しない形成力から追究するので、一見、生気論・生命主義と理解されがちだ。また持続性や自由、謳歌といったメタファーも、生気論を加速しかねない。だが、ゲーテはラディカルな観察者にほかならない。なぜならこの生物研究者は、個体形成を「個体（Individuum）ではなく、生命を持ついくつもの、より小さな単体（einzelnes Wesen）の集合体」と把握するからだ（全集14.44, LA.I.9.8）。ゲーテは顕微鏡観察の熟練者だったが、この単体とは細胞を指すわけではない。単体は、あくまでアリストテレス的な意味での構成素で、「ありとあらゆる仕方で、さまざまな方向にむかって無限の生産を営んでゆく」。ゲーテによれば、部分と全体のこうした営みの進路が構成素の収縮から拡張へ、拡張から収縮へと「形態」の変化を生み、同時に、栄養生長から生殖へ、生殖から繁殖、種子形成へと「機能」の変化を実現する。このように生長・高昇の進路はたえず変更や逸脱を実現するから、まさに「差動」というキーワードがふさわしい。

そもそも分極性の運動とは、二つの極性が相互排反的に対立したり、あるいは融合して調和したりする動性を意味しない。メタモルフォーゼの分極性はつねに、より拡張に進むか、より収縮に進むかの路を歩むから、この路上ですでに差動が胚胎しているともいえよう。拡張／収縮の二つの極性は、そもそも互いにバランスをとって均衡し、調和関係をつくるような両極性ではありえない。個体形成の進路は、形態の変化という水準で拡張／収縮という分極間の「傾き」を持ち、生長でありながら絶えず差動の方向を切り替え、また循環する。ゲーテはその進路にメタモルフォーゼの前進／後退／偶発という逆行の差動さえみていた（全集14.55）。しかも彼は同時に、茎葉での生長という機能、花では生殖・繁殖の機能、果実では栄養の機能のように、機能変換という大きな進路変更＝差動を認知する。こうした認識は、科学者によるパラドックスの能動的把握というほかない。なぜなら、雌雄両性生殖に代えて葉という一器官の変態を生成・生長の原理とし、機能変換が形態形成を生むのではなく、形態形成が機能変換を導くというアンチノミーを肯定するからである。

ゲーテがこのように能動的パラドックスを追究するのは、「直観」という観察方法を志向するからに相違ない。しかし、ある事象の意味的根拠を内在させている自然全体に触れうる直観と、特定の事象の分析的観察や反復的実験にもとづく記号的認識とのいずれかを二者択一的に選択するのではない。その境界を探測しつつ、直観を志向するのだ。それが近代科学者ゲーテの方法であろう。ローティのいう傍流とは、能動的パラドックスを受肉・身体化する行為と理解して差し支えない。

ところでゲーテは、『植物のメタモルフォーゼ』（一七九〇）に続き、一七九五年に執筆した重要な解剖学の論文で、生物とは本質的に自己目的を形態形成として実現する存在であり、しかも個体間の相互関係を持ち、「生活環（Kreis des Lebens）をたえず更新している」と述べる（全集14.181., LA.I.9.125.）。また、自然のエレメント（四大元素）が作動する世界では、生物の「原型（Typus）は、一般的な外的法則に適応しなければならない」とも確認しており、ゲーテが今日用いる生活環境史あるいは「生態史」に相当する概念を認知していたことも明らかだ。ゲーテの動物学の記述によれば、「生物は、ある目的を遂行するための根源力（Urkraft）によって決定されているという見方」は誤謬で、「自然の根源力は制約されたものだと仮定するほうが」適切であり、「自然は外からばかりではなく外にむかって作られ、内からばかりではなく内にむかって作られている」。たとえば、魚は水というエレメント（四大元素）の制約のもとでしか考えられない存在だが、あくまで「魚は水のために存在するというよりも、魚は水のなかで水によって存在し、成長する」。個体形成を前成説的に根源力と結びつける見方は誤謬にすぎず、個体のメタモルフォーゼも、外と内との力の働きあいを観察する方法から明らかになるのだ。したがって個体発生・メタモルフォーゼを中核とするゲーテの形態形成システムは左記のように二つのシステムからなると理解してよい。

■　形態形成システム　a．個体発生（メタモルフォーゼ＝分極性〈収縮／拡張〉＋高昇）

1．差動形成的システム（生活環＝誕生／個体形成／生殖）　内発的ゲネジス的形成　分極運動

2．位相循環的システム（生態史＝個体形成循環／世代交代史）　位相的トポス的形成　反復運動

オートポイエーシス・システム論の河本英夫はゲーテ研究者でもあり、右記のメタモルフォーゼにおける差動形成的システムと位相循環的システムという概念を用いるわけではないが、この二つの運動をゲーテにおける「原型」の内的原理とみなす。「個物において、一方では不均衡状態の働きが取り出され、他方ではそれの契機的反復の動きが取り出される。これらが原型という現象の内面であり、こうした内面の必要条件を取り出していることになる。こうした異なる二つ一組の働きが、基本的な事象の内的原理となる」（文献・河本26）。そしてこの二つの動きのモードは、一組とはいえ、それぞれが自立的な「閉域《へいいき》」における別様なシステムとして作動していると指摘する。二つの領域が互いに「閉域」をな

しつつ回路を維持するとの指摘は、重要な洞察にほかならない。

とはいえゲーテは、二つのシステムを自立した閉域とまでは明示しない。彼の記述をたどる限り、位相循環的システムや系統学的生態史に対して慎重に距離をとったというほかない。その理由は、生物を位相的トポス的形成として観察する場合、その形態形成に作用するトポスのエレメントほかの外的要因を観察に取り込むことが困難かつ不安定な点にある。もちろん個体形成はそのつど、ある特定のトポスのもとでの形態形成になるとしても、ゲーテはそこに作用した可能性のある外的要因を探さず、もっぱら個体形成の直観に集中する。なぜなら、トポスを重視する立論は当然、内発的個体形成に作用する要因を合理的に、つまり外部に起因する作用の結果という因果関係を解明せざるをえなくなるからだ。知覚の現象学としての色彩研究であれば作用の相互関連の解明は有効だが、生物形態の場合には、世代交代のような反復・循環システムは因果関係に円環・循環的な歴史性を付託せざるをえない。「円環状の因果関係」とはアポリアで、非生産的なパラドックスに陥るにちがいない。

ゲーテはこのように、差動形成的システムと位相循環的システムとの形態形成にたしかに差異をみてとっていた。実際、海や河川というトポスで、完全に哺乳類四足動物の骨格を持ちながら、魚の形態をもつアザラシが生まれるような形態形成を指摘し、「制約された実在（bedingte Existenz）」としての植物や動物の形態と記述している（FA.24.214.）。位相的トポス的な形態形成は、内発的ゲネジス的な形態形成とは、原理的に相異なるとみなされている。これは、二つのシステムに関する重要な認識にほかならない。位相循環的システムにおける形態形成は、「差動」をめぐる能動的パラドックスの動機づけにならないと理解してかまわない。

そもそも「差動」はゲーテが解剖学・骨学研究で使用した重要な用語である。いまそれを論じる暇はないが、差動はまた芸術作品における部分と全体の関連にも適用される。《ラオコオン群像》（前一世紀後半または一世紀初頭、ヴァティカン美術館）のシンメトリー（オーダー）に関するゲーテの観察を引こう。イタリア旅行中の一七八七年十一月、ゲーテはこの原作の前に立った。

古代の人たちは、芸術作品が仮象として再び自然作品にならなければならないという近代の妄想とはまったく無縁に、芸術作品そのものを各部分の選びぬかれたオーダーに則してつくりあげた。彼らはシンメトリーによって鑑賞者の眼をたやすく比率に気づかせ、複雑な作品をとらえやすくしてくれた。まさにこのようにシンメトリーとその対比をつくればこそ、かすかな差動が生じ、いくつかの最高のコントラストが可能となった（FA.18.491.）

このように、シンメトリーという想像力の進路に変更が生まれ、構成素＝単体の諸部分の「差動形成」システムが働けばこそ、芸術作品としての「有機体」が生まれる。メタモルフォーゼという能動的パラドックスの重要な働きは、芸術作品の直観とも不可分なのである。

4　菌類生物の特性

ゲーテは、一七八六年九月にイタリア旅行に旅立つ前に、菌類生物、とくにキノコに観察の眼を向けていたと思われる。植物とも動物とも異なる第三の生物群の観察である。この点はゲーテ研究史でもさほど検討の機会に恵まれないから、ドイツの菌類研究の展開に触れておこう。

ゲーテは一七八五年秋にリンネの著書を精読し、同年冬から翌一七八六年にかけてイエーナの親しい若手の植物学者バッチュと議論を重ねた。バッチュもリンネの両性生殖にもとづく分類学には批判的だったから、二人は分類学的視点ではなく、植物の個体発生の研究方法を検討したにちがいない。バッチュはイエーナ周辺の調査にもとづく『キノコ種類誌』（一七八三）を出版しており、またゲーテが運営に携わったイエーナ大学附属植物園は、植物学研究の幕開けとなるイタリア・パドヴァ大学附属植物園（一五四五年開設）を手本に一五八六年に設立されたドイツ国内で最初期の植物学研究機関の一つだから、二人が第三生物界を取りあげた最新のネッカーの研究『菌類概論——キノコ一般史考』（一七八三）の頁を開かなかったはずがない。[*8] 付言すれば、今日も学術用語として定着している「菌類学（Mykologie）」は、C・H・ペルゾーンが著書『新キノコ分類試論』（一七九四）でギリシア語 μύκης（キノコ、ドイツ語 Pilz、Schwamm）から作った新語で、ペルゾーンは菌類学の創始者とみなされている。同書はゲーテ自宅の蔵書中に確認できる。今日のドイツの研究にてらしても、ゲーテは、まさに菌類学の成立に立ち会っていた植物学研究者とみなしてよい。

ゲーテは、バッチュとともにリンネやネッカーの植物学と菌類生物の研究を深め、間もなく一七八六年九月にヴァイマルからイタリア旅行に出発した。九月末にはパドヴァ大学附属植物園を訪問し、植物形態の観察に専念した。一七八七年二月—六月にはナポリとシチリアに滞在し、おそらく五月には「原植物（Urpflanze）」を形成差動システムとして把握したと考えてよい。しかしゲーテは、このイタリアの大事な旅に、つねに菌類生物、キノコという生命体を、またネッカーの挿図を視野におきつづけた——そのように考えるべきではないか。

そこで、あらためて重要なネッカー著『菌類概論――キノコ一般史考』（一七八三）の「挿図」（図5）をみよう。

同書末の挿図解説によれば、菌糸・菌根・菌糸束のような菌糸体は腐生菌と関係しており、土壌中の腐敗物・栄養物と連動してキノコが発生・生長する様子を図示する。1番は、菌糸を含む土壌から育つ小さなキノコ。2番は、ハラタケが木片状のものから生長。3番は、網状に広がる菌糸。4番は、全体がスポンジ状の多孔質（poreuse）のブナ木片からホクチタケが生える。5番は、菌糸が白い点としてホクチタケに生長。6番はホクチタケの成体。8番はハラタケの小群。9番はヤマドリタケ（ボルチーニ）の一種。10番はカエデの葉の柔組織中で生まれ、発酵した小球体。11番はハラタケ。14番は、堆肥から出た繊維・血管状の菌糸体。

ネッカーが図示を意図したのは、キノコの個体群的な発生と生長であろう。当時はまだ、菌類生物が菌糸を基本構造とし、菌糸の尖端成長の過程で生殖を行う胞子を形成する過程は、必ずしも明確ではなかった。胞子の無性／両性生殖という形質もキノコの分類が不確定ゆえ、個別事例の紹介にとどまったと思われる。ただし、本挿図について指摘したいのは、最初の1番、3番と最後の11番が類似しているように、全体が一種の円環をなし、キノコの生活環・生活史を想定した構成をとる点である。この時期の植物学書の挿図は一般に、植物の形姿を根、茎・幹、葉、花、雄蕊・雌蕊、子房、種子などに分類し、各項目に属／種にわたる多様な見本例を紹介する。そこに、生活環として植生の環境を加えるとしても、簡単な場合が多い。たとえば今日の担子菌門ハラタケの生活環の図解は（図7）、もちろん当時の理解が及ぶべくもない学術的成果なのだが、ごく素朴にキノコ個体群の発生と生長の生活環という一種の円環状の図式と理解してみれば、じつは、ネッカーの挿図11点の示す円環性と共通していよう。ネッカーは本文の図解として挿図を提示したのではなく、彼は自分の描いた挿図と対話しつつ本文を記したと解釈してよいだろう。なぜなら、キノコの子実体の個体ではなく、個体群として形態形成が出現し、しかもそれが円環状の循環を示すことは、菌類生物界の特性をきわめて明確に開示しているからである。やや飛躍した表現を厭わずに言い換えれば、それは、継起的な動きそのものを維持する散逸構造的な自己組織化に等しい。

菌類生物界は、形態学的観点から追究するとき、研究者にいくつもの課題をつきつける。要約すれば、第一に、ネッカーも明記したキノコ群の形態の多様性であり、約言すれば「非個体性」である。菌類生物は、有性生殖概念が的確に適用しえないから、種概念が不安定で、多様性を特性とする生物界にほかならない。第二は形態形成過程における菌糸や胞子における「不可視性」である。菌類は生態環境的境域（ニッチ）が複雑ゆえ、菌糸や胞子の微小性にとどまらず、腐葉土域や湿地域での生態などは捉えがたい。比喩と解されてかまわないが、それは「観察者の拒否」である。第三は、一種の「反制約性」と呼びうる菌類の自由な活動である。位相循環的システムを生きる動植物は、ゲーテによればエレメントやトポスに「制約された実在」だ。それに対し、菌類生物は湿地域や薄明の樹陰のようなトポスの境界を生活の場とする。ペストや天然痘の流行した近世から以後、菌類の感染症における接触伝染が指摘された歴史が示すように、菌類は社会学的な意味で、生と死の境界さえ自由に横断してしまう。本来、動植物の典型的形姿としての「個体」は、「外からばかりではなく外にむかって作られ、内からばかりではなく内にむかって作られる」生命形態の象徴的記号にほかならない。それはゲーテによれば、成長・

生長という生命の進路とそこからの差動というメタモルフォーゼを示す象徴的記号のはずだ。

だが、ゲーテは『論集』第三冊（一八二〇）で、まことに特異な発言を行う――「粉動化論は私の大切なメタモルフォーゼ論での当然の帰結になり」、「そもそもこの〔メタモルフォーゼの〕最後の局面での粉動化は、物質の制約からの解放にほかならないのではないか」、と（LA.I.9.212.）。

ゲーテはもとより、菌類生物の形態や生態をまとめて論じてはいない。だが、後述するように、「粉動化」とは「ポリネーション」を指し、それは菌類生物を指すと理解してよい。すなわち、私たちとしてゲーテの菌類生物理解を解釈するなら、以下のように要約してけっして間違いにならない――菌類生物は、非個体性によって、また観察を拒否する不可視性によって、そして反制約性によって、記号性を打破し、生物の物質性やトポスの制約から「解放」されるのである。それは歴史性からの脱却でもあろうから、多元的な解放性といえよう。私たちは、こうした菌類生物の特性を「多元的解放」と呼ぼう。重要な点は、ゲーテが生物の観察という基本的な行為に、換言すれば生物を記号化する研究者の視点にいったん距離をおき、制約に縛られない自由な生物としての菌類生物の直截の体験へと方法論を転換することである。前記した図式に菌類生物の生命活動を重ねて、次のように整理してよい。

■　形態形成システム　b．群体発生（非メタモルフォーゼ）

3．多動散逸的システム（生態回路＝誕生／発達／増殖）　自己組織的形成　多元的解放運動

これは、試論的な図式にすぎないが、ゲーテの菌類生物論の理解の手がかりになるはずだ。

5　ポリネーション――物質の制約からの解放

菌類生物の活発な「形成運動」のありようはゲーテにとって、生物でありながら植物・動物ではないというリンネ以来のパラドックス、また形態でありながら観察を拒むといううきわめて緊要なパラドックスであった。ゲーテはイタリア旅行中、植物の観察に集中するとき、意識の前景で原植物・メタモルフォーゼのイメージを追究しつつ、他方でその後景に、菌類生物の「挿図」をオーバーラップさせ、非個体性・不可視性・反制約性といった境界現象を見つめていたにちがいない。

とはいえ彼は、晩年の『論集』（一八一七－一八二四）にいたるまで、菌類生物に関する考察をほとんど発表しなかった。ゲーテが菌類生物の非個体的な多様性や不可視的な胞子の多数性について考察を主に発表したのは、『論集』の第三冊（一八二〇）と第四冊（一八二二）とみなしてよい。論述も少数で、かなり断片的な考察である。そもそもこの『論集』は第一冊（一八一七）冒頭に、ゲーテ形態学の概要を記す三篇の論考「計画の動機」、「研究の意図」、「内容の紹介」を掲載して名高い。ゲーテ形態学の研究に不可欠なこの三篇を通読した読者が第三冊や第四冊に眼を通すと、菌類生物を論じていると明記しないゲーテの記述に戸惑いも感じるだろう。けれども、ゲーテは明言する。

「メタモルフォーゼとは、物質的で些細で粗野なものすべてから離れ、より自由な姿をまとい、さらに高度なもの、精神的なもの、より良いものを実現してゆく歩み」であり、「そうだとすれば、そもそもこの最後の局面の粉動化（Verstäubung）は物質の制約からの解放（Befreiung）にほかならないのではないか。まったき内なるものの充溢が、生命の根源力により、ついに無限の繁殖へと開かれるとすれば、それは解放ではないか」(LA.9.212)。

この論考は「粉動化、靄散化、滴液化」と題され、基本的には、花において雄蕊から放出される微小な花粉が空中、液体などをへて雌蕊に移動する事象を取りあげる。執筆は一八二〇年七月中旬と推定されている。ただし論旨の展開は複雑だ。雄蕊・雌蕊であれば、むろんリンネ的な両性生殖論が、そして花粉の拡散であれば分極性における拡張が論の焦点になるはずだが、そうはならない。この論考を支えているのは、しばしば論中に言及されるカビやキノコ、つまり菌類生物である。

「粉動化」とはゲーテ時代に僅かに使用された用語だが、今日では一般化し、英語の「ポリネーション(Pollination, Blütenbestäubung)」とともにひろく知られる。ポリネーションとは、植物学用語で、花粉(Pollen)が空気流・水流・動物行動によって移動し、送粉・受粉・授粉を行う「花粉授受(英語pollination)」を意味する。わが国では近年、英語表記が転用されるので、本論もそれに従う。ポリネーションは、種子植物の繁殖を拡大する根本的な形質を指す。ゲーテは風媒花のように比重が軽く浮遊・拡散に適した形体をとる例や、花内の腺から分泌される糖液が花蜜として動物に捕食される例を挙げる。ポリネーションの重要な働きは誰もが経験的に知っていよう。

ゲーテはこの論文で、花粉とともに胞子、カビの動勢を花弁周辺の三つのエレメント的環界(固体・気体・液体)での動きに即して論じてゆくから、じつはポリネーションを菌類生物と等置している印象がつよい。ゲーテは、「隠花植物のような」メギの花粉の動きや、穀物の黒穂病、またハエカビを論じ、キノコのカサの内側から「粉が規則的なかたちをなして」落下する例をあげる。当時のドイツの学界でまだ議論の多かった菌類生物学の用語は慎重に回避しつつ、ゲーテは植物・動物のメタモルフォーゼと個体発生を中核におき、両性生殖を重視しながら、他方でキノコにおける胞子の無性生殖やカビ、そして酵母や地衣類などにまたがる生物を、つまり植物・動物と異なる第三の菌類生物を入念に調べていたと考えてよい。ゲーテの用いた「粉（Staub）」は、花粉（Pollen）とともに胞子（Spore）を含む。花粉の「粉動化（ポリネーション）」とは「生命の根源力によって無限の繁殖へといたるために、物質という制約から解放されることではないか」と述べ、つづく小論「箴言ふうに」では、微小な物質に働く生命の根源力を、モナドが外界の環境という制約に働きかける運動と同定する。それはまた「われわれが行為や振る舞い、言葉や書き物で、外の世界〔の人々〕に働きかけることである」と、ゲーテは記す（LA. I.9.233.）。ポリネーションとは、メタモルフォーゼの頂点としての生殖であると同時に、むしろそれを超えて、個体生成と位相環境とを媒介する境界でのきわめて多様な力動的現象にほかならない。それは、間トポス的な多動性であり、多粉化、多孔化、多糸化、多態化という多元的な自己解放運動なのである。

菌類生物の観察とポリネーションの追究を通じて、ゲーテはメタモルフォーゼの頂点における間トポス的な多動性を直観しつつ、同時に近代人一般における観察という行為の変換を呼びかける。研究者の保持する能動的パラドックスは、実在としての生物の持つ制約を解放に導く糸にほかならないのだ。ポリネーションは、菌類生物の多元的解放運動の象徴であり、それはまた、研究者における観察行為を「外の世界に働きかける」制作的行為へと導く糸なのである。

6　むすび——観察から制作へ、パラドックスからポリネーションへ

　社会哲学者J・ハーバーマスは著名な講演「近代・未完のプロジェクト」（一九八〇）で、十九世紀後半以降の近代社会が価値領域を三つに分断したと指摘する。科学・学術、道徳・宗教、そして芸術の三つである。古代からの真善美と言い換えてもかまわないが、この三つの領域は近代以前では、相互に交通し、衝突・対立しつつも、共有しうる価値を分かちあった。けれども、近代になると、それぞれが別様の文化的行為システムをつくりだし、制度化した。その制度化は、象徴的記号を合理的記号にコード変換し、自律化した。本論冒頭に論じたように、自律化とは制度モデルの精確化という多様化にほかならない。この種の多様化は、たんなる細分化という複雑化にすぎない。

　ドイツでは今世紀初めから、科学的知と倫理的実践と芸術的制作について、その根本をなす構造に立ち戻り、その多様な機能を再確認し、現代社会に即したシステムに再編し、新しいモデルを構築しようとする努力が活発に展開している。「イメージ学（Bildwissenschaft）」の提唱——こう呼んで差し支えない。神経科学、認知心理学、コンピュータ科学、美術史学、記号論、メディア論、論理学、数学、哲学などの分野を横断・接続する超領域的な専門学科「イメージ学」の提唱である。美術史学のホルスト・ブレーデカンプと哲学のジュビレ・クレーマーの共編書『イメージ・文字・数』（二〇〇三）における冒頭のハンス・ヴェンツェルによる論文「神の手からデータ・グローブへ」は示唆深い（文献二五頁以下）。ヴェンツェルは、このイメージ学が必ずしも文化史的言説や言表に関する記述・解釈ではなく、

むしろ物質として実在する画像・図像、形体、文字、数字を対象とする分析に回帰する点を強調する。作品の観察や情報科学的理論構築ではなく、データ・グローブがそうであるように、個々の作品や装置そのものにまさに手で触れる理解や解釈、制作を求める。今日、そうした取り組みにポリネーションを関連づける研究者はまだいない。たとえそうだとしても、すでに菌類学は可視的に観察しがたいキノコに即して、その湿り気や柔組織（ネッカー）に触れる行為を研究者に要請した。観察ではない触覚的行為が知を導きうるのだ。私たちも、「手」が知を創出すると訴えたい。

ハーバーマスの提起した状況の隘路を打開する手がかりは、いまも乏しい。しかし、パラドックスを前に立ち止まり、専門性を標榜してますます細分化に陥らざるをえない文化状況であれば、ゲーテが提示したとおり、パラドックスを能動的なパラドックスに組みかえ、観察という行為を制作的行為に変換する展望が急務である。イメージ学の提唱も、ゲーテ的な方法に呼応していよう。

本論の最初に紹介した舟越直木の素描や彫刻作品がマンネンタケの形姿を想わせたり、胞子のポリネーションを感じさせたりするのは、私の解釈の視圏のゆえかもしれない。だが、芸術制作における能動的パラドックスのありかを舟越直木の制作にオーバーラップさせて、およそ間違いにならない。わが国の中堅画家梅津庸一（一九八二—）は、二〇二一年九月一六日より「ポリネーター」と題する展覧会を開き、多孔質の立体作品や動画・絵画を集約する間トポス的空間を創出した。会場の東京・ワタリウム美術館がかつて「南方熊楠・菌類図譜」展（二〇〇七）を開催したように、ポリネーションや菌類生物の多動散逸的システムは現代芸術を駆動する契機にもなりうるだろう。

ゲーテは、晩年の一八二〇年代にペン素描作品を遺した（図8）。一般に《生長の螺旋的傾向》と呼ばれる小品で、螺旋形と直線からなる画面の左方に増殖（Propagat）、右方に無性芽（Gemmation）の銘記が認められる。しかし、この作品のエイドス的な描線はゲーテ作品としてまったく他に例がない。つまり、これは植物の螺旋的生長の図解ではありえない。私はこの素描を前にするといつも、観察と制作とのありうべき良きパラドックスを、そしてポリネーションを追究するゲーテの闘いを眼に刻みこむ。

注

＊1　P・ヤニッヒ『制作行為と認識の限界』河本英夫・直江清隆訳、国文社、二〇〇四年、一二頁
＊2　R・ローティ『哲学と自然の鏡』野家啓一監訳、産業図書、一九九三年、四二七頁
＊3　ゲーテ著作の引用・訳出は、レオポルディーナ版『ゲーテ自然科学論集』（略号LA）、フランクフルト版『ゲーテ全集・書簡・日記・対話集』（略号FA）、または『ゲーテ全集』潮出版社、一九八〇年（略号・全集）により、略号・巻数・頁を記載
＊4　『舟越直木』求龍堂、二〇二一年、一二〇頁
＊5　小田部胤久『象徴の美学』東京大学出版会、一九九五年、二一頁以下
＊6　学術にしめる図示・図解の意味や研究書挿図については近年、多様な研究が発表されている。O. Breidbach, *Bilder des Wissens, zur Kulturgeschichte der wissenschaftlichen Wahrnehmung*, München 2005.
＊7　前田富士男「ゲーテの建築形態学――薄明と差延（Abweichen）」、『モルフォロギア』第三一号、二〇〇九年、二―二三頁
＊8　バッチュ、形態学、生物学に関する研究は、以下を参照。I. J. Polianski, *Die Kunst, die Natur*

vorzustellen, die Ästhetisierung der Pflanzenkunde um 1800, Jena 2004. *Morphologien*, H. Bredekamp, M. Bruhn u. G. Werner (Hg.), Bildwelten des Wissens, Bd. 9, 2. Berlin 2013. *Historisches Wörterbuch der Biologie*, G. Toepfer (Hg.), 3 Bde., Stuttgart 2011.

参考文献

A・G・バウムガルテン『美学』松尾大訳、講談社学術文庫、二〇一六年

ゲーテ『自然と象徴――自然科学論集』高橋義人編訳・前田富士男訳、冨山房、一九八二年

高橋義人『形態と象徴――ゲーテと「緑の自然科学」』岩波書店、一九八八年

『菌類の事典』日本菌学会編、朝倉書店、二〇一三年

『菌類のふしぎ――形とはたらきの驚異の多様性』国立科学博物館編、東海大学出版会、二〇〇八年

H. Dörfelt u. H.Heklau, *Die Geschichte der Mykologie, eine Übersicht von den Anfängen bis zur Gegenwart*, Schwäbisch Gmünd 1998.

S・J・グールド『個体発生と系統発生――進化の観念史と発生学の最前線』仁木帝都・渡辺政隆訳、工作舎、一九八七年

河本英夫『オートポイエーシスの拡張』青土社、二〇〇〇年

安藤礼二『熊楠――生命と霊性』河出書房新社、二〇二〇年

J・ハーバーマス『近代・未完のプロジェクト』三島憲一編訳、岩波文庫、二〇〇〇年

Bild - Schrift - Zahl, S.Krämer u. H.Bredekamp (Hg.), München 2003.

図版出典

2.『舟越直木』(cat.no.19)、求龍堂、二〇一二年

第9章

生命を主体とする哲学
——南方熊楠とユクスキュル

松居竜五

南方熊楠（みなかた・くまぐす、一八六七〜一九四一）とユクスキュル（Jakob Johann von Uexküll 一八六四〜一九四四）は、ともに十九世紀末から二十世紀にかけて、生命を主体とする哲学を打ち立てた。「南方マンダラ」として知られる熊楠の思想は、人間にも他の生物にも適用できる世界像を示している。これは、ユクスキュルが生物はすべて独自の「環世界」を生きており、人間もそうした存在の一つに過ぎないと語ったことと軌を一にしていると考えられる。

【マンダラ】

南方熊楠は真言密教僧の曼荼羅を用いて世界像を示そうとした。こうした世界像は、鶴見和子により「南方マンダラ」として、熊楠の思想の根幹を表すものと考えられるようになった。ただし「南方マンダラ」と呼ばれるいくつかの図は、伝統的な両界マンダラとはかなり異なっている。


【環世界】

ユクスキュルは生物が周りの環境との間に作り出している関係を「環世界」と呼んでいる。生物は自身の環世界の主体として行動しており、主体がなければ時間も空間も存在しない。人間もまた環世界の住人であることを意識すべきであるとユクスキュルは考えた。


【生物学】

熊楠もユクスキュルも生物学者であることを自任していた。ただし、本稿で論じるこれらの人物の思想は、生物学と言うよりは生命哲学と呼ぶべきものであろう。


【ダーウィニズム】

熊楠とユクスキュルは十九世紀末から二十世紀前半に活躍した人物である。この時期にはDNAによる遺伝のしくみはまだ解明されておらず、ダーウィン進化論の根拠は揺れていた。ユクスキュルはしばしば反ダーウィニズム派とされ、熊楠も現代のダーウィニズムとは異なる理解の仕方をしているが、彼らの議論は現在の進化学説と矛盾するわけではないと筆者は考えている。


【環境思想】

本稿では熊楠の自然保護運動やユクスキュルの環境思想については述べていない。しかし、生命が主体であるとする熊楠とユクスキュルの考え方は、今後の環境思想の基盤となるものと筆者は考えている。

1　南方熊楠は「芸術的」か？

南方熊楠は博物学と民俗学を中心として、さまざまな知の分野を総合的にとらえた人物である。奔放で自由なその学風は、現在の目から見ても、ひらめきと創造性を感じさせるに十分なものがある。

だが、熊楠の思考が「芸術的」かどうか、という問いを立てるならば、おそらく意見は割れるところだろう。慶応三年に生まれた熊楠は、俳句、狂歌、都々逸《どどいつ》といった江戸時代に発達した文芸を愛好し、自分でも持ちネタとして取り入れて時には自作を披露したりした。その一方で、十九歳から三十三歳までの青年期をアメリカ、英国で過ごしたにもかかわらず、音楽や絵画、演劇などの西洋の芸術にはほとんど関心を持たなかったように見える。[*1] 文学については、シェイクスピアやボッカチオを読み込むなどしているが、民俗学・説話学のための資料採集という側面が強く、芸術作品として味読するという観点はあまり見られない。[*2]

このように南方熊楠の関心が、当時そして現代において「芸術的」とされる分野とすれ違ってしまった理由は、生涯を通した生物学への没入と無縁ではないと筆者は考えている。幼い頃から小動物の観察や図鑑類の読破を行っていた熊楠にとって、生き物の世界は大きな喜びを与えてくれる存在であった。鶴見和子は、熊楠がその生涯でもっとも力を尽くした粘菌に関する研究は、若い頃からてんかんに苦しんだ熊楠が精神的な安定を得るための「あそび」であったと評価している。[*3] 熊楠にとっては生物の世界への没入こそが、多くの人たちが「芸術」に求める精神的な充足感を実現してくれるものだったということができるだろう。

このことは、熊楠が生きた十九世紀末の芸術観が、多分に人間中心の傾向を有するものであったことと連動している。ベートーヴェンやゲーテのような天才が人間の歓喜と苦悩を表現することを至上の価値とするロマン主義的な表現のあり方は、十九世紀を通じて西欧の芸術精神の根幹となった。なるほど十九世紀の絵画や音楽の中で自然が描写されることは多いが、それらは往々にして、人間が挑戦するべき対象として表象されたものである。こうした十九世紀西洋における芸術のあり方は、東アジアの本草学の世界を基盤として形成された熊楠の思想とは、本質的に相容れないところがある。熊楠の視点の基準は常に微生物から動植物に至る生命の世界の側にあり、人間社会はその延長として、人類学や民俗学的観点からとらえられることとなった。

しかしそれは、現在の目から見た際に、熊楠の思想と「芸術」の親和性を否定することにはつながらないだろう。常に固定観念を打ち破り、新たな思想の地平を切り開こうとした点において、熊楠の学問はそれ自体として芸術的である。おそらく、熊楠の思想の芸術性を評価するためには、私たちの側が、人間中心の芸術観から一歩外に出て、もう少し幅広い視野を獲得することが不可欠なのではないだろうか。本稿では、こうした問題意識から、熊楠における生命を主体とする哲学のあり方を概観するとともに、同時代のユクスキュルと比較することで、その可能性を探ることとしたい。

2　「心」を持ち主体となる生物

南方熊楠は一九〇〇年に三十三歳でロンドンから帰国し、翌年から紀伊半島南部の那智において、隠花植物を中心としたさまざまな生物の採集生活に没頭した。この時期の熊楠が真言僧の土宜《どぎ》法龍《ほうりゅう》（一八五四～一九二三）に送った書簡には、仏教の用語を用いながら、西洋の科学や思想を縦横に駆使した独創的なアイデアがちりばめられている。特に、一九〇三年の七月から八月にかけて書かれた長文の書簡は、熊楠独自の世界観を示すものとして「南方マンダラ」という名の下に評価されてきた。

「南方マンダラ」は多岐にわたる内容を含んでいるが、八月八日付けの書簡の中の図（図１）で熊楠は「心」が「物」に触れて生ずる「事」と、その「事」が「名」として残存して「印」として「心」に作用する状況について説明している。「心」と「物」が触れあうことで「事」が生じるという発想は、すでに一八九三年の初対面の時期から、熊楠が土宜に向けて説いてきた論法であった。それから十年後のこの書簡において、熊楠はその「事」が宗旨、言語、習慣、遺伝、伝説などの現象を生みだすことを、自らの「大発見」として土宜に開陳した。

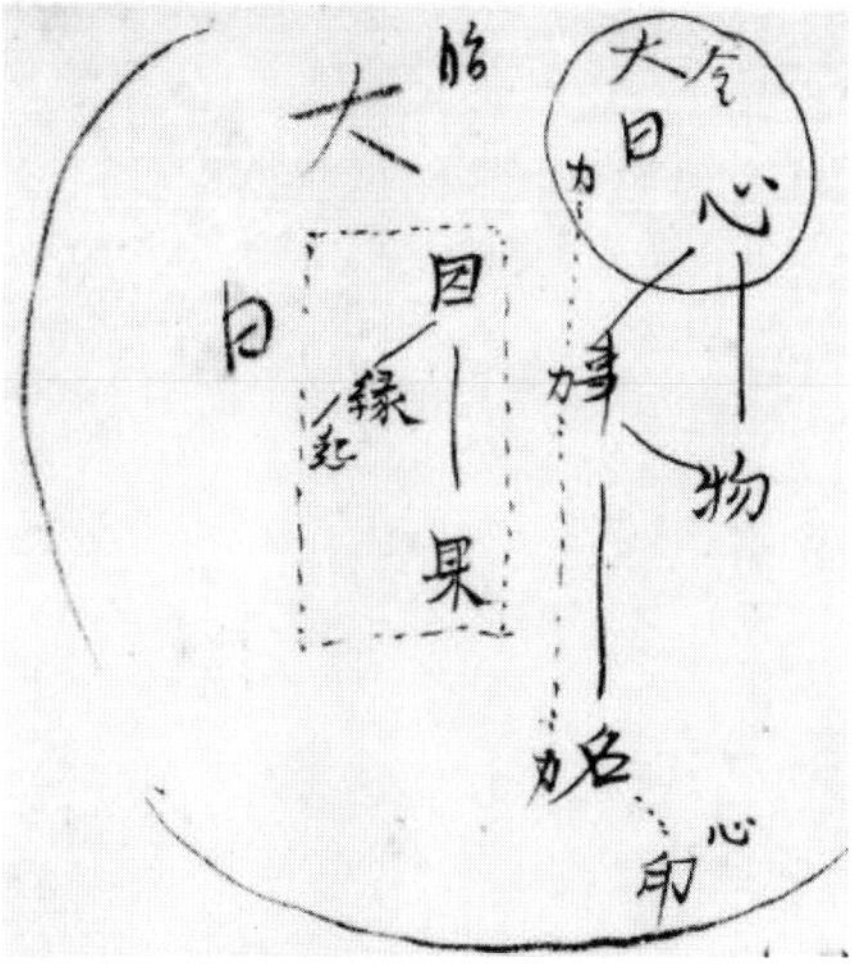

図１　南方熊楠から土宜法龍宛1903年8月8日書簡に見られる図。南方熊楠顕彰館蔵

ここで問題にしたいのはこのうちの「心」である。熊楠は「心」をどのようなものとして想定していたのだろうか。この問題の分析のためには、熊楠が実例として挙げている説明が役に立つ。熊楠はまず自分自身つまり「熊楠《（心）》」が「酒《（物）》」を飲むという例を挙

げているが、この例からは「心」が主体であり、「物」が客体であるという関係が見て取れる。注目すべきはこれに続く例で、セミの幼虫である「スクモムシ」[*4]とその成虫が、ともに「心」として主体的に行動することが記述されている。

スクモムシ《（心また物）》、気候の変《（事）》により催《（力）》され、蝉《（心また物）》に化し、祖先代々の習慣《（名）》により、今まで芋を食いし《（力・事の変）》を止め《（力）》て、液《（物）》を吮う《（事）》。ただし、代々《（名）》松の液《（事）》をすいしが、松なき《（力・物の変）》場処に遭うて、止むを得ず柏の液をすう《（事の変にして名の変の起り）》。[*5]

この例に着目した中西須美は、熊楠は「人間の「こころ」とは限らない「心」」を対象としていると解釈する。そして、「南方曼荼羅の「心・物・事」の「心」を人間の精神世界と解釈する論は、人間以外の「心」を例に説明している熊楠本人の記述があることから、その限界が明白である」[*6]と、従来の研究のかたよりを指摘している。

中西が言うように、熊楠はこの文章の中でスクモムシとセミを「心また物」としている。つまりこうした昆虫は主体（心）であるとともに、人間から見た場合には客体（物）でもあると説いていると考えてよい。また、この場合の「心」が、かならずしも人間の「精神」や「心性」のようなものと同じではないという理解についても、中西の論のとおりであろう。重要なのは、人間以外の個々の生物も、世界を作り上げる行動や諸因果の「主体」としての役割を担っていると熊楠が考えたという点である。

さらに、こうした主体としてのスクモムシやセミが起こした「事」が、芋を食うという（セミの）祖先代々の習慣である「名」や、柏の液を吸う「習慣」である「名」として残るという説明も見落とせない。八月八日付けの書簡に現れる「名」と「印」は、記号による表象活動を人間のみの特性とする二十世紀的な思考の枠組の中で、これまで人間の言語による世界認識と関連付けて論じられてきた。しかし、昆虫の習性を「名」として記述しているこの文章からは、熊楠が「名」およびその作用としての「印」を人間に限定していないこと、したがってこれらの用語の解釈を人間の言語活動の範囲に限定してはいけないことが読み取れる。

スクモムシを主体とするこの例が、単に一回のみの思いつきではないことは九月六日付けの土宜宛書簡に「小生貴下等に例の曼陀羅の事、物、名等を解釈の為示すべき昆虫、擬似、驚動等の作用を示すに入用の品」[*7]という記述が見られることからも証左される。この「曼陀羅」の詳細は示されていないが、おそらくスクモムシの例との類似性が高く、昆虫が主体となって「事、物、名等」の世界を作り出す過程を説明するものであると思われる。その場合、擬態を指すのではないかと推測される「疑似」や、急激な光の強度変化による運動方向の転換性質を示す光驚動性などとの関連が推測される「驚動」などの昆虫の習性は、「名」あるいは「印」として論じられるはずだった可能性が高い。

このように熊楠が人間以外の生物に主体性を認めていたという点については、中西以前にも、原田健一による指摘がある。原田は「幽霊を見る動物」[*8]という文章の中で、一九〇四年三月二十四日の熊楠の日記から「獣畜、言詞、心なけれども生物のこと分る。科学者はこれを人間に分らぬといふのみ。乃ち霊妙也」という記述を取り上げている。

さらに原田は、犬が幽霊を見たり、超自然現象を不思議に思ったり、畏怖の念を持ったりしているという例を列挙する。

犬にも幽霊あることとは、予も十数年研究していささか得たところあるが、不幸にも観る人の心を離れて幽霊というものある証拠を一も得ない。しかしもし幽霊あらば畜生にも幽霊あるべし（「十二支考」、一九一五年）／ダーウィンは、犬が傘の飛びまわるのを見て不思議に思い吠ゆるを察して、これ犬等の動物にも宗教の初心すなわち不可知的をおそるる念ありという（柳田国男宛書簡、一九一一年）／小生かの邦人等に問う、犬等に宗教ありといい、なしというも、犬になって見ねば分からず、ただ怖畏の念はあること明らかなり（同一九一一年）

獣畜や犬の持つこうした心性について、熊楠が人間の精神活動と同等のものと見ていたわけではないことは、「獣畜には言葉も心もない」という前掲の表現を見れば明らかである。しかし、動物が人間にはわからないようなやり方で相互の関係を持っていることや、恐れるという感情を持っていることについてははっきりと言明されている。つまり、獣畜や犬は主体性を持った存在として、人間とある程度重なる部分（恐れという感情）と全く異なる部分（獣畜同士の関係性）の両方を持つ「心的世界」を経験しているということになる。

3　「南方マンダラ」は人間に限った世界像ではない

こうした人間以外の生物も行動の主体者であるという認識を、熊楠はかなり自覚的に自分の世界観の中に組み入れていた。このことは、七月十八日付けの土宜法龍宛書簡に見られる図に関する説明をよく読めばわかることである。まずは鶴見和子による発見以来、ながらく「南方マンダラ」として知られてきた図２から解釈していきたい。

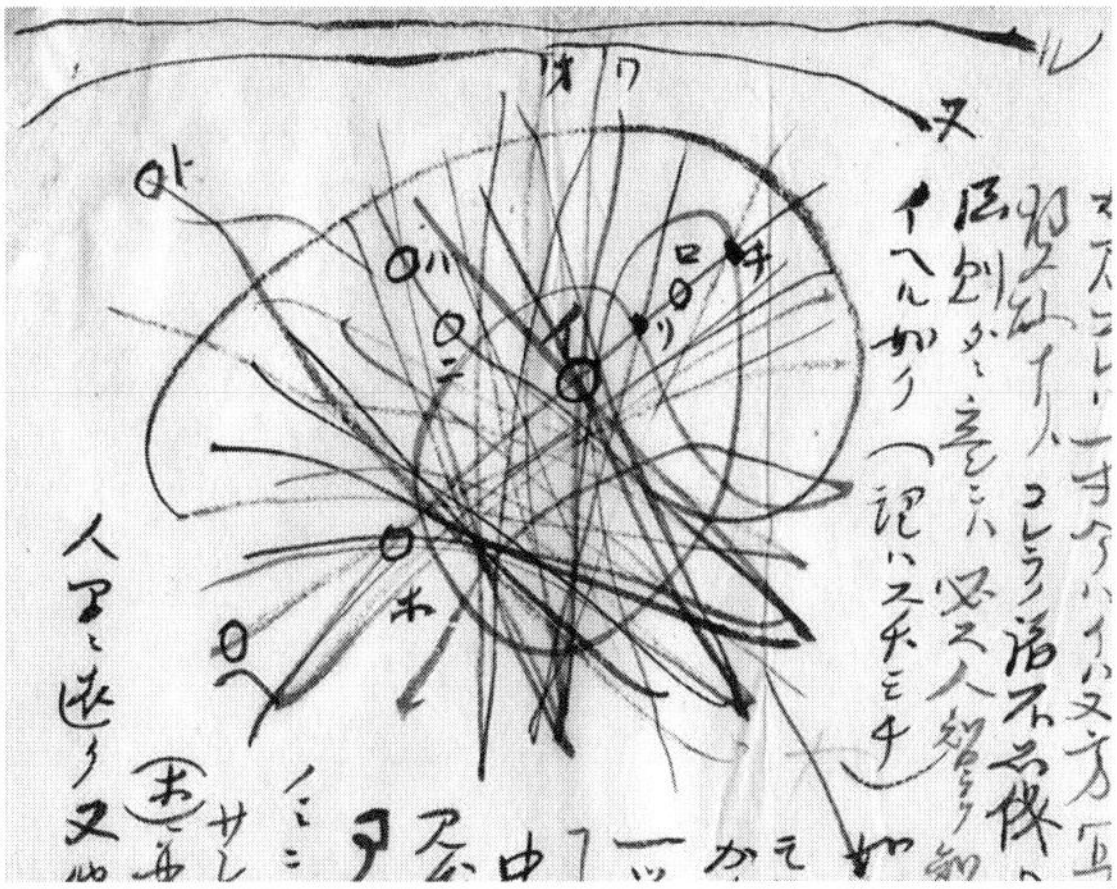

図２　南方熊楠から土宜法龍宛1903年７月18日書簡に見られる図。「南方マンダラ」と呼ばれてきたもの。南方熊楠顕彰館蔵

熊楠はこの図の説明として、「前後左右上下、いずれの方よりも事理が透徹して、この宇宙を成す。その数無尽なり」とする。そして「故にどこ一つとりても、それを敷衍《ふえん》追求するときは、いかなることをも見出だし、いかなることをもなしうるようになっておる」とする。ただしここでの「いかなること」が無制限の全知全能を意味するわけではなく、あくまで人間の認識の範囲に限定されるものであることも、はっきりと示されている。これに続く説明の中で、そのことを確認してみよう。

まず熊楠は、（イ）のような地点を「萃点《すいてん》」と呼び、さまざまな地点とつながっているから、ここから始めると世界の全体が理解しやすいとする。しかし（ロ）（ハ）（ニ）（ホ）（チ）（リ）などはそれぞれ難易度に差がある。そして左下の（ヘ）や左上の（ト）は、「（人間を図の中心に立つとして）人間に遠く、また他の事理との関係まことに薄いから、容易に気づかぬ。

また実用がさし当たりない」（傍線部引用者）としている。さらに中心から遠いところにある上端部の二番目の線（ヌ）などは、「人間の今日の推理の及ぶべき事理の一切の境」（同前）として、人間が認識できるぎりぎりの境界上にあることになる。

ここで熊楠が「人間を図の中心に立つとして」「人間の今日の推理の及ぶべき」という条件について繰り返し確認していることは重要である。つまり、この図は人間の認識がとらえ得る範囲の世界なのであり、他の存在からは異なる見え方がすることを、熊楠は明確に意識していることになる。人間以外の存在には、世界はこの図とは別の視点から見えており、あえて言えばスクモムシにはスクモムシのマンダラ、犬には犬のマンダラがあることになる。そしてそれぞれの世界の中には、それぞれの「萃点」や「事理の一切の境」が存在しているはずである。

熊楠はこの（ヌ）からのみ存在が推定される最上端の線（ル）について、「あたかも天文学上ある大彗星の軌道のごとく」と表現しているから、これに相当するものとしては、当時は確定していなかった系外銀河の存在や、現在でも理論上観測不能な宇宙の彼岸のような現象を想定するのが自然であろう。しかし、トマス・ネーゲルが「コウモリであることはどのようなことか」という議論で問題にしたように[*9]、他の生物の主観は人間にとって未知の領域であるという認識に立てば、たとえばスクモムシの心的世界を（ル）と考えることも可能である。その場合、スクモムシから見れば（ル）は逆に自らが生きる世界の重要なできごとが集中する「萃点」として見えているかもしれない。

4　ユクスキュルの「環世界」論

一方、西洋思想の中でも、動物を主体と見るのか、それとも「世界」の一部を構成する従属的なものと見るのかは、アリストテレスの霊魂論やデカルトの動物機械論などを通じて論じられてきた、古くて新しい問題である。この命題に関して、現代の科学や人文学につながる大きな影響を与えたのが、熊楠より三歳年上のドイツ人生物学者、ユクスキュルである。主に一九二〇～三〇年代に発表されたユクスキュルの議論を熊楠が知っていたかどうかは不明であるが、少なくとも同世代の生物学者同士として、前提となる教養をかなりの程度共有していたことは想定される。安藤礼二は、ユクスキュルが粘菌を研究していたことについて、熊楠との親近性を指摘している。[*10]

ユクスキュルは「いかなる生物もそれ自身が中心をなす独自の世界に生きる一つの主体である」[*11]という観点から、生物が環境との間に作り出す呼応関係を環世界《ウンヴェルト》Umweltと呼んだ。それぞれの生物が住む環世界は、生物が主体として知覚することによって存在している。そして「どの主体も、事物のある特性と自分との関係をクモの糸のように紡ぎだし、自分の存在を支えるしっかりした網に織りあげるのである」[*12]とユクスキュルは言う。

こうした観点から一九三三年の著書『生物から見た世界』には、さまざまな生物の環世界が共同作業者のクリサート（Georg Kriszat）の画を用いて説明されている。たとえば、図3で表されているのはミミズの環世界である。ミミズは地表に落ちた木の葉を＋の記号のついた方向、つまり広葉樹であれば葉

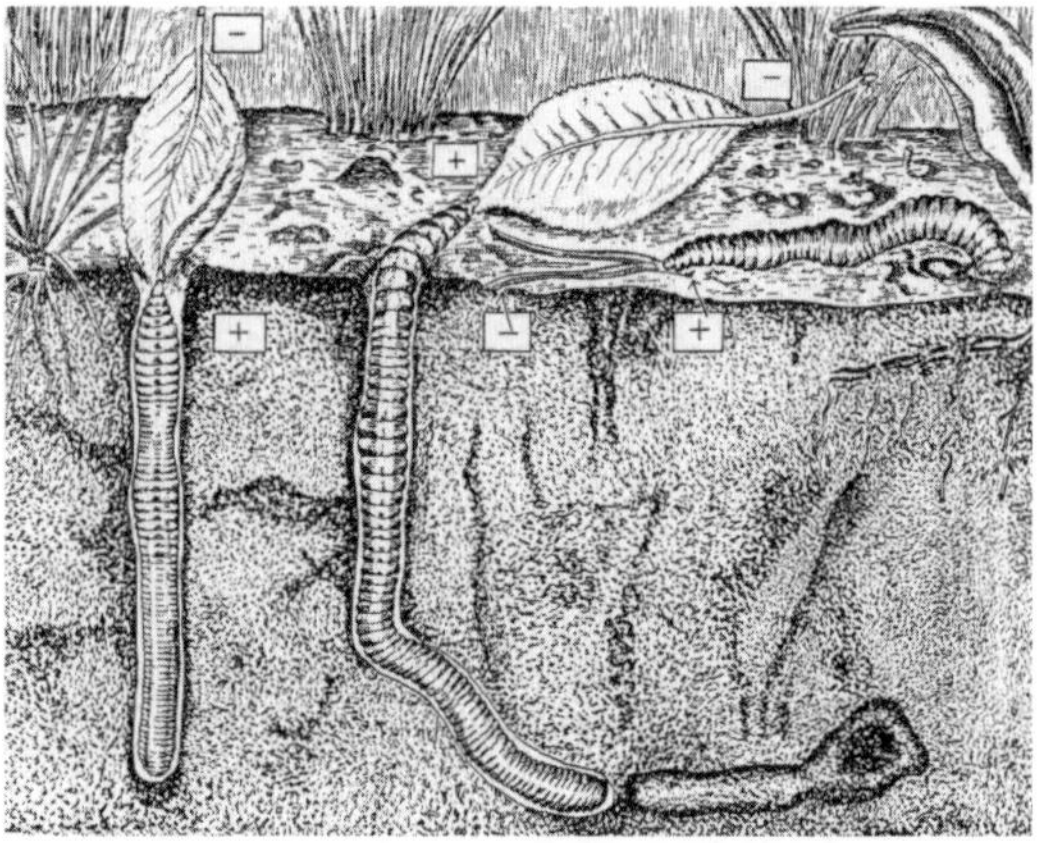
図3　『生物から見た世界』74頁挿図「味で区別するミミズ」

の先端、針葉樹であれば葉の根元の方向からのみ巣穴の中に引きずり込み、その逆の－の方には口を付けない。うっかり－から引きずり込むと、穴の途中でつかえてしまうからである。

これは一見するとミミズが葉の形を見分けているからのように見えるが、彼らの世界には視覚などの形を判別する知覚は存在していない。実はミミズは葉の先端部分と軸の部分を、味によって区別しているのである。だからミミズにとっての環世界は、主に土と葉の味として認識されるものであるということになる。

これに対して、ミツバチの環世界は図4のように、視覚のもたらす形によって構成されている。自分が寄りつくべき花が、下図のような形のマッピングとして認識されているのがミツバチの環世界である。このように空間は、それぞれの生物の異なる知覚によって、まったく異なった様相を呈したものとして存在している。

時間もまた、それぞれの生物によって、想像を絶するほど違った尺度で生きられている。たとえば、ダニは森の空き地の枝先にじっとぶらさがって、哺乳動物が下を通るのを待っている。その間、ダニの活動は何時間どころか何年間も停止し、ひたすら偶然通りがかる哺乳類の酪酸のにおいを待ち続ける。

ここからユクスキュルは、実は時間の流れとは客観的なものではなく、それぞれの生物の主観が作り出すものであるという結論を導き出している。

いまやわれわれは、主体がその環世界の時間を支配していることを見るのである。これまでは、時間なしに生きている主体はありえないと言われてきたが、いまや生きた主体なしに時間はありえないと言わねばならないだろう。[*13]

図4　『生物から見た世界』76頁挿図「ミツバチの環境（上）と環世界」

主体としての生物こそが世界を作り出しているのだというこの考え方について、ユクスキュルは「生きた主体なしには空間も時間もありえない」と繰り返している。つまり、生物が知覚する環世界としてしか、世界は存在しないということになる。

5　人間を含む「環世界」モデルとしての南方マンダラ

では、にもかかわらず生物の世界を研究する人間は、なぜ往々にして生物を主体として認めず、まるで世界に従属する一部分としてしか見ないのだろうか。ユクスキュルによれば、それは研究者が、人間もまたさまざまな知覚の限界に規定された環世界の中に住んでいることを忘れ、世界全体を把握しているという幻想を抱いてしまっているからである。

そもそも生物においてより高等な、あるいはより下等な完全性の根拠は何かという問いを立てることができるとすれば、それは研究者が彼自身を取り巻く世界を「世界本体」(das Universum) であると見なす場合のみである。この「世界本体」は彼を包含すると同時に、すべての生物を包含しているのだとされる。〔中略〕この観点からは、人間自身の世界のみが決定基準と見なされ、その観点にしたがえば、より下等な動物の体制《バウプラン》はより高等な動物の体制、つまり人間のそれと比較してより低位のものに見えてくるのである。*14

しかしユクスキュルは、このような観点は「手で摑めるほど明々白々な誤謬」であると言い放つ。人間もまた他の生物とまったく同じように環世界の中に住んでいるに過ぎず、「世界本体」は少なくとも人間に理解できるものとしては存在し得ないというのが、ユクスキュルの基本的な立脚点である。「主観的現実の存在を否定する者は、自分自身の環世界の基盤を見抜いていないのである」[*15]という宣言はたいへん印象的なものである。

だとすればユクスキュルは、人間にとっての環世界とはどのようなものかについても、説明しなければならないということになるだろう。そこで、『生物から見た世界』の終章には「地球からできるだけ遠く離れた高い塔の上に、巨大な光学的補助具によってその目を宇宙の最も遠い星まで見通せるように変えてしまった一人の人間[*16]」としての天文学者の環世界のイメージ（図5）が示されている。

しかし、このイメージはミミズやミツバチの環世界を描いたそれまでの同書の他の挿図とは打って変わって、あまりにも稚拙なものである。なるほど光学機器と情報分析を駆使した研究により見える世界は天文学者の現実の一部かもしれないが、それとともに彼または彼女は、その研究を可能にするための予算や定職の確保に奔走し、日々の生活の合間に観察結果を報告にまとめ、職場や家庭の人間関係に悩まされ、また動物としての生理現象を順々にやり過ごしながら生きている。そうした人間の環世界の持つ多重性が、この挿図からはすっぽりと抜け落ちてしまっている。

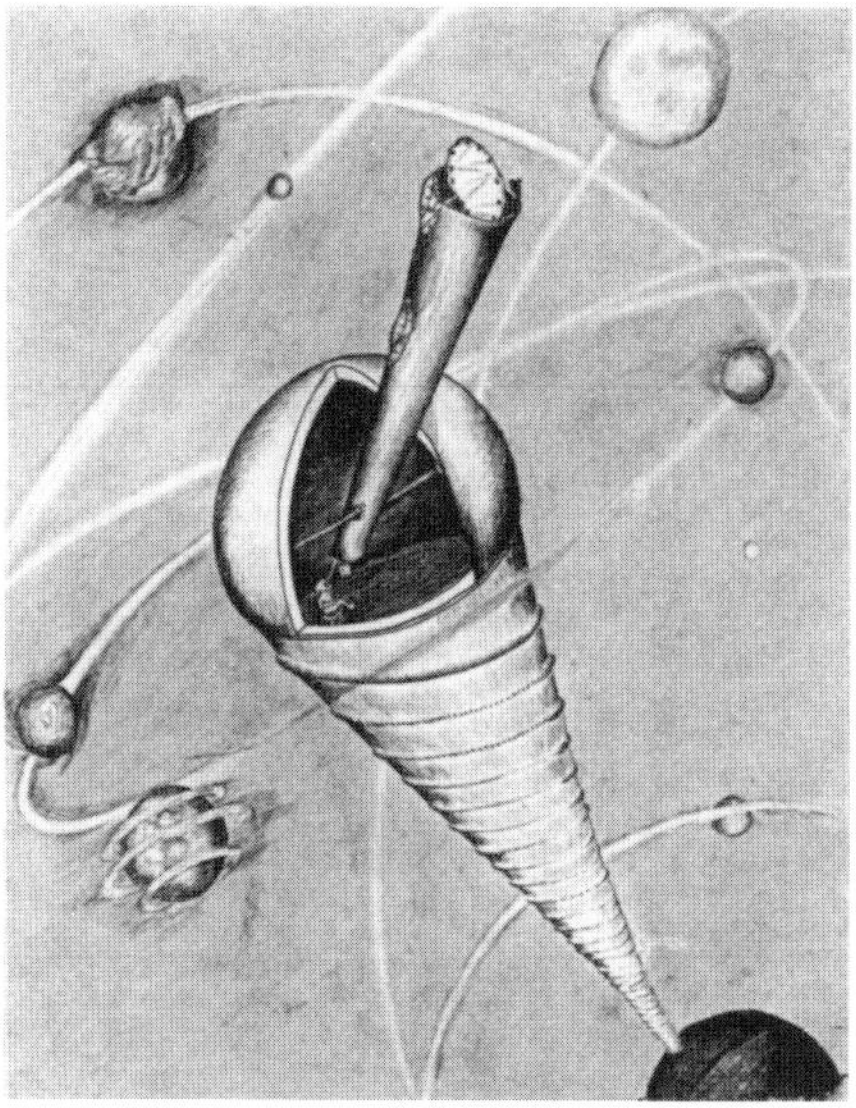

図5　『生物から見た世界』156頁挿図「天文学者の環世界」

この点で、人間にとっての環世界を、ユクスキュルよりもはるかに洗練されたやり方で一枚の図として描き出したのが、南方熊楠による「南方マンダラ」であると言うことができる。「南方マンダラ」の図では、本来ユクスキュルが言いたかった人間の知覚の限界や、環世界の中で生きていくためのさまざまな独自の生活方法が、矛盾なく説明されているからである。人間にとっての環世界をこれほどスマートにわかりやすく描き出したイメージは、なかなか他に見つけることができないのではないだろうか。

一方、「南方マンダラ」を考える上でも、これを人間や他の生物にとっての「環世界」として解釈することは、たいへん便利でかつ有意義である。ここまで論じてきたように、「南方マンダラ」やその他の熊楠の一連の思想は、往々にして過度に人間中心に解釈されてきた。これを環世界と読み替えることは、生物一般を論じている熊楠の意図に合致するものとして、「南方マンダラ」を本来の可能性へと解き放つことになると考えられるのである。

6　「やりあて」と「魔術的な道」

生物こそがすべての主体であるという一見シンプルであたりまえのように見える議論を徹底することで、ユクスキュルは現代の知の世界にも大きな衝撃を与えるような世界像を提示することとなった。南方熊楠が那智時代に土宜法龍に送った南方マンダラと呼ばれる議論の中で論じたモデルが、このユクスキュルの環世界の哲学と整合性を持つものであることは、本稿で述べて来た通りである。

ここで考えてみたいのは、こうした環世界＝南方マンダラの世界観を基盤として、熊楠とユクスキュルが、主体としての生物が作り出す動きの軌跡を、似たようなビジョンでとらえていることである。熊楠はそれを「やりあて」と呼び、ユクスキュルは「魔術的な道」と呼んでいる。

熊楠は、科学的な発見は数量的計測によって試行錯誤して正解にたどり着くようなやりかたではなく、実際には自分でも方法を意識していないような直感的な洞察によって成し遂げられることが多いと説明する。そして「宇宙のことは、よき理にさえつかまえ中《あた》れば、知らぬながら、うまく行くようになっておる」として、その理をつかまえる方法を「やりあて」と呼ぶ。[*17] ここで注目したいのは、この「やりあて」の例として熊楠が挙げている次の文章である。

鳥卵、殻の堅きは、中の卵肉を保護するが功用なること誰も疑わず。また落つればわれる憂いあればこそ堅きなり。しかるにこの経験たる、くりかえすことならず。何となればちょっとでも破れれば全体が死ぬ故なり。故に自然に、または卵自身の意で改良を重ねしにあらず。なんとなくやりあてて漸次堅くなりしなり。まことに針がねを渡るようなことなり。偶然といわんにも偶然にはあらず。偶然が幾千万年つづくものにあらざればなり。故に、すじみちよいやつにやりあてて、はなさざりしという外なし。[*18]

卵の殻が堅くなっていった過程を、方向性を持ったものとして説くこの熊楠の説明は、進化論の系譜から言えばダーウィニズムよりもラマルキズムに近いように思われる。この文章が書かれた二十世紀初頭には、まだ遺伝の法則は確立されておらず、生物の進化の原理はつきとめられていなかった。そこで熊楠は「やりあて」という概念によってこの変化を別の角度から説明しようとしたと考えられる。ともあれ、重要なことは、ここで熊楠が「やりあて」を実行する主体として、人間ではなく、幾千万年（実際には数億年）続く卵生生物の生命の流れを想定していることである。

これに続く文章でも、熊楠は「蟻が室内を巡歴して砂糖に行きあたり、食えるものと知るに外ならず。蟻の力にて室内になき砂糖を現出するにも、今まで毒物なりし砂糖を甘味のものに化するにもあらず」として、蟻が砂糖への道を「やりあてる」ことについて説明している。[*19] また、唐澤太輔が指摘しているように、[*20] 一九三〇年に執筆された「千疋狼」の中には、大小の亀が積み重なって上陸する方法を、本能的な行動を集団で行う「合成本能」の力によって「やりあてる」という例が描き出されている。

大亀が池の縁に前足を懸けおると、一廻り小さなものがその甲に登る。しばらくして一層小さなが、その背を践《ふ》んで上陸する。そののち他の二つが順次上陸していずれも遊び歩く。〔中略〕小亀の踏台となる大亀、大亀を践んで上る小亀、いずれも種々やり試みて、たまたま中った通りを漠然記臆して毎度一様に実行するに過ぎず。〔中略〕何の考えなき者が集まって、偶然やりあてたことを、多少記憶し、繰り返し行なうて奏功するまでで、合成本能とはよく名づけたと惟《おも》う。[*21]

これに続く文章では、犬、狐、野干、狼の「合成本能」が語られているから、当然、これらの動物もみずから主体となって「やりあて」を行うことが想定されているのであろう。

こうした熊楠の説く「やりあて」は、ユクスキュルの環世界論の中に、適切な比較対象を見つけることができる。まずユクスキュルは、環世界の中で主体が環境との間に作り上げる関係を「なじみの道」という言葉で表す。それぞれの生物は自分の身体感覚と合わせて移動のための最適な道筋を取るようにしており、その空間の住人たる生物がたどる「なじみの道」は、彼の環世界が把握できていないよそ者にはしばしば不可解なものとして映る。

この「なじみの道」は、環世界と共に生きている主体が、みずからの経験に基づいて作り出すものである。しかしユクスキュルはこれと並行して、経験がないにもかかわらずに生物がある行動を誰からも教えられずに成し遂げる方法を「魔術的な道」と呼んでいる。ユクスキュル[*22]によれば、子どもや原始的な民族の世界には、「感覚的に与えられた事物に空想的な現象がまぎれこんで」おり、この現実と空想の入り交じった認識を「魔術的」という言葉で言い表そうというのである。

たとえばユクスキュルは、ホシムクドリが実際には存在しない「空想的な現象」としての蠅を捕らえるという行為を目撃した研究者のことを紹介する。これについて、彼は「明らかにその環世界全体には「摂食のトーン」がみなぎっていたので、たとえ感覚刺激が出現しなくとも、いつでも噴出できる状態にあった「ハエを捕らえる」という作用像がむりやり知覚像を出現させ、それが一連の行動を解発したのである」[*23]と解釈する。

この経験から、ユクスキュルは謎めいて見えるさまざまな動物の行動を「魔術的」なものとして解釈する必要があるとする。たとえば、ファーブルが報告しているエンドウゾウムシの幼虫の行動様式（図6）である。この昆虫は、エンドウ豆がまだ若くて軟らかいうちに、あらかじめ外から中に通じるような穴を掘って入る。そして中の空洞で孵化して成虫となって、その絶妙に掘られた外部への道を通って

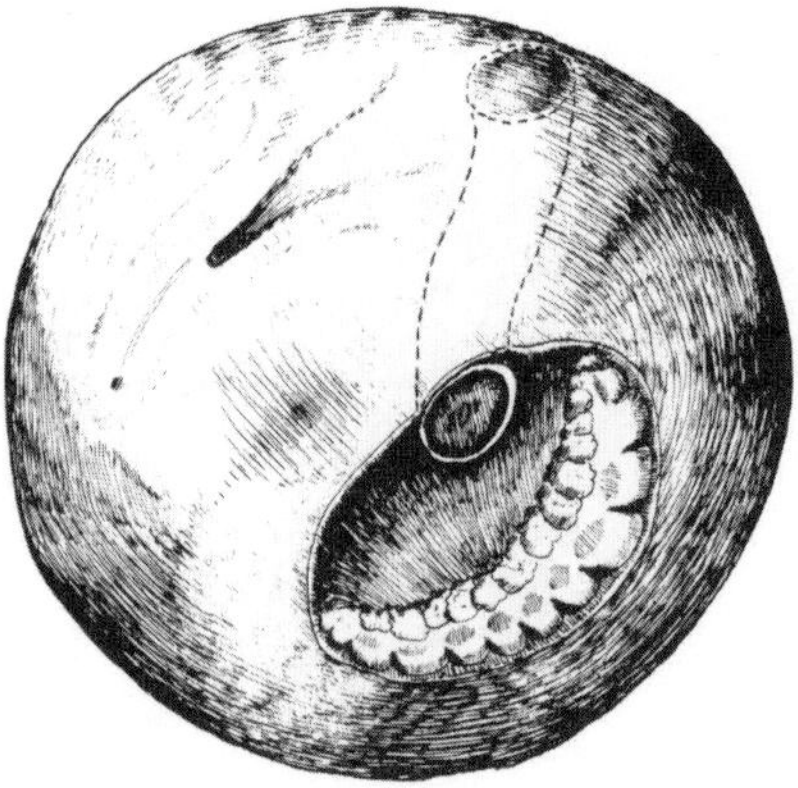

図6『生物から見た世界』137頁挿図「エンドウゾウムシの魔術的な道」

羽ばたいていく。

このようにユクスキュルは、生物が環世界の主体として、現実の環境だけからでは見えないような道を、経験ではなく生得的に探り当てる方法について語る。そして、同じような例としてオトシブミがカバノキの葉をかみ切って袋状にする際の芸術的な道筋や、渡り鳥が絶妙な飛行経路を大陸間に描いていく様子を挙げている。

熊楠の「やりあて」は、ユクスキュルの言葉を使えば「なじみの道」と「魔術的な道」の双方にまたがる概念だと言うことができるだろう。経験に基づく熟練知としての「やりあて」を対象とすれば、これらは無意識のうちに複雑な移動をこなすための主体にとっての「なじみの道」であると言える。一方、幾千万年かけて卵が堅くなる進化経路を卵生動物がやりあてたり、亀が積み重なって上陸する方法をやりあてたり、人間（熊楠）が夢で新種の菌類の発見場所をやりあてたりするのは、経験に基づかない一回限りの「魔術的な道」ということになる。こうしてユクスキュルと熊楠は、生物が環世界＝南方マンダラの中で、その世界の主人にしかなし得ない行動の軌跡を描いていくことを示そうとしたのである。

7　科学と芸術の接点へ

ここまで見てきたように、南方熊楠とユクスキュルは、それぞれ独自の方法で、生命を主体とする哲学を志向していた。主体としての個々の生物がいなければ、時間も空間も存在しないという、二十世紀前半に彼らが展開した世界認識は、それから百年を経た現代においてもなお、意外なほど根幹的な知的変革の可能性を示し続けている。

人間もまた、他の生物と同じように環世界＝南方マンダラの中で生きているとする熊楠とユクスキュルの考え方は、「やりあて」や「魔術的な道」の発見へと彼らを導いていった。インターネットの普及をはじめとする技術革新によって、人間の体験の総体を情報に置き換えることができるという錯覚が世界を覆う現代にあって、暗闇の中の道を生物的な直感で探り当てるような知のあり方こそが本質的なものであると説いた彼らの洞察がもたらすパラダイム転換の射程は、広く、長く、未来へと延びている。

熊楠とユクスキュルが説く「やりあて」や「魔術的な道」は、科学的な発見の最先端で起きていることでもあるが、一方で人類の歴史を通じて芸術活動が追い求めてきた創造の方法でもある。その意味で、熊楠とユクスキュルの生命を主体とする哲学は、科学と芸術が切り結ぶ接点を指し示しているようにも、私には思われるのである。

注

＊1　米英滞在中の熊楠の日記によれば、図書館・博物館・動物園・植物園には足繁く通っているが、美術館・音楽会・演劇などを鑑賞した記録はほとんど見られない。なお、日記に関してはすべて『南方熊楠日記』八坂書房、一九八九年を参照。

＊2　ただし、熊楠は那智時代に「方丈記」を英訳するなど、日本文学の英訳については関心を示しており、その面では文学作品を鑑賞する姿勢も見られる。

＊3　鶴見和子（一九八一）『南方熊楠　地球志向の比較学』講談社学術文庫、六七頁

＊4　スクモムシ（蠐螬）は一般に地中にいる昆虫、特に幼虫のことを指す。

＊5　飯倉照平・長谷川興蔵編（一九九〇）『南方熊楠　土宜法竜　往復書簡』八坂書房、三三三頁下段

＊6　中西須美（二〇一七）「英文論考「燕石考」の構造——スワローストーン伝説の起源とマンダラ——」『熊楠研究』第一一号、四九頁

＊7　奥山直司・雲藤等・神田英昭編（二〇一〇）『高山寺蔵南方熊楠書翰　土宜法龍宛 1893-1922』藤原書店、三〇五頁下段

＊8　原田健一（二〇〇三）「幽霊を見る動物」『熊楠ワークス』21:3-5.

＊9　Nagel, Thomas (1971) *Mortal Questions*, Cambridge University Press　日本語訳は、トマス・ネーゲル著、永井均訳『コウモリであるとはどのようなことか』（一九八九）勁草書房

＊10　安藤礼二（二〇〇八）「大楽　南方熊楠の宇宙論」『ユリイカ』二〇〇八年一月号、八〇頁

＊11　ユクスキュル／クリサート著、日高敏隆・羽田節子訳（二〇〇五）『生物から見た世界』岩波文庫、一三頁

＊12　『生物から見た世界』二八頁

＊13 『生物から見た世界』二四頁
＊14 ユクスキュル著、前野佳彦訳（二〇一二）『動物の環境と内的世界』みすず書房、一一一一二頁
＊15 『生物から見た世界』一四三頁
＊16 『生物から見た世界』一五五頁
＊17 熊楠は熟練知としての tact とそれが生みだす行為としての「やりあて」を分けているが、本稿では一つながりの概念としてまとめて論じている。
＊18 『南方熊楠全集』七巻三六八頁。一八九四年六月二六日の土宜宛書簡にある「卵の堅きはまことに卵中のものを保護する為なり。然しながら卵の堅きを欲して之をつぶし試る後に卵堅くなれりといふことあらんや。つぶし畢るときは其卵ははや卵に非ず、いかにして堅くなり得んや」（『高山寺蔵南方熊楠書翰』一七八頁下段）という議論を発展させたものと考えられる。
＊19 『南方熊楠　土宜法竜　往復書簡』三一一頁上段
＊20 唐澤太輔（二〇一四）『南方熊楠の見た夢　パサージュに立つ者』勉誠出版、一三七頁
＊21 『南方熊楠全集』四巻三五一－三五二頁
＊22 『生物から見た世界』一三五頁
＊23 『生物から見た世界』一三六頁

参考文献

『南方熊楠全集』全十二巻平凡社、一九七一～七五年
『南方熊楠日記』全四巻八坂書房、一九八九年
飯倉照平・長谷川興蔵編『南方熊楠土宜法竜往復書簡』八坂書房、一九九〇年
奥山直司・雲藤等・神田英昭編『高山寺蔵南方熊楠書翰　土宜法龍宛1893-1922』藤原書店、二〇一〇

年
ユクスキュル／クリサート著、日高敏隆・羽田節子訳『生物から見た世界』岩波文庫、二〇〇五年
ユクスキュル著、前野佳彦訳『動物の環境と内的世界』みすず書房、二〇一二年
松居竜五・岩崎仁編『南方熊楠の森』方丈堂出版、二〇〇五年
松居竜五・田村義也編『南方熊楠大事典』勉誠出版、二〇一二年
唐澤太輔『南方熊楠の見た夢　パサージュに立つ者』勉誠出版、二〇一四年
松居竜五『南方熊楠　複眼の学問構想』慶應義塾大学出版会、二〇一六年
トマス・ネーゲル著、永井均訳『コウモリであるとはどのようなことか』勁草書房、一九八九年
原田健一（二〇〇三）「幽霊を見る動物」『熊楠ワークス』21:3-5.
安藤礼二（二〇〇八）「大楽　南方熊楠の宇宙論」『ユリイカ』二〇〇八年一月号、七四―八一頁
中西須美（二〇一七）「英文論考「燕石考」の構造――スワローストーン伝説の起源とマンダラ――」『熊楠研究』第一一号、四九―七二頁

おすすめ本

鶴見和子『南方熊楠　地球志向の比較学』講談社学術文庫、一九八一年

▽南方熊楠の思想について概観するためには現在でももっともよい手引きである。ただし全体像については、鶴見和子の研究以降に資料調査が進んでいるので、最近の研究書や南方熊楠顕彰館のウェブサイトなどを併せて参照することをお薦めしたい。

松居竜五著・ワタリウム美術館編『クマグスの森　南方熊楠の見た宇宙』新潮社、二〇〇七年

▽南方熊楠が残したノートや標本・スケッチを精細なヴィジュアルとともに紹介したもの。特に熊楠の生物の採集・調査における成果を写真で概観したい方にお薦めしたい。

ユクスキュル／クリサート著、日高敏隆・羽田節子訳『生物から見た世界』岩波文庫、二〇〇五年
▽本文中でも詳しく紹介しているように、ユクスキュルの環世界に関する思想をわかりやすく知ることができる名著。クリサートの挿図も的確で美しい。

第10章

四次元の芸術
——南方熊楠と鈴木大拙からはじまる

安藤礼二

南方熊楠と鈴木大拙は、文字通り世界が一つになった近代という時代に、この極東の列島に育まれた独自の宗教、「東方大乗仏教」のもつ可能性をあらためて考え抜いた。その際、二人とも生物学と心理学に代表される科学的な思考方法を無視することはなかった。むしろ積極的に学びとり、西洋の科学と東洋の宗教が一つに交わる地点に、森羅万象あらゆるものを発生させる「心」を据えた。それは同時代の芸術家たちの営為と深く共振するものであった。

【「粘菌」の生物学】

南方熊楠は、動物と植物の生態を繰り返す「粘菌」を生涯の研究テーマとした。あらゆる生命に共通する根源の探求は「如来蔵」や「曼荼羅」の再考を促した。

【「霊性」の心理学】

鈴木大拙は、精神と物質の対立を調停する「霊性」という理念を提起した。禅による主客未分の体験を心理学的に読み替え、無意識のもつ意義を再発見した。

【「神智学」と芸術】

熊楠も大拙も、生物学的、心理学的、宗教学的な発生を一つに重ね合わせるブラヴァツキー夫人によって創設された「神智学」の著作を読み込んでいた。

【「抽象」の発見】

絵画の新たな主題として「抽象」を発見したカンディンスキーやマレーヴィチもまた「神智学」に由来する著作を読み込んでおり、「心」を四次元と考えた。

1　熊楠と大拙

南方熊楠（一八六七―一九四一）との対話から柳田國男の民俗学の体系が打ち立てられた。同様に、鈴木大拙（一八七〇―一九六六）との対話から西田幾多郎の哲学の体系が打ち立てられた。柳田民俗学と西田哲学は、近代日本がもち得た可能性そのものを体現するような二つの独創的な学問である。そう認めることに誰も異論はないはずだ。その二つの学問の起源に位置する熊楠と大拙も、互いにまったく無関係ではなかった。否それどころか、熊楠も大拙も互いに共有されている何人もの同じ著者、その著者があらわした何冊もの同じ主題の書物を読み込んでいた（個別の書物の選択においては興味深い相違がある）。それゆえに、であろうか、二人の間には直接の交流も存在した。互いにまだまったくの無名であった時代、アメリカのシカゴにいた鈴木大拙とイギリスのロンドンにいた南方熊楠の間に何通もの書簡のやりとりがあった（残念ながら、そのうちのまだ一通も発見されていないのではあるが……）。

熊楠と大拙はその思想の起源を共有しており、ということは、柳田民俗学と西田哲学もまた同じ起源から生み落とされたと考えられる。近代日本思想全体におよぶその起源には、伝統的な宗教思想と革新的な科学思想の間に広がる溝を乗り越え、宗教と科学を同一の地平から考えていこうとする、一元的な領野の探求が位置づけられていた。熊楠も大拙もともに同時代的、現在進行的に刺激を受けたアメリカに勃興した新たな哲学、ドイツからの宗教的かつ哲学的な亡命者であったポール・ケーラス（一八五二―一九一九）の手によって創刊された雑誌『モニスト』（一元論者）に拠った、一元論哲学、「モニズム」

である。ケーラスは、人間と環境との関係を内なる主観と外なる客観とに分割してしまう二元論的な、デカルト以来のヨーロッパの哲学の伝統――その基盤には無限の神と有限の自然の対立にもとづいたキリスト教的な世界観がある――とは縁を切り、現代の革新的な科学と東洋の伝統的な宗教がともに指し示してくれている、精神と物質、主観と客観、人間と環境、無限の神と有限の自然との間に区別を設けない一元論的な新たな哲学、「モニズム」の樹立を目指した。

とはいえ、現在、アメリカの哲学史において、ケーラスの「モニズム」について、ほとんど言及されることはない。しかしながら、雑誌『モニスト』がいち早くウィリアム・ジェイムズの特集を組み、毎号のようにジェイムズの盟友であったチャールズ・サンダース・パースの論考を掲載していたことを考えてみるならば、ケーラスの提唱した「モニズム」の最良の成果として、ジェイムズやパースの「プラグマティズム」を位置づけることは、それほど的外れではないはずだ。「モニズム」は「プラグマティズム」として昇華されたのである。いわばアメリカ哲学の本流、その源泉に位置する運動であった。ジェイムズやパースが依拠した新たな学とは、なによりもまず心理学であり、生物学であった。人間を環境と対立させず、主観を客観と対立させず、無限の神を有限の自然と対立させない哲学であった。「二」の起源に「一」を見出す哲学であった。

心理学的な探求からそのキャリアをはじめたジェイムズは、顕在する意識の下に、無限の深みを秘めた潜在する意識の層があることを知る。もし神聖な存在（神）が真に存在するとしたのならば、人間の身体を超越するものではなく、人間の精神に内在するものとして考え直さなければならない。心の奥底に潜む、無限の神と「合一」を果たすという体験こそが、さまざまな宗教的な体験の根源に共有されたものである。ジェイムズは、そう考えた。そしてまた、当時の新たな生物学的な知見は、人間と他の動物や植物、それだけでなく、さらに付け加えるならば、人間と森羅万象あらゆるものは相互に密接な関係をもち、自然という無限の変化可能性を秘めた環境のなかで、最も単純なものから最も複雑なものへと変化（進化）していくということを教えてくれた。その変化（進化）は決して止むことなく未来へ続いていくということもまた、教えてくれた。チャールズ・ダーウィンに端を発する進化論の発見である。この進化論の発見こそ、キリスト教的な世界観と根底から対立するものであった。なぜなら、キリスト教的な世界観によれば、人間は神の似姿として創造されており、他の動物や植物とは完全に断絶したものだったからだ。人間あるいは神と自然は根底から対立するものであった。しかしながら、進化論が明らかにしてくれた新たな世界観のもとで考えるならば、そうした考え、キリスト教の世界観こそが誤っているのである。あらゆる生命を生み出す自然こそが唯一リアルに、真に存在するものだったからだ。われわれはすべて自然のうちに内在している。自然を超越するものなどなにもない。もし神を考えるならば、それは自然と等しい。そして、その自然そのものとして存在する神は、われわれを超越しているのではなく、われわれを自らのなかに内在させ、それと同時に、自然の造形物であるわれわれの心の奥底に内在してもいるのである。

「モニズム」そして「プラグマティズム」は、心理学と生物学、潜在意識論と進化論という新たな科学の知見を基盤として、無限の神と有限の人間、内的な主観と外的な客観との「合一」の諸相を探求する新たな宗教哲学として、アメリカの地で可能になりつつあった。当時、まさに世界は物理的かつ精神的に一つになろうとしていた。その中心がアメリカであった。ドイツに生まれたケーラスは、ヨーロッパの内部においても、二元論的な哲学を超克していこうとするさまざまな試みがなされていることを熟知していた。ヘーゲル、ショーペンハウアー、ニーチェの哲学を学び、「モニズム」という新たな哲学の体系を樹立しようと考えていたケーラスの前に、まさにその時、インドのヒンドゥー教から生まれたヴェーダーンタの哲学（不二一元論）と日本の大乗仏教から生まれた如来蔵の哲学が十全な姿をあらわしたのである。ヨーロッパおよびアメリカと「東洋思想」のはじめての本格的な出会いであった。ケーラスの「モニズム」はその地点で一つの完成を迎える。そしてそこが南方熊楠と鈴木大拙の思想の起源、柳田民俗学と西田哲学を二つの極とする近代日本思想の起源ともなった。

2　宗教と科学の交点、万国宗教会議

一八九三年、アメリカのシカゴで、コロンブスによる新大陸発見四〇〇年を記念する万国博覧会が開催された。そこに併催されたのが万国宗教会議である。ユダヤ教、キリスト教、イスラームといった一神教だけでなく、世界にはさまざまな宗教が存在している。物理的なフロンティアが踏破され、開拓され尽くしたいま、次に人類が求めるのは精神的なフロンティアである。つまりは、人類にとって普遍的な「心」の構造が探られなければならない。そのためには、個別の宗教を超えた、普遍の宗教にして宗教の普遍が探られなければならない。だからこそ、ヨーロッパばかりでなく、世界のそれぞれの地から、その地に育まれた宗教をよく知る者たち、その宗教を主体的に生きている者たち、宗教の研究者にして宗教の実践者たちが一堂に会さなければならないのだ。そうした呼びかけに応えて、日本からは仏教各

宗派を代表する若者たち、つまりは語学に堪能な青年たち――各教団からは公の支援を受けられなかった――がアメリカに向けて旅立った。その一団のなかに鈴木大拙の師である臨済宗の釈宗演《しゃくそうえん》、南方熊楠の友となる真言宗の土宜《どぎ(とき)》法龍《ほうりゅう》が含まれていた。

日本の仏教各宗派を代表する青年たちは、万国宗教会議の席上で、世界に向けて、英語を用いて、大乗仏教のもつ思想的な可能性を説かなければならなかった。なぜなら、当時、世界の仏教研究者たちから、極東の列島に根付き、大きく変容した仏教、「東方大乗仏教」は、仏教思想の本流からすれば傍流であり、正統的な仏教の教義からすればきわめて異端的な教義をもつものだと大きく非難されていたからだ（その状況は近代化を迎えたばかりの日本国内でも同様だった）。「東方大乗仏教」は、仏教の始祖である釈尊という人間的な存在をあまり重視していない。釈尊ではなく、宇宙を成り立たせている「法」そのものを体現した超人間的な存在、「法身《ほっしん》」がその教義の中心に置かれている。「法身」こそが森羅万象あらゆるものを生み出す根源であり、人間はその「法身」と一つになる、「合一」するために瞑想し、つまりは「止観」し――心の動きを止めて、心そのもののあるがままの姿を観る――さらには「法身」の名前を唱え続ける、つまりは「念仏」する。あるいは、万物が心から発生する様をそのままイメージとして造形した曼荼羅のなかに立ち、身体と言葉と精神を統一することによって「法身」のもつ身体と言葉と精神と一つになる、「合一」を果たす。

このような「法身」との「合一」を教義の根本に掲げる極東の大乗仏教は、無常にして無我である「空」を説いた釈尊の仏教から大きく逸脱するものである。国内、国外から発せられたそのような非難に、万国宗教会議に各宗派の代表として参加した青年たちは応えなければならなかった。その際、彼らが依拠したものが、極東の大乗仏教各派の大部分に共有されている仏性の思想であり、あるいは如来蔵の思想のあり方を最も簡明に説いた『大乗起信論』であった。森羅万象あらゆるものは、その「心」のなかに、無限の如来（仏）となる可能性（＝仏性）を、あたかも胎児のように孕んでいる。そうしたあり方を如来蔵という。「心」とは、如来となるための種子を孕んだ母胎（＝蔵）でもあった。それゆえ、人間を含めて森羅万象あらゆるものは、そのあるがままで如来（仏）となることができるのだ。「心」の奥底に秘められた如来、「法身」はそれ自体においては「空」、すなわち姿も形ももたない。しかし、その「空」としての「法身」は、そのなかからありとあらゆるものを生み出す、無限の広がりでもある。そうした「法身」のもつ無限の多様性を体現したものが、さまざまな如来や菩薩たちの身体としてあらわされた「報身《ほうじん》」である。その「報身」が変様することで具体的な個物、具体的な身体としてこの地上にあらわれ出でたのが「応身《おうじん》」である。

「東方大乗仏教」からすれば、釈尊とは「応身」なのである。釈尊の覚りとは、「応身」から「報身」を経て「法身」へと至るプロセスそのものを明らかにしてくれたことなのである。人間的な自我を粉々に破壊することによって、そこに「法身」が立ちあらわれるのだ。「東方大乗仏教」がもつこのような教義の構造は、現代の科学が明らかにしてくれた世界観と背馳しない。否、それどころか、そうした世界観を現代の科学に先駆けて、その二〇〇〇年以上も前に、伝統的な宗教の教義として、提示してくれていたものなのである。「心」の奥底を探求するという方法は心理学の無意識論と呼応し、その結果見出された「如来蔵」によって森羅万象あらゆるものが関係し合い、森羅万象あらゆるものが仏となる可能性をもつということは生物学の進化論と呼応する。大拙の師、熊楠の友は、そう語った。さらに、そこに強力な援軍があらわれる。ヒンドゥー教の代表としてインドから万国宗教会議に参加した一人の青年、スワミ・ヴィヴェーカーナンダ（一八六三－一九〇二）は、会場全体から大きな喝采と賞賛を浴びたその演説のなかで、こう述べてくれていたからだ。

現在、一神教的な世界観をもった西洋と多神教的な世界観をもった東洋が精神的かつ物理的に対立し、その対立が激化しつつあるという。しかし、ヒンドゥーの教えのなかに生まれた不二一元論こそ、そのような対立に調和をもたらし、対立を無化していく可能性を秘めたものなのだ。不二一元論は、こう説いてくれている。人間的な汚れにまみれてしまったこの私の奥底には、清浄で純粋な真の自己、真の「我」たるアートマンが秘められている。その真の自己に到達するということは、同時に、この世界を成り立たせている根源的な存在、宇宙原理としての「梵」たるブラフマンと一体化する、「合一」することと等しいのだ。アートマンとブラフマンは一体のものであり、そうした境地（梵《ぼん》我《が》一如《いちにょ》）に到達することが真の意味での救いなのだ。ヒンドゥーは、そうした境地を実現するための精神的な技法にして身体的な技法を、ヨーガとして磨き上げてきた。ヨーガをきわめることによって「多」と「一」の対立は無化され、そこに調和がもたらされる。そしてまた、このようなヒンドゥーの不二一元論に真の意味で完成をもたらせてくれるものこそが大乗仏教であるのだ、と。

やはり万国宗教会議に、アメリカの新たな宗教にして新たな哲学を代表する者として参加していたポール・ケーラスは、ヒンドゥーの不二一元論と共振し、交響する大乗仏教の如来蔵思想にこそ、自身の新たな宗教哲学、「モニズム」を真に完成させてくれるものがあると確信する。そして、釈宗演に、仏教を深く理解しているとともに英語の力をもったアシスタントを紹介してくれるように依頼する。ケーラスからの依頼に応え、宗演が推薦した者こそが大拙であった（大拙自身の強い希望もあった）。大拙はアメリカに渡り、『大乗起信論』を漢語から英語にはじめて翻訳し（一九〇〇年刊行）、そこに説かれている如来蔵思想をもとに、英語を用いて自身の大部の著作、『大乗仏教概論』をまとめ上げていく（一九〇七年刊行）。その過程で、熊楠との文通がはじまり、近代日本思想全体を貫く一つの基本構造が抽出されていくのである。

3　四次元の芸術

南方熊楠も鈴木大拙も、極東の列島に伝わった大乗仏教のもつ思想的な可能性を、現代の科学を補完し、それをより発展させていくような形でよみがえらせようとした。そのことを自身の課題とした。その際、二人が参照した二つの大きな柱、二つの科学が、無意識を主題とした心理学であり、進化を主題とした生物学であった。ここまではアメリカの一元論哲学、「モニズム」と同様である。それらに加えて、熊楠も大拙も、やはり無意識の心理学と進化の生物学を取り込みながら、さらにヒンドゥーの不二一元論や大乗仏教の如来蔵思想をも一つに総合したような新たな世界宗教、「神智学」に対して深い関心を抱いていた。この「神智学」への関心が、熊楠の営為と大拙の営為を近代の日本思想の起源のみならず、近代の世界芸術の起源にも直結させていくのである。

神智学協会が創設されたのは、一八七五年、アメリカのニューヨークにおいて、であった。その創設者であるヘレナ・ペトロヴナ・ブラヴァツキー（一八三一―一八九一）は、ロシア（ウクライナ）に生まれた。ブラヴァツキーが幼少期を過ごしたのは、ロシア領内で唯一仏教、そのなかでも特にチベット密教を信奉する遊牧民、カルムイクの人々が生活するごく近くであった。チベット密教は、いわば如来蔵思想がたどり着いた究極の境地を明らかにする。「法身」との「合一」を、男女の性的な「合一」と重ね合わせるように説いていたからだ。欲望もすべて覚りとして肯定するのだ。その際、無限の如来と有限の人間との「合一」は、有限の人間の言葉では決して説明することができない。つまり、言葉にすることができない「秘密」（神秘）の体験とともに果たされる。だから「秘密」の仏教、密教と呼ばれているのである（ブラヴァツキーも当初、神智学を「秘密仏教《エソテリック・ブッディズム》」と定義していた）。「秘密」（神秘）の体験とともに、無限の神と有限のこの私とが一つに融け合う。まさにそれは、ヒンドゥーの不二一元論にいう「梵我一如」の境地であり、万国宗教会議の席上でヴィヴェーカーナンダが宣言したように、「多」と「一」の対立を調停し、そこに調和をもたらす総合宗教にして普遍宗教であった。

　ブラヴァツキーは一方では、心理学と生物学を応用することで霊的な進化論の体系を築き上げ、もう一方では、自らが構築したその体系がすべての宗教の根源に位置づけられると主張した。大乗仏教の如来蔵思想やヒンドゥーの不二一元論と類似性をもつことから（あえてその双方の要素を混交させ）、森羅万象あらゆるものの霊的な原子（モナド）からの発生を説き、その霊的な原子を共有している森羅万象あらゆるものの平等を説いた。そのことによって女性解放運動や動物愛護運動、植民地からの独立運動に大きな影響を与えるとともに、それらの運動と共闘した。チベット密教の曼荼羅とユダヤ教神秘主義思想のカバラを一つに重ね合わせるようにして「心」の深層からさまざまなイメージ、色彩と形態が発生してくる様子を、色鮮やかな図像とともに示した。「心」の深層にひらかれるのは、三次元の現実、三次元の感覚を超えた四次元の超現実、四次元の超感覚の世界であった。

それでは、四次元の超現実、四次元の超感覚にひらかれた世界とは、一体どのようなものだったのか。それを最も見事に解き明かしてくれるのが熊楠と大拙であった。熊楠は真言密教を信奉し、禅を嫌った。大拙は臨済禅（臨済宗）を信奉し、密教については語らなかった。しかし、今日の研究の成果によれば、臨済禅も真言密教も、如来蔵思想の中国的な展開のなかで生まれ、『大乗起信論』をきわめて重視した華厳宗——唐代に『華厳経』に説かれた思想を読み解くことでその体系が整えられた教え——と密接な関係をもちながら発展してきたものであることが分かっている（その理論的な中核を担った『大乗起信論』自体も、今日では、インドに直接起源をもつものではなく、翻訳と解釈が幾重にも重なり合った中国で撰述されたものであったのではないかと推定されている）。実際、熊楠も大拙も、自身の近代的な密教、近代的な禅の核心を述べる際、いずれも華厳に言及している。熊楠の密教も大拙の禅も、華厳を土台としてなったものだった。

それでは、華厳は、一体どのような世界観を説いていたのか。華厳は、二つの有名な比喩を用いてその世界観を説明してくれている。一つは十面の鏡の比喩である。東西南北さらには上下と、自身を取り巻くすべての面が鏡によって囲まれた世界を想像せよ。その世界の中心に、一つの蠟燭にともされた炎が揺れている。その蠟燭の炎は一つの鏡の面に自らの姿を映し出すとともに、他のすべての鏡の面にもその重なり合った姿を映し出している。鏡が鏡に重なり合うことで、一つの蠟燭の炎もまた無限に重なり合ったその姿をあらわす。もう一つはインドラの網の比喩である。この世界の中心にそびえ立つ須弥山の山頂にはインドラ神（帝釈天）の宮殿があり、そこには透明に光り輝く無数の宝珠が網目のそれぞれに吊り下げられた巨大な網が張りめぐらされている。透明で光り輝いているので、一つの宝珠のなかには他の無数の宝珠のイメージが映り込み、無数の宝珠のなかにはただ一つの宝珠のイメージが映り込んでいる。「一」は「多」であり、「多」は「一」である。それがさらに無限に重なり合うのである。

無限に無限が重なり合う。それこそが、人間的な自我が粉々に破壊されたときにあらわれ出てくる「法身」の姿であり、「法身」が治めている「心」という世界、「法界」の光景である。神智学徒たちは、熊楠や大拙が依拠した、このような華厳的な無限の世界を、さらに当時の数学者たちが取り扱った「四次元」という概念をもとに整理し直していく。上下、左右、奥行からなる三次元の世界はもう一つの上の次元、時間と無関係には存在しない。空間と時間が一つに交錯し、空間と時間がともにそこから生まれてくる「四次元」の世界では、空間のもつ無限の可能性が一つに重なり合って存在しているだけでなく、時間のもつ無限の可能性もまた一つに重なり合って存在しているはずである。三次元の世界を成り立たせている時間の一方向への流れは、四次元の世界では同時に多方向に流れ、未来の方向と過去の方向に無限に分岐しながら、しかも一つに重なり合っていく。「四次元」の世界では、時間は未来に向かって流れるとともに過去に向かって流れてもいる。そのような「四次元」の理解を応用することで、H・G・ウェルズはSF小説の古典、「タイム・マシン」を書き上げた。未来への時間旅行、過去への時間旅行を可能にするのは「四次元」の時空連続体だったのである。

「心」の世界は時間的にも空間的にも無限の奥行きをもっている。そうした「心」そのものである一つの身体（法身）には空間的にも時間的にも無限の身体が重なり合い、一つの世界（法界）には空間的にも時間的にも無限の世界が重なり合っていた。世界認識の革命に意識的であった芸術家たちは、自分たちが創り上げていく芸術作品を、ウェルズの「タイム・マシン」のように四次元の超現実、四次元の超感覚を表現するもの、あるいは、表現すべきものと考えた。そのなかには、神智学との直接のつながりを追っていけるワシリー・カンディンスキーやカジミール・マレーヴィチだけでなく、「東洋思想」からの影響を強く否定し続けながら、しかし「四次元」を主題としたガラスの作品、『花嫁は彼女の独身者たちによって裸にされて、さえも』（通称『大ガラス』）を作り続けていたマルセル・デュシャンも含まれる。デュシャンは、『大ガラス』の製作に八年という歳月を費やしながら完成を放棄し、さらにはその『大ガラス』の主題、つまりは「四次元」の主題を引き継いだ立体作品を、晩年の二〇年を費やして今度こそは完成し、死後に公開した（それゆえ、その立体作品は『遺作』とも呼ばれている）。

熊楠の営為、大拙の営為が近代の日本思想の直接の起源を形作るばかりでなく、近代の世界芸術の起源にもダイレクトにつながるというのは、こうした意味においてである。マルセル・デュシャンの営為と並行し、共振するものとして捉えることが可能なのである。それが同時に、近代の思想と芸術を測る物差しとなる。

4　社会的な実践に向けて

新たな世界認識は、世界の新たな変革を促す。南方熊楠も鈴木大拙も、古いテキストをまったく新たに読み直すことで独創的な世界認識を手に入れた。しかし、その地点にとどまっていたわけではなかった。そうした認識をもとに、資本主義的なグローバリズムに呑み込まれることで最初の大きな危機を迎えたこの極東の列島、日本の現状に能動的に働きかけようとしていた。大拙は、精神と物質の二元的な対立を一元的に調停する理念を「霊性」と名づけ、その「霊性」にもとづいて、明治の終わりに起こった極度の中央集権化によって迫害された――大逆事件ではまったくのでっち上げ、フレームアップによって数多くの死刑さえも執行されてしまった――社会主義者たちを励ました。「霊性」は平等の理念でもあったからだ。経済ではなく、「霊性」にもとづいた社会主義のあり方が模索されていた。第二次世界大戦を生き抜いた大拙は、その廃墟のなかで、やはり同じく書名に「霊性」を用いた書物を矢継ぎ早に発表し、破壊を建築へと転換させようとした。

明治の終わりの中央集権化は、神社を統廃合することで、神域として守られていた森に開発の手を伸ばし、そこに徹底した工業化を推し進めようとする神社合祀令という悪法の施行にも行き着いた。熊楠はこの神社合祀令に猛然と反対した。熊楠が読み込んでいた進化論は、一方向的な未来に進化の可能性があるだけでなく、いわゆる退化、そこからあらゆる可能性が分化される以前の根源に戻ることの重要さを説く特異な進化論だった。有効性や効率によって切り捨てられてしまうもののなかにこそ、新たなものを生み出す可能性が秘められている、というのだ。進むことではなく戻ることによって、生命は次なるステージに進んでいく。だからこそ、動物と植物にあえて分化せず、動物の生態と植物の生態を交互に繰り返す「粘菌」こそが、顕在的な進化ではなく潜在的な退化の可能性を体現した、熊楠にとって特権的な研究の対象となった。熊楠や大拙にとって、西洋の科学と東洋の宗教は、哲学と芸術は、理論と実践は、一つに創造的に総合されなければならなかった。そうした事実を、それぞれの生涯と思想によって見事に証明した。そのことによって、来るべき新たな学問と新たな表現の祖となったことは間違いない。われわれが物理的、精神的に危機にさらされる度に、この二人の営為を思い出さなければならない理由でもある。

参考文献

安藤礼二『熊楠　生命と霊性』河出書房新社、二〇二〇年
▽本稿で紹介した南方熊楠と鈴木大拙の創造的な交錯と当時の思想状況を、より詳細な資料をもとに解説しています。
中尾拓哉『マルセル・デュシャンとチェス』平凡社、二〇一七年
▽マルセル・デュシャンの生涯と作品の謎を、「四次元」の思想をもとに解き明かしていく新鋭の意欲作です。

第Ⅲ部

都市と自然

第11章

都市・まち・建築の熱環境の可視化

梅干野　晁

都市・まち・建築、私たちの生活空間であるが、そこの熱環境は目にみえないのでなじみが薄い。これをカラーコードの熱画像により、三次元空間の時間変化も含めて可視化することで感性に訴えたい。従来の数式やグラフに加えてより熱環境が理解できるのではなかろうか。その上で、まちづくりの具体的なあり方を考えてみたい。全球赤外線放射カメラで収録した全球熱画像で、私たちを取り囲むすべての表面温度の実態を可視化する。さらに、過去や未来の熱環境について3D－CADと熱収支シミュレーションで表面温度を求め、それを可視化する。

【都市・まち・建築―建築外部空間の熱環境に着目して―】

都市・まち・建築は生活空間である。建築の外、地面や建物で囲まれているこれらの空間は積極的な設計・計画の対象となっていないことが多い。芦原義信はここを建築外部空間としてとらえている（文献1）。ここでは、熱環境を中心に議論し、快適な生活空間を目ざしたまちづくりについて考える。[*1]

【熱環境】

人間と環境との熱交換は、伝導、対流、放射、蒸発で行われる。そして、これらを規定する環境要素としては、気温、湿度、風向、風速、そして表面温度があげられる。放射には、太陽放射に代表される可視光線、近赤外線と、地面や建物などの常温の物体から発せられる10マイクロメートル前後の熱赤外線がある。ここでは主に後者について議論する。

【ＭＲＴ】

Mean Radiant Temperature の略。平均放射温度。周囲の全方向から受ける熱放射を平均化し、温度の単位で表現した指標。予測平均温冷感申告（ＰＭＶ）や標準新有効温度（ＳＥＴ＊）などの温熱快適性を算出する時にも用いられ、人間の快適性を議論するには重要な指標である。[*2]

【全球熱画像】

ある地点で、そこを取り囲むすべての面の表面温度を測定し、いろいろな図法で二次元に表現したもの。どの方向からどのくらいの熱放射を受けているか視覚的に理解でき、まちづくりに生かすことができる。また、この全球熱画像からその地点のＭＲＴも求められる。[*3]

【3D-CADと熱収支シミュレーション】

建築外部空間を構成している面の表面温度は、そこの空間形態とそこを構成している面の熱物性値によって決まる。３Ｄ-ＣＡＤでこれらを入力し、時々刻々と変化する外界の気象条件からすべての面の表面温度を非定常状態で解く。時間変化はアニメーションで表現される。ＭＲＴやヒートアイランドポテンシャル（ＨＩＰ）の値も算出できる。[*4][*5]

はじめに

科学隣接領域研究会は、職能として研究者を目ざす若い人に広い視野をもってほしいという願いから、「科学と宗教」、「科学と倫理」に引き続き、第三弾として「科学と芸術」が企画されたと聞く。私は「科学と芸術」から参加させていただいたが、理工系で活動してきたので、文系の先生が多い中での研究会の議論はハードルの高いものがあった。しかし、普段は、研究の深化、細分化の中で、他の分野の方と議論する機会が少ないのでたいへん刺激的だった。この原稿は、二〇一九年十一月二十六日に「都市・まち・建築の熱環境の可視化と建築学の現状」というタイトルで発表した、前半部分をもとにしている。

1　研究成果としての熱環境の可視化で感性に訴える

都市・まち・建築の熱環境にかかわることは、建築の運用時に一般の人にとっても重要な問題である。そのため、建築の研究者や技術者だけでなく、一般の人にも生活している空間の熱環境について理解してほしい。私の専門は建築学、その中でも建築環境工学で、建築の設計や、建築の中で生活する人を目標として研究してきた。都市・まち・建築の熱環境の可視化はその中のひとつである。建築設計にあこがれて建築学科に所属したころの五〇年前をふり返り、「科学と芸術」について考えてみた。

日本では、明治時代の西洋からの学問の導入の過程で建築学科は工学部に所属しているところが多い（芸術学部にもあるが）。地震が多い日本では建築構造力学が必須だった。ヨーロッパなどでは建築家の教育はschool of architectureで行われ、光、熱、空気、音、そして力学はbuilding physicsとしてcivil engineeringで扱われている。日本では、建築家の養成と建築学の研究が建築学科で行われている。私の大学の指導教官であった清家清先生が、一九七〇年代東京工業大学が理工学部から理学部と工学部に分かれるとき、建築学部があったら良いと言っておられたのを思い出す。しかし、近年では、建築学科の中に建築設計コースと建築学コースを設けているところが出てきた。科学、芸術どちらも深化や細分化が進み、さらに設計業務が多様化してきたことによるものであろう。

建築学の目的は、人間の探求であり、新たな空間の創造や新しい生活の提案であろう。建築学は工学と芸術の両方の側面があると言われてきた。建築学の中には建築史があり、建築設計製図は機械のそれとは少し趣を異にする。そして今日では、二〇〇〇年に日本の五建技団体によって、「地球環境建築憲章」が制定されたように、建築は持続可能な社会をささえる重要な要素であることが求められ、単に建築を構築することだけでなく、企画からはじまって、設計、施工、運用管理、廃棄までの行為にかかわることを含まねばならない。近い将来には、これらすべての流れが具体的技術としてＢＩＭ（Building Information Modeling）で管理されることになるのだろう。

ここで扱う、熱環境の可視化もこのような流れの中のひとつと考えている。

前置きが長くなってしまったが、本題に入りたい。私たちが生活している都市・まち・建築の熱環境はどうなのだろうか。熱環境は目にみえないが、日常の生活では大きな役割をはたしている。専門家の間では、ことばや数式で表現すれば伝わるが、一般の人にはなかなか理解してもらえない。そこで、熱環境の可視化によって、感性に訴えることが有効ではないかと考えた。

まずは、熱環境の実態を赤外線放射付カメラの熱画像で可視化してみた。そして、もうひとつは、過去の熱環境の実態や提案された将来の都市・まち・建築の熱環境はどうなのか。3D‐CADと熱収支シミュレーションを用いて予測・評価し、その結果を可視化してみた。熱環境を語る上で有効な平均放射温度（MRT）やヒートアイランドポテンシャル（HIP）の数字の意味やまちづくりをどうすれば良いかを考える手助けに、可視化画像が役立つのではないだろうか。

2　熱環境、目にみえないがために犯してしまうまちがいや気付かないこと

西日を真正面から受けた窓について考えてみよう。この住人は強烈な西日に業を煮やしてガラス戸の室内側に障子でなく襖をとり付けた。障子では外の光が入ってきてしまうので、徹底的に日射を遮るには不十分と考えたのだろう。カラー口絵 図3―1は、夏、真正面から西日を受けたときの襖を室内側から収録した熱画像である。[*6] 襖は全面まっ赤で、桟の位置が良くわかる。すなわち、この熱画像から日射熱が室内に入ってきてしまっていることが視覚的に良くわかる。事実、室内はいくら冷房しても暑い。もう少し詳しく説明すれば、窓ガラスを透過して襖にあたった日射は吸収され、その結果温度が上昇する。襖の室内側では、室内の空気との間で対流によって空気は暖められ、襖から放射される放射熱は、室内の他の面に吸収される。そして、これらすべてが冷房負荷になってしまう。部屋の中はまっ暗で、

人工照明をつけなければならない。これも冷房負荷になる。すなわち、西日を完全に遮ったつもりが、窓ガラスを透過してしまった日射熱はほとんどが冷房負荷になってしまう。西日は窓ガラスの外側で遮へいしなければならないことがわかる。

カラー口絵 図3—2は、冬の寒い日に、全面床暖房された室内の熱画像である。床の表面温度は28℃になっていることが読み取れる。足で触れると暖かい。床に接した空気は暖められ室温は上昇する。部屋にいる人は床からの熱放射も受けるので、空気式暖房と比べると、室温は低くて済む。これらの床暖房された部屋の熱画像から次のようなことがわかる。

①床はできるだけ広い面積で暖房しなければならない。一畳ぐらいの床暖房では、この部屋から逃げる熱を補うために、床の表面温度は高くしなければならず、低温やけどを起こす。②この部屋のガラス窓や天井、壁から外に熱が逃げる。換気でも室内の熱を失う。断熱性や気密性を高くしないと、床暖房の表面温度を上げなければ熱損失を補えないことになる。またガラス窓、壁、天井の断熱性が悪いとそれらの表面温度も低くなり、冷放射の原因となる。冬の寒い日にガラス窓の側の肩が冷えたことを経験した方は多いのではないだろうか。すなわち、ガラス窓や天井、壁の断熱性をあげることは、省エネとともに快適性にもつながる。このように、床暖房とはどういうもので、その効果を得るにはどうしたらよいか。この熱画像からわかるのではないだろうか。

3　まちには熱があふれている
――全球熱画像で可視化――これからのまちづくりを考える

目を建築の室内から建築の外、屋外の生活空間に向けてみよう。まちの中、ここも大切な生活空間だ。建築の室内だけでなくここも設計の対象としてとらえ、建築外部空間[*1]（文献1）と呼ぶことにする。これからのまちづくりはこの建築外部空間に注目してみよう。一九八〇年代の典型的な七公害（大気汚染、水質汚濁、土壌汚染、地盤沈下、騒音、振動、悪臭）については平均的には良くなったものの、地球温暖化に加えてヒートアイランド現象で夏の都市の熱環境は悪化の一途をたどっている。

カラー口絵　図3－3は私が商業空間で建物に囲まれた道路の歩道に立ったときの全球熱画像[*3]（文献2～5）である。表面温度のカラーコード[*6]で黄色と緑の境が気温の値に相当している。六月の晴天日の昼間、日射を受けて舗装面の表面温度は気温より15℃も上昇している。ほぼ下半分から熱放射を受けているることになる。そして、舗装面に接する空気の温度も上昇する。一方、天空は黒色で気温よりも低い。天空のみかけの温度は気温よりも低いことは、ここでは説明しないが、大気放射冷却などでご存知だろう。原っぱならば上半分は天空なのに、街中では気温より高温の周囲の建物から熱放射を受ける。このような全球熱画像はまちの中の日向にいる人にとっては一般的なものである。

次に、日影にいるときの二つの全球熱画像を示す（カラー口絵　図3－4）。二つの全球熱画像の色味をみれば、周囲から受ける熱放射のちがいは一目瞭然であろう。上の全球熱画像は、舗装された駅前広場で雨除けのために人工天蓋がかけられたその下に立ったときのものである。もちろん、私は天蓋の日影にいる。しかし、周囲の広場の舗装面はまっ赤。そして天蓋は日射を受けて裏側でもだいだい色。その結果、ここのＭＲＴ[*2]を算出してみると、36・6℃になる。気温が29℃であるから、7・6℃も高い。暑さ寒さの感覚は、風があまりないときには、気温とＭＲＴの平均値になると言われているので33・3℃に相当する。熱中症の危険性がある。これらのことは目にはみえないが、今日のまちの中にはこのようなところが多い。

では、同図の下の全球熱画像をみてほしい。ここは、東京の明治神宮の表参道の歩道である。樹高二〇メートル前後のけやき並木があることで知られている。けやき並木のうっそうと茂った樹冠で歩道は朝からずっと日影になる。夏の昼、晴天日に収録した全球熱画像をみると、画面のほとんどは緑と青色で、ほぼ気温相当である。すなわち、気温が30℃でＭＲＴも30℃ということになる。風が少しあれば涼しい。ここをさらに涼しくできないだろうか。この全球熱画像を収録したときは、歩道は乾いていた。そして舗装面の表面温度は、気温より1℃ぐらい低かった。もしこの歩道が保水性舗装でできていて湿っていたとする。そして相対湿度は50％だったとすると、ここの表面温度はこのときの湿球温度22℃ぐらいまで下がる。もちろん、ここが日向でなく日影であることが条件だ。このようなときには、歩道を歩いていると、歩道面から放射冷却を受けることになる。

ちなみに、この蒸発冷却は、相対湿度が10％などのように低い砂漠地方の方が大きいのだが、蒸し暑い日本でも、日中は相対湿度が下がるため蒸発冷却が期待できる。日向に水をまいてもだめな理由だが、日向に水をまくと一瞬は表面温度は下がるが、すぐに元にもどってしまう。「焼け石に水」だ。日本の伝統文化である打ち水も、日が昇る前と日が落ちた後に水をまき、日中には行わない。

4　表面温度の日変化を可視化
——朝、昼、夜の熱画像を三原色（赤・緑・青）の加算混合で表示
——都市のヒートアイランド現象を抑制するにはどうしたら良いか

図1　NEXT21（大阪）

気温や表面温度は、天候によっても変わる。季節変化や日変化もある。ここでは、気温の日変化を可視化してみよう。

図1は普通の写真である。NEXT21《ネクスト》という大阪にある実験住宅で、外壁は鉄筋コンクリートの柱、梁とその間に熱容量の小さいパネルをはめ込んでいる。

夏の晴天日、朝、昼そして夜に、同じ位置で熱画像を収録して合成した（カラー口絵 図3―5）。おおまかに、いろいろな部位の表面温度の日変化の様子がわかる。朝、昼、夜とも相対的に高温なところは白色を示す。鉄筋コンクリートでできた柱、梁や舗装道路がこれにあたる。赤いところは昼のみ表面温度が高く、夕方から朝にかけてはずっと表面温度が下がるところである。そして、黒いところは一日中相対的に

表面温度が低いところで、緑葉がこれにあたる。今日のヒートアイランド現象は、夜から朝方にかけて表面温度が下がらず、熱帯夜になる。このための対策としては、熱容量の大きな部分を直接外に出さないことであることがわかる。現状のまちでは、この例よりも熱容量が大きい材料で覆われていることが多い。これらの画像から、ヒートアイランド現象を抑制するためのまちづくりの設計ディシプリンが見えてくるのではなかろうか。そして、空間形態や使用する材料を具体的に考えることになる。

5　江戸時代、江戸の下町にはヒートアイランド現象はあったのだろうか

今日、東京の夏の熱環境は、地球温暖化に加えて、ヒートアイランド現象で深刻である。では、江戸時代はどうだったのだろうか。過去の熱環境の様子を熱収支シミュレーション[*4]によって再現してみよう。図2は江戸時代の日本橋付近における町人たちの町の様子である。図3はその町人町の3D‐CADで、木造の建物が密集して、半間か一間半ぐらいの幅の路地空間があったことがわかる。建築史の研究成果で当時の町人町の空間形態や使用されていた材料、さらにはそこで町人たちがどのような生活をしていたかが明らかになっている。これらのデータを3D‐CADに立ち上げて熱収支シミュレーション（文献6、7）を行うことによって、すべての面の表面温度を非定常状態で求めた。カラー口絵 図3―6、3―7、3―8は、図3と同じところの夏季晴天日における11：45、16：30、19：00の表面温度分布である。なお、それぞれの時刻における上空の気温の値もカラーコードに示してある。こけらぶきの屋根の表面温度は日中65℃にも上昇するが、夕方から夜になると急激に下がる。夜間では、大気放射冷却によ

って、気温よりもはるかに低くなる。幅員の広い表道路は日が当たることで、日中の表面温度が上昇し、日射熱が蓄熱されて夜間でも高い値を保つ。しかし狭い路地空間ではあまり日射が当たらず表面温度も上がらないことがわかる。

図2　江戸時代の町人町の様子

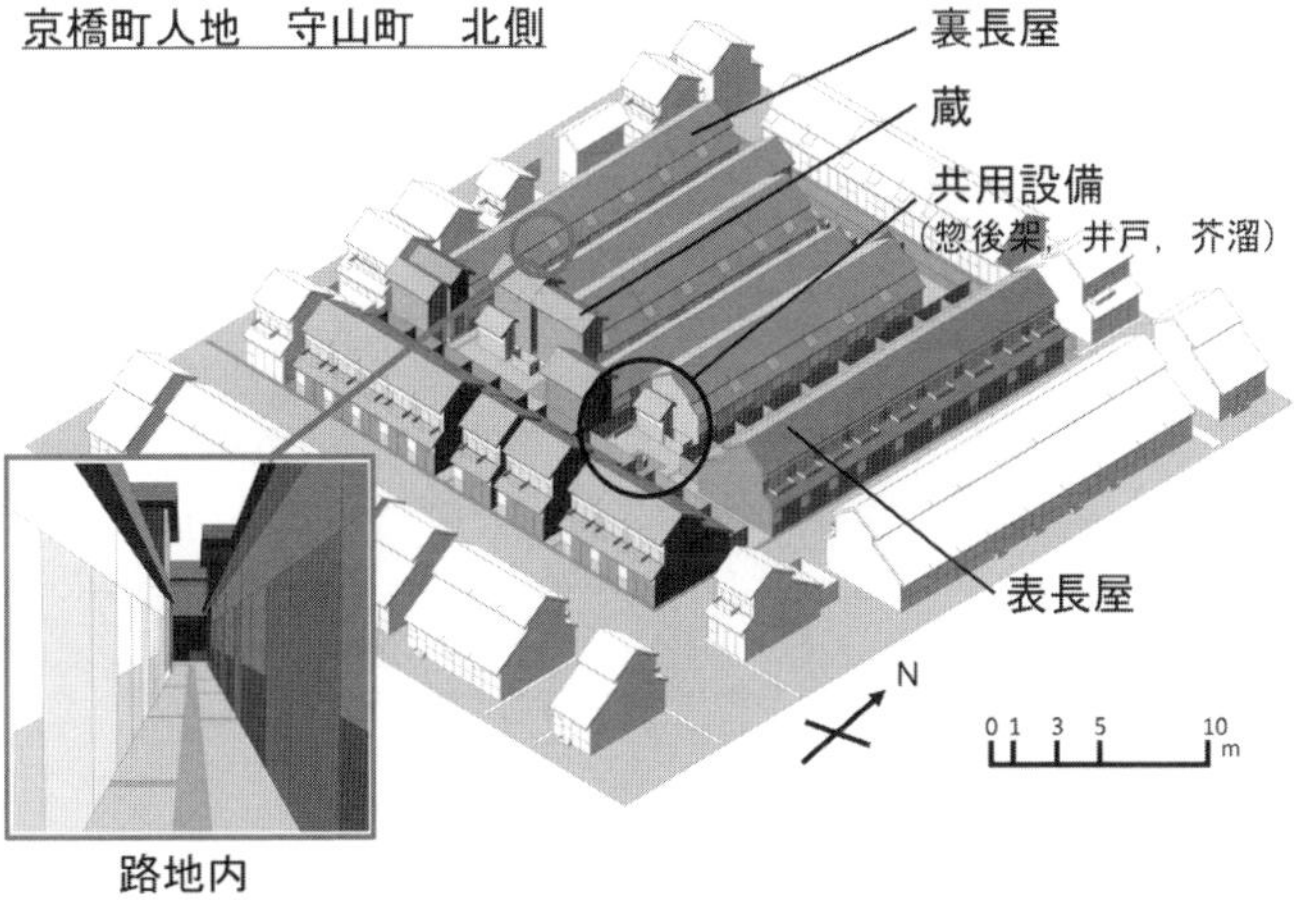

図3　対象地の3D－CADモデルと空間形態と使用されている材料の特徴

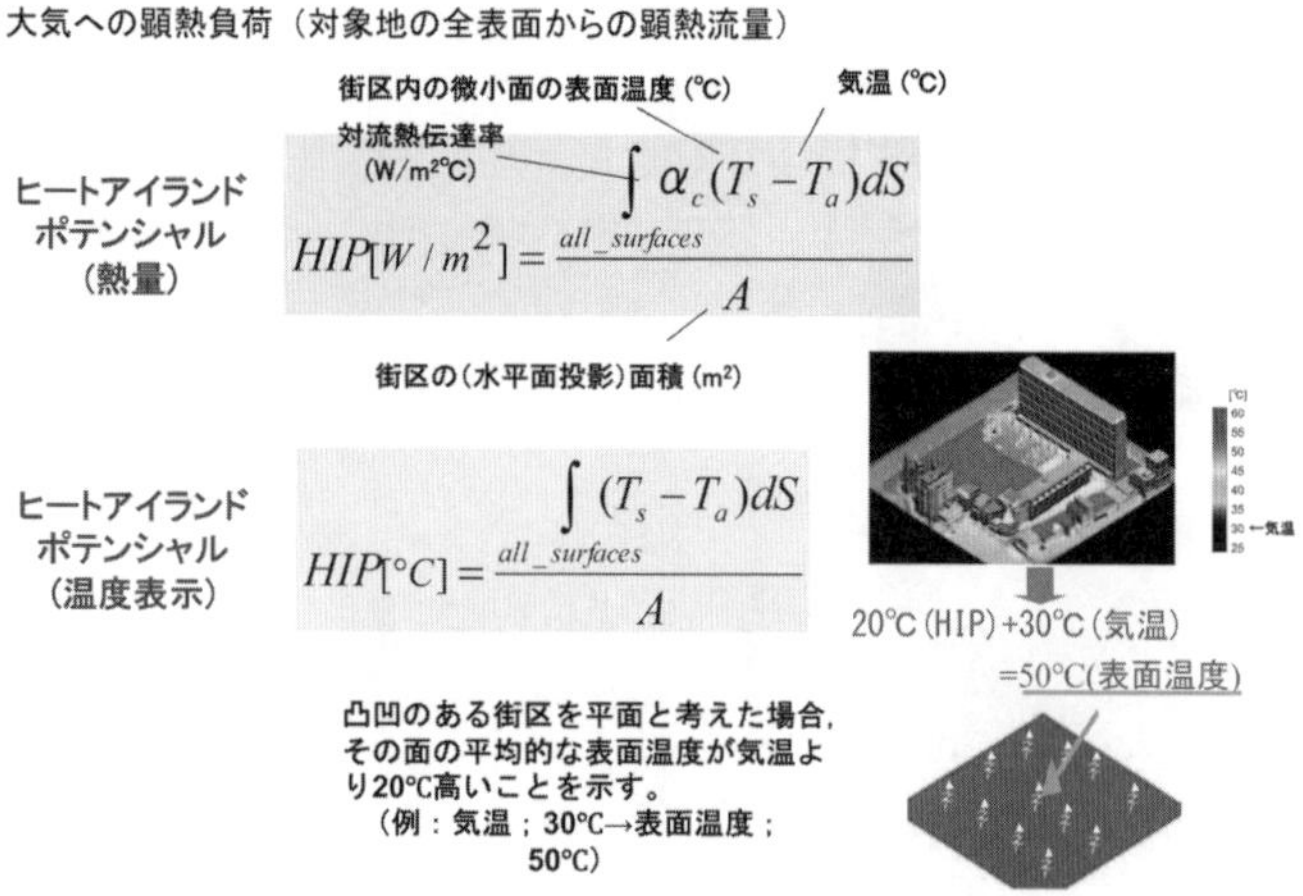

図４　指標としてのＨＩＰ －Heat Island Potential－

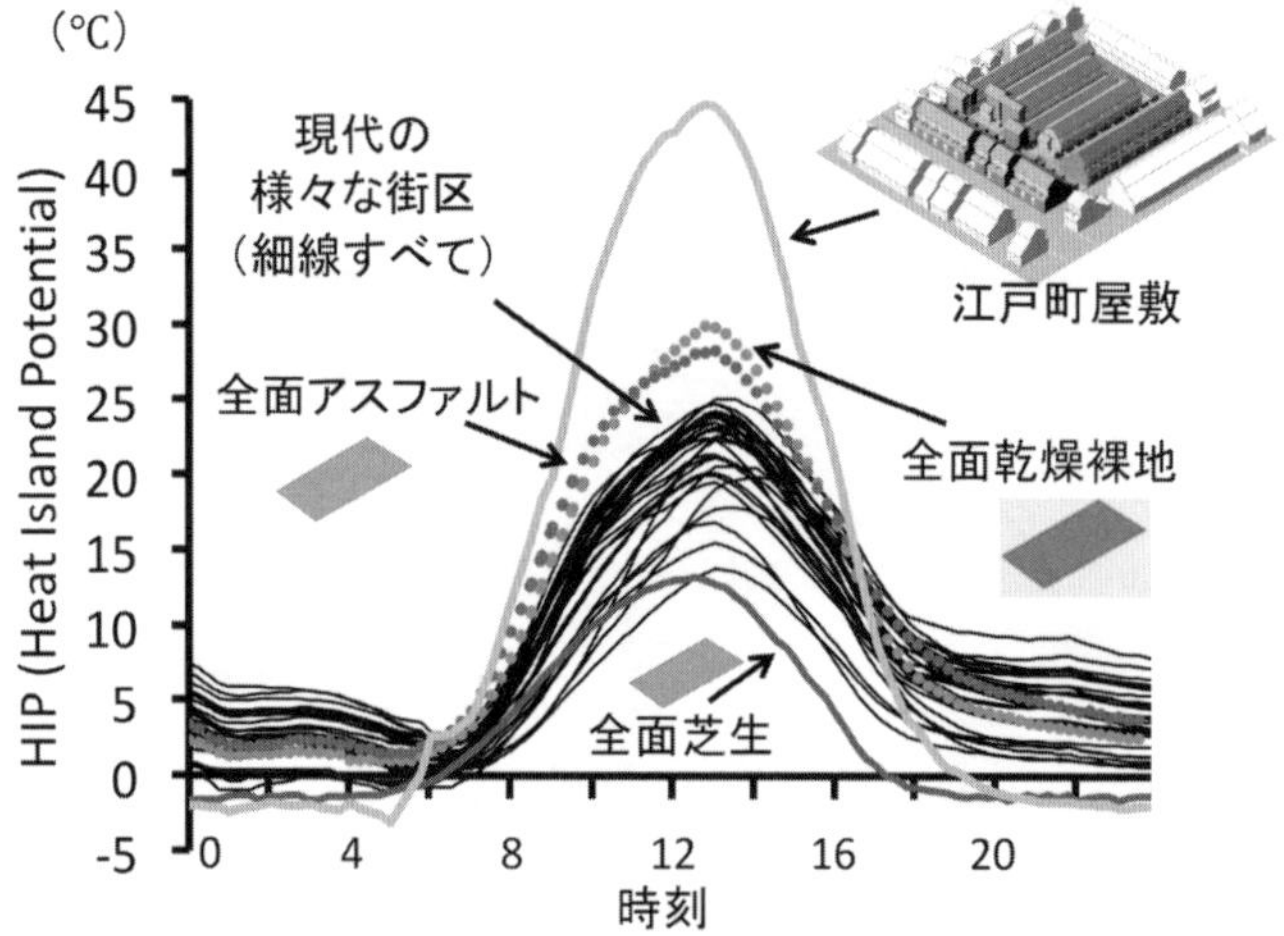

図５　江戸町屋敷のＨＩＰの日変化

熱収支計算で得られた結果から、ここのＨＩＰ[*5]（文献８）の値を求め（図４）、その日変化を示したのが、図５である。同図には比較のため、現代の様々な街区、全面舗装面、全面芝生のところも示してある。江戸の町人町は、日中は現代のまち以上にヒートアイランドを起こすが、夕方から夜間になると、全面芝生のところと同じくらい表面温度が下がり、熱帯夜は起こしにくいことがわかる（文献9〜12）。

　では、次に町人たちは、どこでどのような生活をしていたのだろうか。町人町の中で、路地、共用設備、表通りについて、各時刻における「MRT－気温」と、滞在者の関係をみてみた（カラー口絵 図3－9）。この図で赤いところはそこの気温よりMRTの値が高いところである。そこには人はいない。青い色、すなわちMRTの値が気温より低くなると人がでてくる。特に夕方は、路地、そして表通りに。前出の図2は路地空間などの様子を描いたものだが、この路地が生活空間であったのだろう。環境決定論をいっているわけではないが、部屋が狭かったとかで外に出ざるを得なかったということがあるのだろうが、町人たちは熱環境的には理にかなった生活をしていたと言える。

6　設計案の熱環境の予測・評価

　次は、逆に将来の予測・評価である。設計した案の熱環境はどうなるのか。今日では、設計者は設計した家の熱環境について、その根拠を示しながら説明しなければならない。設計案の3D－CADを作成し、これを入力して熱収支シミュレーションを行う。

　約一〇〇〇平方メートルの敷地に五軒の戸建て住宅を建設しようとした住宅地の開発を対象に、熱環境シミュレーションツールを用いて、五軒の配置計画や道路計画と同時に、植栽計画について検討した一例を示す。

　カラー口絵 図3－10の上図は、中央の舗装道路の周囲に五軒の住宅を配し、緑化をして、樹木の樹冠や樹高、樹木の配置を変更した三ケースの3D－CADモデルである。CASE1は比較のために緑化が全くされていない場合、CASE2は樹木で緑被率30％の緑化がされた場合、そして、CASE3は建物の屋根よりも高い大きな樹冠をもった樹木が植栽された場合である。

それぞれのケースにおける表面温度の算出結果を、住宅地全体の俯瞰と生活空間である中央の通路上に立ったときの各々の視点から、同図に示す。気象条件は、東京の夏の晴天日。住宅の室内気温は自然室温。建築部位、地面等の日射反射率、熱伝導抵抗、樹木の樹冠形状や樹冠の日射透過率などを入力している。

設計の初期段階で、高木をどのように植栽したらよいか、これらの画像をみながら議論できる。建築に関しては壁の方位や屋根の傾き、材料等による違いが、また樹木に関しては、配置・形状等による影響が表面温度分布に明確に表れている。例えば、樹木の樹冠が周囲にどのような日影をつくり、そこがどのような表面温度分布になるのかといったように、緑化の効果を視覚的に理解し、設計者と施主などとのあいだで積極的なコミュニケーションを図りながら、良質な生活環境を創造していくといったプロセスが有効であろう。

先に示したように、建築外部空間の熱的快適性の視点からは、地上の居住域高さ（地上一・五メートル）におけるMRT分布により、設計案の熱放射環境を評価する。カラー口絵 図3－11でわかるように、12:00において、敷地内では日向の舗装面と大きな樹冠下の日影空間などで、MRTに10℃程度の差が生じている。このようなMRTの違いは、熱的快適性にも大きく影響を及ぼす。屋外における居住者の生活空間を想定し、その空間のMRTを上昇させないような高木の種類や配置を考えることができる。

設計した住宅地が周辺の大気に及ぼす顕熱（温度が上昇下降する時に変化する熱）負荷については、HIPで評価する。図6は夏季・晴天日におけるHIPの日変化の算出結果である。高木の有無により、日中では最大で15℃以上HIPに差が生じている。

この差の意味するところは、次のように理解できる。この住宅地が周辺の大気に与える顕熱量は、正午頃は、表面温度が気温より26℃高い平坦な地表面と同等で、一面が平坦なアスファルト舗装面と同じくらい大気へ顕熱を放出していることを示している。ここに住宅の建物より高い大きな樹冠の樹木を植えると、正午のHIPは12℃となり、一面が平坦な芝生の面とほぼ同じとなる。夕方から夜間にかけては、CASE1及びCASE2よりはHIPを下げることができるものの、芝地よりも下げることはできず、2℃程度高い。日中は、両設計案のあいだには、アスファルト面と芝生面との差に相当する顕熱量の違いが生じているということであり、高木植栽の効果の大きいことが確認できる。

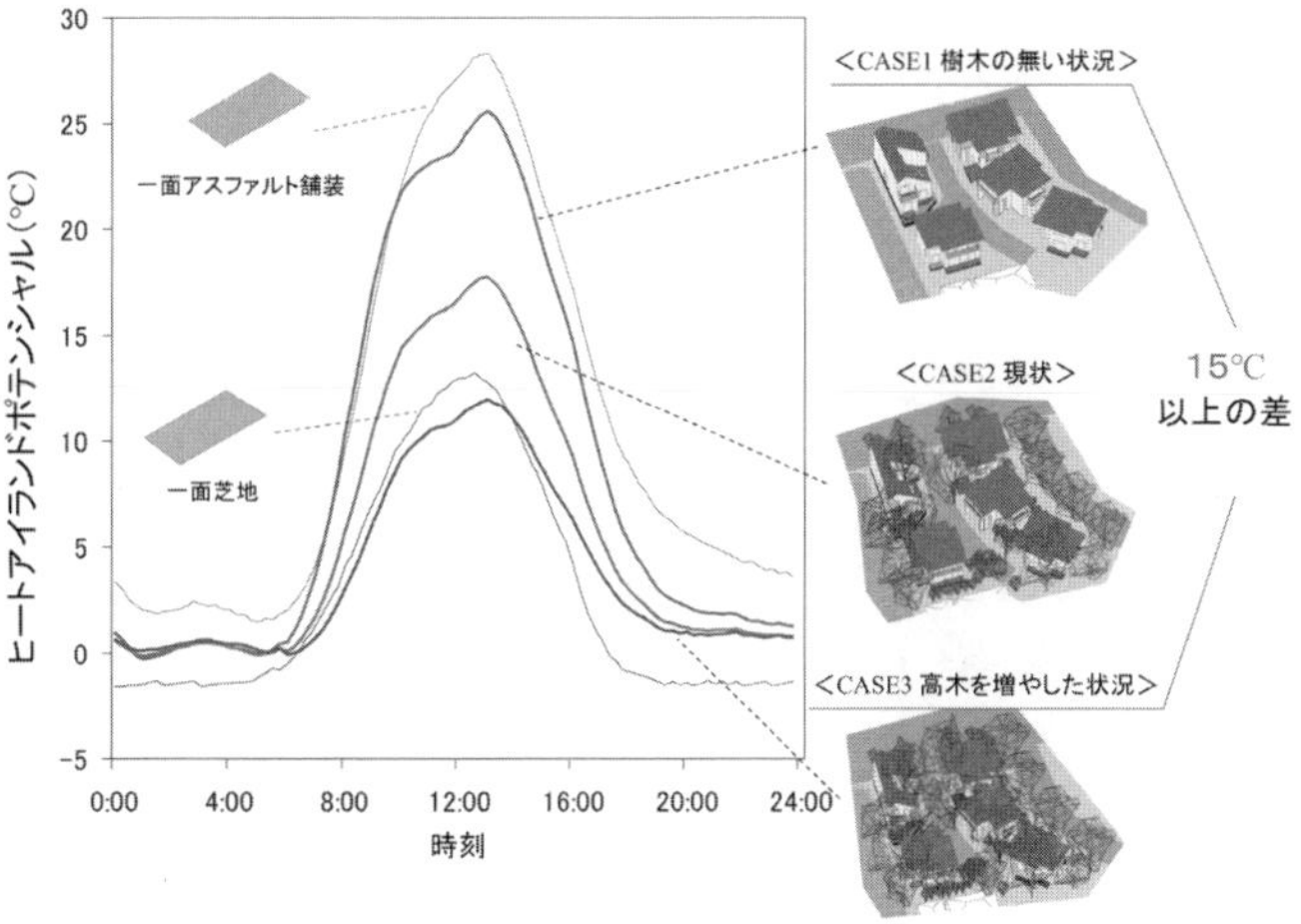

図6　大気への顕熱負荷　住宅地を緑化した場合の効果について

これまでの設計・計画は、道路・建物の配置や空間形

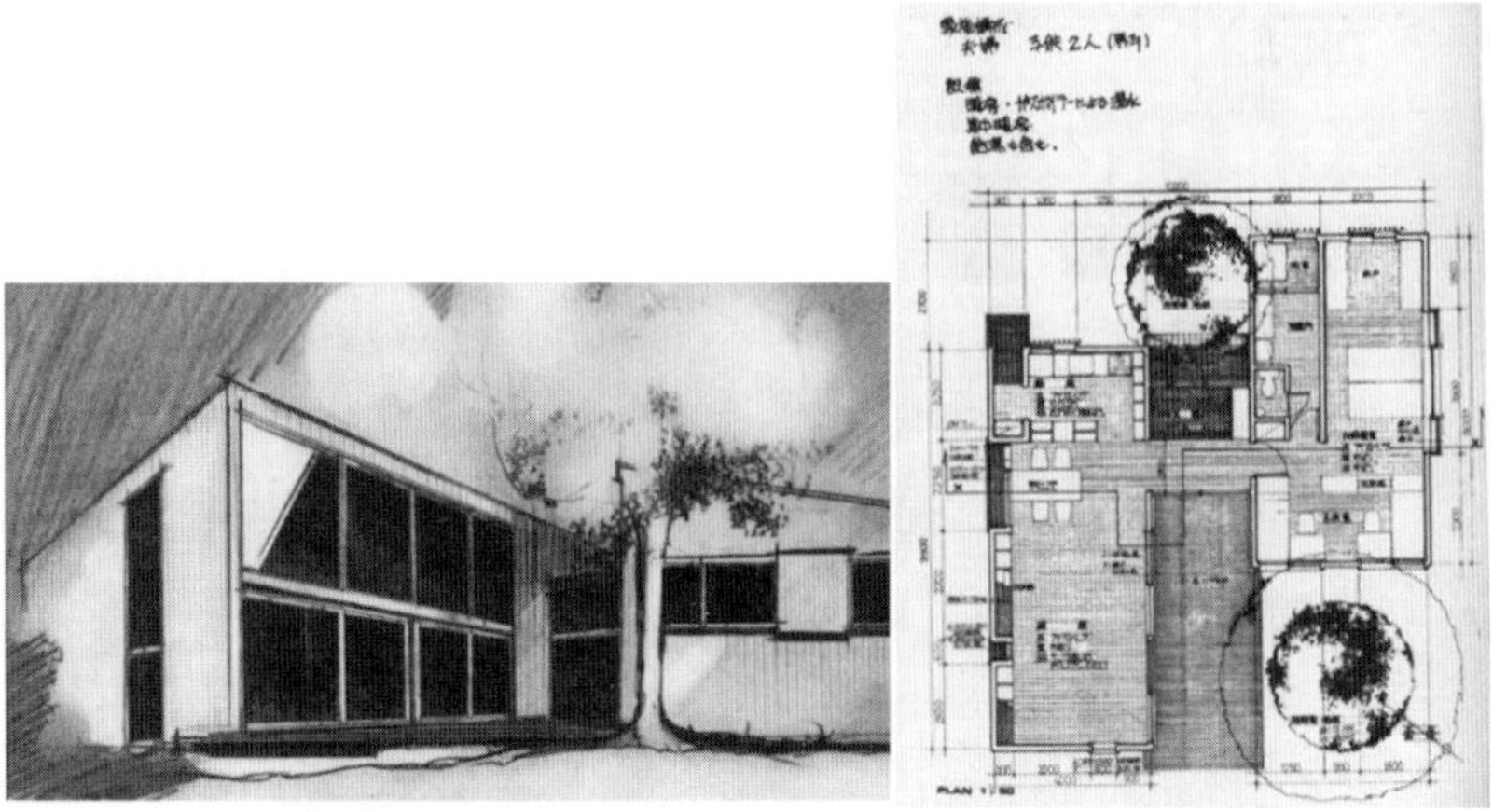

図7　あおぎりのある家 パース・図面

状といった点に主眼が置かれていた。以上の結果からも、熱環境設計では、植栽の配置や、ここでは扱っていないが、さらには、地面等の熱容量・保水性能といった材料の熱的性能を同時に考慮することの意義も示唆される。

図7は筆者が学生のころ住宅コンペに応募した設計案「あおぎりのある家」である（文献13、14）。五〇年近く前になる。当時は、同図のようにパースを描いたが、これを3D－CADで表現すると、熱収支シミュレーションに直接入力することにより、熱環境についてもいろいろなことが確認できる。夏と冬のあおぎりのメタモルフォーゼをみると、その結果はカラー口絵 図3－12のようになる。樹冠の日影は時々刻々と移動するが、樹冠形状のちがいも検討できる。

このように、設計者が自分自身で設計案について熱環境を確認するためにも、また、ここに住む人とのコミュニケーションツールとしても有効ではないかと考える。

7　可視画像を読み込むために

得られた研究成果をより理解してもらうために感性に訴えられる可視化に取り組んだが、可視画像を示しただけでは、なかなか、その画像を的確に読んでもらえない。熱画像の意図するところをより深く理解してもらうには、次の二つのことが重要であろう。

①熱画像について科学的な知識（伝熱学、放射の理論、暑さ寒さの感覚、そして可視化技術など）を修得する。

②実際にいろいろな熱環境を経験（五感による身体知を伴う）する。すなわち、熱環境に対する感性をみがく[*7]（文献15）。

正木晃先生が二〇二〇年七月二十九日の研究会でマンダラについて講義されたことが思い出される。

①マンダラは仏だの悟りの世界ではなく、そこに行きつくための方法を示している。

②形や色で感性に訴える（文字の読めない人もいるので）。

③暗いところでみることが多いので、原色を多用している。

そして、マンダラに心を入れ込んで、理解しようとしたこと。

注

＊1　都市には道路や多くの建築があり、建築の外の空間。まちのあり方を議論するときは、ここを生活空間としてとらえ設計することが重要であろう。芦原義信は『外部空間の構成／建築から都市へ』（文献1）で、建築外部空間と名づけている。芦原は主に景観の問題としてとらえているが、熱環境についても同様と考える。日向ぼっこ空間、夏のクールスポット（涼しいところ）など、まちの中で快適な生活空間として設計したい。近代の都市計画は、交通計画や土地利用計画など、機能性や効率を優先してきたきらいがある。また、建築の室内空間の快適性についても、いつでもどこでも調整できる方法を追求してきた。その結果都市の生活空間は、室内に限定されてしまっているとも言える。これからの都市生活を考える上で、この建築外部空間がキーワードになるのではなかろうか。

＊2　MRTは次式で求められる。$MRT=\Sigma\varphi i\cdot\theta si$〔MRT／平均放射温度（℃）、$\varphi i$／人体の位置から周囲の面iの形態係数、$\theta si$／面iの放射温度（℃）（放射率の小さい金属面のような場合を除いては、面を黒体とみなし、表面温度を用いることが多い）〕

＊3　普通の赤外線放射カメラの画角は30°前後である。私がある場所に立ったとき、周囲すべての面（4π）の表面温度がわかるように、周囲4πの熱画像が収録できる装置を開発した。得られたディジタルデータから二次元で表現したもの。ここでは全球熱画像は正距円筒図法で表現している。真上は天頂、真下は足元、そして中央は装置の地上からの高さ（人間の目の高さ一・五メートル）、横は周囲ぐるりと一周、三六〇度である。いろいろな図法で表現できる（文献2〜5）。

＊4　社会的な要請が強まってきている都市のヒートアイランド対策に向けた建築・都市の環境設計、及び都市再開発における環境アセスメントのためのツールとして開発したものであり、汎用建築3D‐CADと熱収支シミュレーションとを統合することで、建築設計者や環境コンサルタントが使用できる建築・都市熱環境の設計支援ツールである。

３Ｄ－ＣＡＤ上での表面温度の可視化は、設計者が自分の感性を確認できるとともに、環境行政担当者や一般市民との環境予測・評価のためのコミュニケーションツールとしても役立つ。このツールは、汎用パソコンと３Ｄ－ＣＡＤソフト上で動作するものであり、以下の技術により構成される。

①３Ｄ－ＣＡＤによる入力・モデリング

建築３Ｄ－ＣＡＤのVector worksを用いて入出力できるように開発した。これにより、建築設計者が３Ｄ－ＣＡＤ上で設計した1/100～1/500レベルの図面をもとに建築・都市熱環境の予測・評価を行うことができる。

②質点系伝熱モデル生成

材料や熱物性値等のデータベースと連動し、３Ｄ－ＣＡＤ上で作成されたまちのモデルを、自動で伝熱計算用の質点化が行われる技術を開発した

③熱収支シミュレーション

熱収支シミュレーション部分には、東京工業大学梅干野研究室が二十年にわたり開発してきた、まちの全ての面の表面温度を算出する屋外熱収支シミュレータと建物の熱負荷シミュレータを適用し、３Ｄ－ＣＡＤソフトと統合したシステムを開発した

④出力・ビジュアライゼーション

環境評価結果は、一般の人には理解困難なことが多い。そこで、まちの表面温度分布の計算結果などを、３Ｄ－ＣＡＤソフトのビジュアライゼーション機能により可視化表示することで、設計業務に携わる建築家、コンサルタントのみならず、行政担当者や一般市民にも分かりやすくプレゼンすることを可能にした

⑤設計者自身が建築デザインの熱環境改善効果を確認できるビジュアライゼーションシステム

⑥設計者等が評価できる定量的な結果の出力

まちが周囲に及ぼす熱的負荷の指標のひとつＨＩＰと、まちの生活空間の熱的快適性指標ＭＲＴを、設計者自身が容易に理解できる指標を用いて、定量的に評価することを可能とした。

＊5　環境共生の基本の一つは、敷地内の環境に配慮するだけでなく、開発行為によって周辺環境にできるだけ悪影響を与えないことである。そこで、対象地全体からの周辺環境への負荷を議論するための一つの指標として、大気を直接暖める要因である全表面からの顕熱負荷を、ＨＩＰで評価する（文献8）。

ＨＩＰは、開発等の対象となる敷地や街区が、周囲に及ぼす環境影響の指標として、ヒートアイランドを起こし得る度合いを評価するために筆者らが提案したものである。建物や地面など、全ての表面から発生する顕熱の敷地または街区の面積に対する割合として定義される。この指標は、図4の式で算出される。温度換算して算出することで、敷地や街区が平坦であると仮定したときに、その面が気温より何度上昇したかを示す。

＊6　白、灰、黒の明度のちがいのみで表現したグレースケールに対して、カラーで表現したスケール。いくつかのカラーコードが提案されているが、もっとも一般的なのは赤―だいだい―黄―うす緑―緑―青緑―青―紫で表されたものである。温度スケール、熱スケールと呼ばれることが多いが、特に熱に限ったスケールではない。赤は高温、青は低温、と人間の感性に訴えるのでこう呼ばれているのだろう。なお、全球熱画像におけるカラーコードは、周囲の表面温度と気温の関係を議論することが多いため、うす青と青の間か、黄色と緑色の間を気温の値としている。

＊7　提案されている多くの快適指標、暑さ指標（ＷＢＧＴ）、ＰＭＶ、ＳＥＴ＊などは、定常状態におけるもので、すっと風が吹いたときの涼しさなどのような非定常状態には適用できない。寺田寅彦も随筆の中で涼しさについて言及している。木の葉が風でゆれて、木漏れ日がチラチラと動くことなどを例にしている（文献15）。

文献

1　芦原義信『外部空間の構成／建築から都市へ』彰国社、一九六二年四月
2　梅干野晁、浅輪貴史、八代亮「3次元熱画像上における光線追跡法を用いた建築空間の表面温度分布画像の作成」、電気学会論文誌A（基礎・材料・共通部門誌）、平成二一年一一月号、pp.791-798 二〇〇九年
3　梅干野晁、小高典子「全球熱画像で見る様々な生活空間の熱放射環境」、日本赤外線学会、Volume20 No1「特集　環境と赤外線　Part2　環境の可視化2」、pp.8-9　二〇一〇年
4　梅干野晁、浅輪貴史「全球熱画像を用い、熱画像から表面温度画像へ」日本赤外線学会、Volume20 No1「特集　環境と赤外線　Part2　環境の可視化4」、pp.12-13　二〇一〇年
5　浅野耕一、梅干野晁、山田貴代、松永徹志「建築外部空間における熱環境解析のための3次元熱画像の作成方法」、日本建築学会環境系論文集、第五〇八号、pp.35-41　一九九八年
6　浅輪貴史、梅干野晁「屋外の空間形態と構成材料を考慮した伝熱シミュレーションモデルの開発」、日本建築学会環境系論文集、第五七八号、pp.47-54　二〇〇四年四月
7　梅干野晁、浅輪貴史、中大窪千晶「3D-CADと屋外熱環境シミュレーションを一体化した環境設計ツール」、日本建築学会技術報告集、第二〇号、pp.195-198　二〇〇四年一二月
8　Akinaru IINO, Akira HOYANO,「Development of a method to predict the heat Island potential using remote seusing and GISdata」, Energy and Buildings 23, pp.199-205
9　髙田眞人、村上暁信、梅干野晁「数値シミュレーションによる夏季熱環境を目的とした江戸町人屋敷の配置計画・空間形態・構成材料の再現――江戸時代後期の江戸町人地における居住者の生活行動を考慮した夏季熱環境の評価　その1」、日本建築学会環境系論文集、第七五巻、第六四八号、

pp.237-245　二〇一〇年二月

10　髙田眞人、村上暁信、梅干野晁「江戸および明治時代の史料にみられる江戸町屋敷居住者の夏季の滞在時間と環境調整行動――江戸時代後期の江戸町人地における居住者の生活行動を考慮した夏季熱環境の評価　その2」、日本建築学会環境系論文集、第七六巻、第六六一号、pp.307-316　二〇一一年三月

11　髙田眞人、梅干野晁「数値シミュレーションによる江戸町屋敷の空間特性と表面温度及び大気への顕熱負荷との関係の把握――江戸時代後期の江戸町人地における居住者の生活行動を考慮した夏季熱環境の評価　その3」、日本建築学会環境系論文集、第七八巻、第六九三号、pp.827-833　二〇一三年一一月

12　髙田眞人、梅干野晁「夏季熱放射環境にみる江戸町屋敷の屋外生活空間の特徴と居住者の滞在空間の評価――江戸時代後期の江戸町人地における居住者の生活行動を考慮した夏季熱環境の評価　その4」、日本建築学会環境系論文集、第八〇巻、第七一三号、pp.591-598　二〇一五年七月

13　梅干野晁「あおぎりのある家、伊藤忠不動産・住宅博参加作品　入選設計図案」、新住宅、三〇三号、pp.96-97　一九七二年八月

14　梅干野晁「あおぎりのある家、イトーピア河内長野・住宅博作品」、新住宅、三〇七号、pp.8-10　一九七二年一二月

15　寺田寅彦「涼味数題」、『寺田寅彦全集　第三巻』岩波書店、一九九七年五月

参考文献

梅干野晁『都市・建築の環境設計――熱環境を中心として』数理工学社、二〇一二年三月

梅干野晁「都市・建築の環境とエネルギー」放送大学教育振興会、二〇一四年三月

梅干野晁、中村恭志「環境の可視化——地球環境から生活環境まで」第二刷、放送大学教育振興会、二〇二〇年七月
梅干野晁、田中稲子「住まいの環境デザイン」第三刷、放送大学教育振興会、二〇二一年七月

第12章

科学と芸術をつなぐ多孔性モデル

——生態学的都市論から見た世界

田中 純

本章では、とくに建築・都市空間における「多孔性」の概念を主軸として、科学と芸術に共通する空間モデルを考察する。いち早く多孔性の概念を導入したヴァルター・ベンヤミンの都市論を佐々木正人らの生態心理学的な環境存在論と結びつけることで「生態学的都市論」の観点を提案し、ベンヤミンと同時代の多孔的建築物から現代の哲学・建築理論にいたるさまざまな実例を通して、科学と芸術をつなぐ多孔性モデルの理論的な可能性を提示する。

【生態心理学：ecological psychology】

本章においては、米国の心理学者ジェームズ・ジェローム・ギブソンによって創設された心理学の領域を指す。ギブソンによる航空機パイロットの視覚研究に発し、知覚を周辺環境から動物に与えられる「アフォーダンス」ととらえる、従来の知覚心理学とは異なる、直接知覚説を展開した。

【アフォーダンス：affordance】

ギブソンの生態心理学の概念で、環境がそこに生息する動物に与える（アフォードする）価値や意味を指す。アフォーダンスは環境の側にすでにあり、動物はそれを探索して獲得するのであって、動物の側が情報を処理して価値や意味を作り出すのではない。

【生態的ニッチ：ecological niche】

生態学の概念で、生物の個体群や種が占める、その生物特有の生息場所。餌や天敵などの捕食者との関係を含むより広い概念としては、生物種が自然界で占める地位を意味する。

【『パサージュ論』：Das Passagen-Werk】

ドイツの批評家ヴァルター・ベンヤミンが最晩年にいたるまで取り組んだ、一九世紀パリをめぐる都市論であり資本主義文化論、さらには歴史哲学的考察まで含む未完の大著。パサージュや博物館などの都市空間に関するメモをはじめとする膨大な引用と考察の断章群からなる。

【『千のプラトー』：Mille Plateaux】

フランスの哲学者ジル・ドゥルーズと精神分析家フェリックス・ガタリの共著（一九八〇）。政治・社会・文化・思想・科学・芸術といった諸領域を横断的に論じ、「平滑空間（滑らかな空間）／条里空間（区分された空間）」をはじめとする概念モデルにより、それらに通底する構造やダイナミズムを浮かび上がらせている。

1 「生態的ニッチ」を記述する「ダーウィン的方法」

チャールズ・ダーウィンは死の前年である一八八一年に『ミミズと土』として刊行された著作で、一八三〇年代後半から四〇年間にわたるミミズの観察記録を公にしている（ダーウィン一九九四）。それは食べた土をミミズが糞塊として地表に排泄することによって肥沃土を形成し、想像するよりもはるかに大規模に土壌を循環的に作り替え、ときには古代の建造物を埋没させたり、土地の侵蝕を行なっている事実を、定量的に実証しようとした研究だった。

生態心理学者・佐々木正人は著書『ダーウィン的方法』において、『ミミズと土』のなかでもとくに、ミミズが大地を掘って作ったトンネルの入り口を木の葉などを使って塞ぐ行為についての記述の仕方に注目している（佐々木二〇〇五：一二一－五六）。そこでダーウィンは、さまざまな種類の葉や実験用の紙片などをミミズが穴を塞ぐためにどのように利用したかを、ひたすら列挙するばかりなのである。佐々木は次のようにまとめている——

「ダーウィンの描く行動には、中心にあるべき当の行動が欠けている。しかし、言うまでもなく行動は、見捨てられたわけではない。ミミズの行動と分離して存在する環境に還元しつくされたわけではない。なぜなら彼が発見した物の性質は、穴ふさぎするミミズ以外には発見しようがない物の性質であり、そこにはミミズの行動、つまりミミズの身体の動きが、しっかりと埋め込まれている。ただし、その「身体」や「行動」は、ユクスキュルやローレンツの描いた動物のように確実な境界を結んでいないのである。〔中略〕ダーウィンは動物についてまったく新しい描き方を模索していた、と考えることにしよう。それをこれから「ダーウィン的方法」と呼ぶことにしよう。ダーウィン的方法とは、物をつくりだすことで、それをつくりあげた、いまはここにはない行動群を描くことを仕事にしている彫刻家の方法に似ている。」（佐々木二〇〇五：五五―五六）

ダーウィン的方法とは「物の具体を羅列する」記述法であり、ミミズの行為は「行為が識別し利用した物の性質の集合」として描き出されることになる。このような性質こそ、J・J・ギブソンの言う「アフォーダンス」にほかならない。佐々木は「ダーウィン的方法」を次のように言い換えている――「行為を、それが識別し、発見し、利用した周囲の物および環境の性質として、さらにそれらが複合する性質の集合として記述する」（佐々木二〇〇五：二九四―二九五）。このような性質すなわちアフォーダンスとは、「穴ふさぎするミミズ以外には発見しようがない物の性質」なのだから、視点を反転させれば、「ダーウィン的方法」による行為の記述は同時に、ある特定のレベルにおける環境の記述である。

この点について佐々木は次のように述べている――

「もし一言で言えば、それは、多数の行為でしか表現できない環境だろう。多数の行為を重ね示すことで、その「かたち」がふわりと浮上して見えてくるような周囲がある。ダーウィンはそういうレベルの周囲に気づいていた。もちろん一個だけの行為もそれには触れているのだが多くの行為を観察することでそれはよりあらわになる。」（佐々木二〇〇五：二九七）

多数の行為によって発見される環境の性質、すなわちアフォーダンスとは、ある動物個体群との関係のなかで現われる環境の特性であり、このような環境は種の「生態的ニッチ」と呼ばれる（リード二〇〇〇：八九）。「ダーウィン的方法」とは「生態的ニッチ」の記述法であると言えよう。

ヒトもまた、ほかの動物種とは異なる、独自の生態的ニッチに住んでいる。現生人類は環境内の「場所」を改変し、とりわけ機能分化した多数の場所を内部に含む、家や集落からなる群棲環境を作り上げてきた。そこには多様なアフォーダンス群が集中させられている。ヒトの思考は生態的ニッチに存在する基本的なアフォーダンス群の経験によって触発されている。それゆえに、エドワード・S・リードが説くように、特殊な場所やそれぞれの場所間の差異の創造がヒトの思考や行為のパターンにどのような影響を及ぼしてきたかという研究は、人類を理解するうえで決定的に重要なものとなる（リード二〇〇〇：二五二―二五八）。リードは、考古学や先史人類学、あるいは民俗誌と生態心理学との連携を通して、ヒトの生態的ニッチを浮き彫りにする分析を提唱している（リード二〇〇〇：二四一―二四二）。

都市とは現生人類の生態的ニッチに与えられた名である。とすれば、「ダーウィン的方法」によってこの生態的ニッチを記述する、いわば生態学的な都市論を構想することができるのではないか。それは、ダーウィンがミミズについて実践したように、群としての集団の行為が埋め込まれた多数の事物を列挙することでようやく触知できるようになる「生態的ニッチ」という都市環境の意味のレヴェルを、「ふわりと」浮かび上がらせることである。

2　環境存在論としてのベンヤミンの都市論

未完成に終わった『パサージュ論』の膨大な草稿でヴァルター・ベンヤミンは、一九世紀のパリを分析するために、パサージュ、街路、パノラマ館、博物館、万国博覧会などといった都市空間を「集団の夢の家」ととらえ、モードや広告、建築物から文学、芸術、ひいては政治にいたる文化・社会現象を、その夢との関連で解釈しようと試みた。その断章的構成には、行為を通してはじめて探られてゆく環境とヒトの個体群との関係性に向けられた、生態心理学を連想させずにはおかないまなざしが認められる。『パサージュ論』が目指した引用のモンタージュもまた、無数の行為の痕跡という具体を羅列するダーウィン的方法に通じている。

ベンヤミンが『パサージュ論』で行なおうとしたのは、一九世紀のパリに棲息した人間集団の経験を通して、パサージュをはじめとする人工の生態的ニッチが有していたアフォーダンスを「ふわりと」浮上させることだった。一種の二〇世紀都市論（パリ論）であるシュルレアリスム論でベンヤミンが用いている「身体空間」や「イメージ空間」といった、身体と環境の相互浸透を表わす概念にも同じことが言える（ベンヤミン一九九五：五一七―五一八）。そこで身体空間と等しいものとされるイメージ空間の「イメージ」とは、明確なかたちをもった「像」であると言うよりも、身体と空間とが密着して互いに互いを包み合う、そのインターフェイスをなす皮膚に似た界面を意味する（田中二〇〇七：一九五―二〇〇）。『パサージュ論』で「集団の夢」が語られるときにも、それは身体を包み込む空間性をともなっている。こうした点を考慮して、「イメージ」という言葉を言い換えるとすれば、それは身体との関係のなかではじめて見出されるような「環境」ではないか。つまり、「イメージ空間」とは「環境空間」、ないし、端的に言ってしまえば、ある種の「生態的ニッチ」ではないか。

その典型的なモデルがパリのパサージュにほかならない。そこでは薄汚れたガラスを通して差し込んでくる光が、四方を取り囲むショウウィンドーに乱反射して空間を満たしている。パサージュを満たすこの光を、ギブソンの「生態光学」の用語を使って「包囲光」と呼ぶことができよう。パサージュとは極めつきの「包囲光」の場なのである。この種の空間性への着眼それ自体に生態心理学との通底性を認めることができる（田中一九九六）。

『パサージュ論』に、ベンヤミンの「思想」ではなく、「ダーウィン的方法」に通じる生態学的都市論のための「ベンヤミン的方法」こそを読み取りたい。このベンヤミン的方法が位置するのは、ヒトや生物を取り囲んでいる環境の意味や価値を直接主題にした「環境存在論」の系譜と言えよう（染谷二〇〇七）。そこには生態心理学と共通する志向性がある。染谷昌義は、生物学的生態学の水準、生態心理学の水準、そして、社会的水準の三つの次元での「取り囲み」理論によって、社会や文化を含んだ環境存在論を展開する可能性を指摘している（染谷二〇〇七：九五—九七）。そのために要求される環境の観察・記述法としては、写真の利用のほか、今和次郎らの考現学を「環境の哲学」ととらえる視点が提起されている（佐々木正人との鼎談における齋藤暢人および染谷昌義の発言から。佐々木二〇〇七：一三〇—一三二）。筆者自身も、民俗学者・宮本常一の撮影した日本各地の膨大な景観写真を、この風土におけるヒトの生態的ニッチを探る実践として分析した（田中二〇〇七：三三四—三四四）。宮本は、人びとの無数の微細な行為が刻み込まれた景観の写真を羅列することによって、環境のアフォーダンス、その文化的な意味の地層を「ふわりと」浮上させているのである。

3　ベンヤミンのナポリ体験と多孔性

ベンヤミンが一九世紀パリをめぐる都市論の核をなす概念としてパサージュを発見するにあたって、その着想源となったのは一九二〇年代半ばにおけるナポリ体験だった。ベンヤミンはナポリ近海に浮かぶカプリ島でアーシャ・ラツィスと知り合い、彼女と二人でエッセイ「ナポリ」（一九二五）を執筆している。また、『パサージュ論』と同じく街路という都市空間を書物それ自体のモデルとした断章的エッセイ集『一方通行路』はこのラツィスに捧げられている。

カプリ島をヴァルター・ベンヤミンが訪れたのは一九二四年春である。彼のカプリ島滞在は同じ年の秋に及んだ。この滞在期間中、ベンヤミンは足繁くナポリに通っている。ベンヤミンとラツィスは「ナポリ」で、ナポリという都市の特徴をその「多孔性（Porosität）〔透過性〕」に見ている。ナポリの人々は岩盤自体に洞穴を掘り、商品倉庫や漁師酒場がそのなかに作られている。ナポリが多孔的であるとはまず第一に、このように自然と人工が相互に嵌入している事態を指す。

ナポリの「多孔性」はまた、私的空間と公的空間が峻別されるのではなく、共同体の生活がさまざまな流れとなって、私的空間を貫いているような性格にも表われている。仕事と休息、活動と睡眠、昼と夜、ざわめきと静けさといった、生活の対極をなす側面の相互浸透を可能にしているのが、こうした多孔性である。さらにまた、この都市の片隅では、「どこでまだ建築が続けられているのか、どこですでに崩壊が始まっているのか、ほとんど見分けがつかない」（ベンヤミン一九九七：一五〇）。ナポリの多孔性がここで、建造と破壊が区別できなくなる「動的平衡」の状態と結びつけられ、「生命」に通じる性格を帯びている点に注目しなければならない（田中二〇一〇：二二七—二三三）。その意味でベンヤミンとラツィスは、都市に「生命」を与える何かをこの町の多孔性に見出したと言えるだろう。

ドイツ語のPorositätは「通路」を意味するギリシア語の「ポロス」に由来する。先述の通り、ベンヤミンはのちに、著書『一方通行路』をラツィスに捧げた。さらにまた、一九世紀パリの多孔性として発見されることになったのがパサージュであったと言ってよいだろう。ベンヤミンはナポリ体験を通じて、多孔性を都市環境分析の鍵となる空間的モデルとして見出したのであり、『パサージュ論』にいたる都市をめぐるベンヤミンの思想は「多孔性の学」ととらえられる。こうした点でベンヤミンのナポリ体験は、都市をめぐる一種の「環境存在論」に向けた空間モデル、トポロジカルなモデル発見の契機であったと見なしうる。言い換えれば、『パサージュ論』をはじめとする「ベンヤミン的方法」によって浮かび上がる都市環境の意味のレヴェルは、環境存在論の言う「取り囲み」の基本構造にあたる空間モデルとして、多孔空間を形成しているのである。

4　ジルベール・クラヴェルの多孔的「冥府の建築」

ベンヤミンの多孔性概念を産み落とした、一九二〇年代におけるナポリを中心とする南イタリアの環境そのものに注目してみたい。そこでとくに重要な場所となるのがポジターノの町である。ベンヤミンやその友人のジークフリート・クラカウアーは、同時代にこの土地に造られていた多孔的な巌窟住居の

「建築家」に注目していた。一時期イタリア未来派の活動に参加したことで知られるバーゼル出身の作家ジルベール・クラヴェルである（田中二〇一二）。クラカウアーはベンヤミンたちのナポリ論と同じ一九二五年に「ポジターノの岩石妄想」というエッセイを書いているが、この「岩石妄想」とは、クラヴェルがポジターノの岬に築いた独特な建築物を形容した言葉であった。ベンヤミンもクラヴェルについて小文を残しており、おそらくこの建築のことを知っていた。

一八八三年に染色工業を営む裕福な家に生まれたクラヴェルは、結核を患い、脊柱後弯で、終生病弱だった。そのため一九一〇年から、カプリ島のアナカプリで療養生活を始めている。このころ、クラヴェルはポジターノの岬に残る、かつてイスラム教徒の襲来を見張るために建てられた朽ち果てた監視塔を買い取っている。この監視塔がまず再建され、窓や扉が取り付けられて、一九二〇年にはそこに住むことができるようになった。このクラヴェルは雇い入れた労働者たちの手を借りて、毎日岩壁に通路を穿《うが》ち、居室を刳《く》り貫《ぬ》いていった。こうして岩壁には四層に及び一〇八メートルの長さに達する建築複合体が築かれてゆく。落盤をはじめとする数々の困難を抱えながら、羅針盤や占い棒を用いて地中の空洞が探られ、あらたな地下通路が掘られるとともに、既存の回廊や部屋が拡張されて相互に連結されていった。クラヴェルはいわば多孔的な建築を独りで企て、実現していったのである。

クラヴェルは最晩年に友人に宛てた手紙でこの空間を「冥府の建築」と呼んでいる。この過激で極端な多孔性の建築には、ベンヤミンたちを触発し魅了したナポリやポジターノの呪縛力の秘密が隠されている。この呪縛力は南イタリアの都市および自然環境が生態的ニッチとして備えていた特性にほかならない。

「冥府の建築家」クラヴェルにおいてとくに顕在化するのは、幼少期から死にいたるまで彼の肉体を蝕んだ（「坑道を掘るように」とクラヴェルは形容している）結核やそれに付随する病との闘いが、ポジターノの岩壁に地下住居を穿つ激しい穿孔衝動と密接に関連していた事実である（田中二〇一二：四五一－四五五）。多孔性に生命を見ることは身体を多孔的なものととらえる視点に通じる。環境という界面によって空間と融合したクラヴェルの身体にとって、岩盤を穿つことによる多孔空間の形成は、自分の身体に「坑道を掘る」病を凌駕しようとする、環境へと拡張された身体の改造であった。

クラヴェルの城は、孤独のうちに築かれた、きわめて特殊な生態学的環境であるには違いない。だが、そこに働いている環境的想像力には、古代や先史時代に根ざすと同時にきわめて現代的でもある、人類学的——いや、さらにミミズにまで遡るような生物学的・生命史的——厚みが認められるのである。

5　現代における多孔性モデル

本節では、ベンヤミンの環境存在論やクラヴェルの多孔的地下迷宮の実例を踏まえ、いくつかの具体例を通じて、科学と芸術に通底する「多孔性モデル」の射程を探りたい。生物学的生態学や生態心理学的水準、そして、社会・文化的水準までも包摂する環境空間のモデル化としては、『千のプラトー』におけるドゥルーズ／ガタリの「平滑空間（滑らかな空間）」と「条里空間（区分された空間）」との対立の構図がある。この対立は遊牧民空間と定住民空間、戦争機械が展開する空間と国家装置によって設定される空間といった対概念に変奏されてゆく。注目すべきことに、多孔空間はそこで、遊牧民と定住民のどちらにも属さない鍛冶師や冶金術に結びつけられているのだが（ドゥルーズ＋ガタリ一九九四：四六九－四七〇）、多孔化は条里空間を平滑空間化するプロセスであり、多孔空間とは基本的に平滑空間へと向かう一段階ととらえられる。その点は、平滑空間に与えられた数学上の定義が、マンデルブロのフラクタル図形、とくに「メンガーのスポンジ」のような極限的な多孔空間であることに表われている（ドゥルーズ＋ガタリ一九九四：五四四）。

他方、建築家スティーヴン・ホールは、建築・都市・ランドスケープの一体化を目指すために、「ルミノシティ（luminosity）」と「ポロシティ（porosity）」、すなわち「光」と「多孔性」を鍵概念として、「メンガーのスポンジ」を科学的モデルとした建築の多孔性を追求している。代表作であるマサチューセッツ工科大学シモンズ・ホールについて彼は、都市が過密化し構造が高層化されるにつれ、「ポロシティは、より活力に満ち、より多様化したアーバニズムにとっての目的となる」と述べ、マサチューセッツ工科大学では「構造および皮膜、窓のシステムがすべて融合させられることにより、建物全体が多孔性の皮膜と化す」と主張している（ホール二〇〇六：三五）。

糸永・デルクール光代によれば、フランスにおいて近年、「ポロジテ（Porosité）」は都市計画や建築デザインのみならず、人材マネージメント、マーケティング、銀行・金融分野、飲食業界で使用される一種の流行概念になっているという。それが具体的に意味するのは、従業員間の流動性・コミュニケーション促進、顧客への商品製造過程の開示、店舗デザインによる銀行業務の透明化、厨房作業が見えるレストランなどである。糸永は「デジタル化、グローバル化の影響があり、境界の一部解放による人間関係の変化、そして境界は保ちつつも相互間の繋がり、やり取りが可視化している」（糸永二〇一九：三三九）と指摘している。

糸永も触れているように、デジタル化とグローバル化、とくにネット環境の遍在化にともなう現実空間と仮想空間との相互嵌入が、多孔的な空間表象を身近でアクチュアルなものにしている。建築や都市計画における多孔性が——ホールの場合のように——ともすれば字義通りの実現（多数の不規則な開口部）へ向かいがちであるのに対して、いまやそれ以上に求められるのは、リアルな空間とヴァーチュアルな空間とが無数の場で相互に貫通し合い、スマートフォンの画面をはじめとする両者の界面がおびただしく散在している状態そのものの多孔性を可視的に記述する方法ではないだろうか。

多孔性や多孔空間（平滑空間）といった概念は、建築や都市という環境の意味や価値を発見するための装置になりうる。生態学的都市論を構想するうえでは、「環境の哲学」「環境の美学」における空間記述の基本単位として、こうした概念を鍛え上げることが必要であろう。そのための手がかりとして、先の糸永のエッセイが掲載された編著における稲賀繁美の着眼に注目したい。稲賀は「〈うつわ〉による運搬すなわち〈うつし〉を鍵言葉として、多文化間の文化伝播における接触と変成の実相を、学際的かつ多角的に分析する」（稲賀二〇一九：（二））ことを目的とした論集に、「《枠組》と選択的透過性——「バケツ理論」から「ザル理論」へ」と題したセクションを設けている。それは、ジャック・デリダの哲学における「作品（エルゴン）」と「作品の外部（パレルゴン）」との交渉をめぐる議論を、情報工学のほか、分子生物学における免疫系の定義、細胞膜の選択的透過性、多孔性物質のナノ次元表面における情報授受に関する議論と接続しようとする研究構想にもとづくものである。

「作品（エルゴン）」と「作品の外部（パレルゴン）」との関係が優れて芸術学的な問題であるように、

こうした研究構想は芸術学と科学・工学とを連携させ、自然についてのモデルと芸術作品についてのモデルとを通底させようとする試みである。多孔性はそのような構想のうちに位置づけられうる。この概念を組み込んだ理論的モデルとしての「ザル理論」をビーヴァーの生態的ニッチと関連づけた稲賀のテクストを引用しよう――

「ここでビーヴァーのダムに戻ってみよう。木材を編んだダムは、この齧歯類が樹木を歯で切り倒し、それを素材に拵えた生態系ネットワークだった。その網の目は水流を完全には堰き止めず、あくまでダムの水量と流れだす流量とを適当に調節することを任務とする。ダムの木材のほうに実体を見るか、それともそこに貯蔵されつつ絶えず流出する水の側に実体を見るべきなのか。だがそのいずれも、ビーヴァーの営みを正確に理解したものとは言えまい。

器と内容といった発想は、ビーヴァーのダムを理解するモデルとしては、不適切である。かつてその不適切さを科学哲学者のカール・ポパーは「バケツ理論」と揶揄したはずだ。それに代わって、ここでは「ザル理論」を提唱してみたい。〔中略〕知識一般の形状、さらに知識の移転を語る場合、我々は無意識のうちにバケツ状のモデルに頼りがちだ。むしろネットワーク、ウェッブという比喩の可能性をさらに突き詰める必要がありはしないか。それもネットを形成する素材にばかり注目するのではなく、むしろネットの穴、ウェッブの隙間に注目したい。」（稲賀二〇一九：一二九）

ビーヴァーの「生態系ネットワーク」すなわち生態的ニッチをとらえるにあたって、「ダムの木材」（物理的建築）や「貯蔵・流出する水」（情報のフロー）のいずれか一方だけを実体とするのではない見方とは、木材と水の関係性を織りなす要である「ネットの穴、ウェッブの隙間」、すなわち多孔性による

「選択的透過性」への注目を意味する。ヒトの生態的ニッチである建築・都市計画における選択的透過性については、コロナ禍で人的移動が極度に制限され、デジタル・ネットワークによる情報のフローが拡散と量的拡大を遂げている現在、ヒトの生態系における最重要な要素である「知識一般の形状、さらに知識の移転」がどう再編成されつつあるのか、あるべきなのか、つまり、リアルな空間とヴァーチュアルな空間を多孔的に総合した「建築・都市計画」は今後どのような形態を取りうるのか、といった点が問題になるように思われる。

「多孔性」とはこのように、人類学的・生物学的・生命史的厚みをもつ科学的かつ芸術的モデルであると同時に、情報空間が人類の生態的ニッチの一部となった現代社会を生態学的都市論の視座から分析・編成するための重要な手がかりとなる概念なのである。

※本章の内容は田中（二〇一五）を大きく改稿したものであることを付記する。

参照文献

ヴァルター・ベンヤミン「シュルレアリスム——ヨーロッパ知識人の最新のスナップショット」、『ベンヤミン・コレクション1　近代の意味』浅井健二郎編訳、ちくま学芸文庫、五一七—五一八頁、一九九五年
ヴァルター・ベンヤミン＋アーシャ・ラツィス「ナポリ」、『ベンヤミン・コレクション3　記憶への

旅』浅井健二郎編訳、ちくま学芸文庫、一四三―一六二頁、一九九七年
チャールズ・ダーウィン『ミミズと土』渡辺弘之訳、平凡社ライブラリー、一九九四年
ジル・ドゥルーズ＋フェリックス・ガタリ『千のプラトー』宇野邦一ほか訳、河出書房新社、一九九四年
スティーヴン・ホール『ルミノシティ／ポロシティ』TOTO出版、二〇〇六年
稲賀繁美編『映しと移ろい――文化伝播の器と蝕変の実相』花鳥社、二〇一九年
糸永・デルクール光代「Porosity　ポロジテ」稲賀（二〇一九）、三三五―三四六頁、二〇一九年
エドワード・S・リード『アフォーダンスの心理学――生態心理学への道』佐々木正人監修、細田直哉訳、新曜社、二〇〇〇年
佐々木正人『ダーウィン的方法――運動からアフォーダンスへ』岩波書店、二〇〇五年
佐々木正人編『包まれるヒト――〈環境〉の存在論』岩波書店、二〇〇七年
染谷昌義「「認識」の哲学から「環境」の哲学へ」佐々木（二〇〇七）、七七―一〇三頁、二〇〇七年
田中純「夢のトポロジー――パサージュの襞」『建築文化』第五一巻第五九五号、一〇〇―一〇五頁、一九九六年
田中純『都市の詩学――場所の記憶と徴候』東京大学出版会、二〇〇七年
田中純『政治の美学――権力と表象』東京大学出版会、二〇〇八年
田中純『イメージの自然史――天使から貝殻まで』羽鳥書店、二〇一〇年
田中純『冥府の建築家――ジルベール・クラヴェル伝』みすず書房、二〇一二年
田中純「生態学的都市論のために――「ベンヤミン的方法」と多孔性」石田英敬、吉見俊哉、マイク・フェザーストーン編『デジタル・スタディーズ3　メディア都市』東京大学出版会、六一―八二頁、二〇一五年

おすすめ本

佐々木正人『レイアウトの法則——アートとアフォーダンス』春秋社、二〇〇三年

▽環境の与えるアフォーダンスを「レイアウト」という観点から考察した論考および写真家・建築家・デザイナーらとの対談からなる書物。アートと生態心理学の接点を具体的に知ることができる。

坂本泰宏・田中純・竹峰義和編『イメージ学の現在——ヴァールブルクから神経系イメージ学へ』東京大学出版会、二〇一九年

▽ドイツ語圏のイメージ学（Bildwissenschaft）の最新動向のほか、比較美術史から写真・アニメーション研究、メディア論にいたる論文を集成した論集。「イメージ」をめぐって科学と芸術が深く関わり合う研究領域が一望できる。

第13章

庭園芸術が問う技術時代の総合芸術

後藤文子

様式問題を一つの重要な基礎とする一九世紀以来の美術史研究の伝統において、長らく庭園芸術は、人間の手になる造形物としての建築に付随するものと位置づけられてきた。しかし芸術の規範である様式そのものがもはや成立しなくなった近・現代にあって、庭園芸術それ自体が、実は、新しい庭園の創出を模索する営みを通して、芸術にとってそれがもつ本質的な意義を問いかけていた。本稿ではこの問題を近代のデザイン問題として検討する。

【デザイン】

「デザイン（design）」という概念は、「示す、指示する、計画する、構想する」を意味するラテン語 designare に由来する。イタリア語の「構想する（disegnare）」、フランス語の「線描する（dessiner）」、あるいは英語の「素描する（draw）」と同類の言葉であることから、デザインは、物事に線で輪郭を与え、明確にすることを本義とする。本稿ではこうした基本理解を前提としたうえで、近・現代芸術の展開を考えるための、さらなるその意義を検討する。

【バウハウス】

ヴァイマル大公立工芸学校を前身として、一九一九年四月一二日にドイツ、チューリンゲン州の都市ヴァイマルで開校した造形デザイン学校である。初代校長を建築家グローピウスが務め、ファイニンガー、クレー、カンディンスキー、イッテン、モホイ・ナジらを教師陣として擁した。一九二三年には「芸術と技術：新たな統一」を新たな目標に掲げ、初期の表現主義的傾向から、合理主義・機能主義を重視する体制へと舵が切られた。本稿で扱うヴィヒマンの改革案は、この方向転換後の出来事である。政治的確執からデッサウ、ベルリンへの移転を経験した後、一九三三年にナチスによって閉校された。

【改革庭園】

一九〇〇年頃にドイツで登場する。従来の歴史主義的庭園を否定し、庭園に植栽される植物本来の有機体的特性を重視して環境や建築と植物との相互作用による感性的で自然的な環境空間の創出を目指した庭園改革の動向である。近代庭園史においてこの呼称は、そうした近代の庭園改革に対する、いわば時代概念としての総称と理解して差し支えない。

近代・現代の芸術にとって庭園芸術はどのような意義をもつか。この問いについて考えようとするとき、遡って両大戦間期のドイツにおける庭園芸術をめぐる或る「挫折」の経験を想起しないわけにはゆかない。一九二四年七月八日、若手の造園建築家ハインツ・ヴィヒマン（Heinz [Heinrich] Wichmann, 一八九八―一九六二）がヴァイマル・バウハウス内での「造園建築家（Gartenarchitekt）」養成コース新設を目指して三頁からなる文書をもって当局に提議したプロジェクト「造園展示場連携による庭園芸術専門職の新たな専門教育の可能性」（以下、「設置案」）がそれである。[*1] 一見、このプロジェクトの挫折は、二〇世紀デザインを先導したバウハウスにおいてそれが実現に至らなかった、結果としての「失策」を意味するが、ではなぜそれは「失策」に終始したのかを問うことが、逆説的に庭園芸術の、近代・現代の芸術にとっての意義を浮かび上がらせるのではないか。これが本稿の関心事である。[*2] 考察に当たっては、「デザインとは何か」との問いかけを通して庭園芸術の近代的な特性を再考する。

1　デザインをめぐる「関係」の組み替え――近代庭園の挑戦

近代の実験的な造形デザイン学校として一九一九年四月にヴァイマルで設立されたバウハウスは、初代校長の建築家ヴァルター・グローピウス（Walter Gropius, 一八八三―一九六九）が起草した四頁からなるリーフレット『州立ヴァイマル・バウハウス設立マニフェスト／プログラム』（奥付一九一九年四月。以下、『マニフェスト』もしくは『プログラム』）の前半『マニフェスト』部分において、個々に専門化し、互いに分断されてしまった諸芸術を再び統合する重要性を次のように宣言した。[*3]

「すべての造形活動の最終目標は建造（Bau）であり、〔中略〕建築家、画家、彫刻家は、手工作に立ち返り、手工作者と芸術家を分け隔てせず、建築と彫刻と絵画をふたたび一つの形態として統合すべきである。」（Gropius, Walter 1919: o. S.〔ページ番号なし〕）

このマニフェストを象徴的に視覚化してリーフレット表紙を飾った画家ライオネル・ファイニンガーによる木版画《大聖堂》（一九一九年）が、三つ星を尖塔に頂くゴシック聖堂を力強く表現し、それぞれの星によって象徴される建築と彫刻と絵画が一つの形態をなす新しい建築こそバウハウスの最終目標であるとのメッセージを広く知らしめたことは、周知の通りである。そしてそのような『マニフェスト』を手がかりに、従来、バウハウス論の常套的な解釈は、ここで中世のゴシック聖堂が象徴する「建造」をあくまでも彫刻や絵画など人工的造形物との相関のうちに位置づけてきた。

だが、そもそも理念的な「建造」を具現化した「建築（Architektur）」とは、本質的に「人間と自然」の境界として両者を接合する営みではなかったか。このことを想起し、そのうえであらためて庭園芸術研究の側から『マニフェスト』を捉え直してみると、そこで宣言されたバウハウスの基本理念においては「建築」が人工的造形物との相関に位置づけられてはいても、本来その営みの根本に関わる「自然」の相関としては問われていないことに気づかされる。つまり、そうした視座そのものが設立当時のバウハウスにおいては理念的に準備されていなかったのではと問わずにはいられない。無論、リーフレットの後半部分をなす『プログラム』には、バウハウスの学生が研鑽を積むべき（一）手工作、（二）素描―絵画、（三）科学―理論のうち、（二）素描―絵画に関わる具体的な課題として「風景、人物、植物、静物の素描及び描画」や「建築外観、庭園建築、屋内建築」が明記され、植物や庭園建築といった自然に纏わる対象が言及されてはいる。[*4] しかしこれらはあくまでも素描・絵画が扱う対象を念頭に置いた言及であり、バウハウスが目指した「建築」との相関をなす「自然」への関心とは言い難い。こうした観点からも、本稿がまず注目する一九二四年夏のヴィヒマンによる提議は、管見の限り、バウハウスの全時代（ヴァイマル、デッサウ、ベルリン）を通して同校の内部で自然に深く関わる当代の庭園芸術が真っ向から議論の俎上に載せられた唯一の機会としてきわめて重要である。

さて、基礎課程と造園活動のためのユニークな実践課程から成る二年間の独自養成プログラムを具体的に提議したヴィヒマンのプロジェクトだが、従来のバウハウス研究がまさにそうであるように、それをあくまでもバウハウスという組織内部の一つの出来事と見なす立場に立てば、「失策」の主たる原因はもっぱら一九二四年当時のバウハウスが直面していたチューリンゲン州との深刻な政治的確執や財政危機に帰せられ、終始するだろう。彼の文書がバウハウス当局に提出された直後、それは七月一六日付でマイスターに回覧され、文書を手にしたカンディンスキー、クレー、シュレンマーらが概ね好意的な了承を自筆コメントとともに回覧文書に記入しているにもかかわらず、[*5] 実際にはこれ以降、このプロジェクトがバウハウスでさらに議論されることはなく、実現には至っていない。こうした事態を視野に、従来の研究はヴィヒマンの「設置案」をいわばバウハウス内部の制度改革問題と捉え、同校を取り巻く政治や経済など外的要因との関係からその失敗を説明してきたのである。結果的に、「設置案」と先の回覧記録については、管見の限り唯一建築史家ミュラーの詳細な紹介を例外として、最新のバウハウス実証研究として重要なヴァールすら一切言及しておらず、仮にあったとしても簡潔な言及にとどまってきた。[*6]つまりバウハウス研究において「設置案」が実質的に忘却されてきた事態こそが、上述の解釈を物語っていると言えるだろう。

それに対してヴィヒマンの提議が庭園芸術問題としてもつ真の意義は、その直接的な背景、すなわち一九世紀末以来、造園専門家を養成するための近代的な新しい方途を模索し集中的な議論を重ねていた当時の庭園芸術の動向へと一旦は眼を向け、その文脈に「設置案」を位置づけることなしには解明され得ないと思われる。近代デザインを掲げるバウハウスに対して、庭園芸術の側から何が期待されたのか。安易にそう評価されてきた「失策」を、従来的な制度改革問題としてではなく、より本質的なデザイン・芸術問題と措定し、バウハウスのデザイン理念と庭園芸術との根本的な齟齬と捉え直すとすれば、そこでの核心はその背景を含めた文脈から明らかにされなければならない。

そのためここでごく手短に、近代ドイツにおける造園専門家の養成について確認しよう。一八二三年のポツダムにおけるプロイセン王立造園家養成学校設立以来、二〇世紀に至るまで、その取り組みはもっぱら宮廷文化の伝統のもとに行われていたが、ヴィルヘルム帝政期、とくに一九世紀末を迎えると、この伝統を離れ、国営化を望む議論が高まり、しかるべき近代的な養成学校の設置を強く切望する議論が専門家の間で沸騰する。二〇世紀に入りこの新たな動向を先導した「ドイツ庭園芸術協会」（一九〇五年設立）は、当時の文化・社会に浸透していた改革運動を背景に造園芸術の習得を美術アカデミーや工芸学校へ移行させるべく尽力し、実際、一九〇八年七月には造園芸術家の養成と社会的地位の向上を目指して協会内に「造園芸術家の養成（大学問題）」検討委員会を設置している。この間、一九〇三年には、従来の王立学校を存続させたままベルリンのダーレム地区に新たな養成学校が開設されるなど、一九世紀末以来綿々と積み重ねられた一連の運動による成果も見られた反面、宮廷文化を基盤とした養成の伝統は実質的には一九二八年の国営化まで続いた。[*7]

こうした背景のもと美術アカデミーや工芸学校を新たな養成の場として検討していた「ドイツ庭園芸術協会」周辺にとって、一九一九年四月にヴァイマルで新設されたバウハウスがとりわけ注目に値する存在であったことは少なからず想像に難くない。実際、それを裏づける一次資料として、我々は、バウハウス開校からわずか二ヶ月後の一九一九年六月に発行された同協会機関誌『庭園芸術』（一八九九年創刊、ベルリン）において、庭園芸術の専門家を養成する場としてはヴァイマル・バウハウスこそ相応しい、と繰り返しそれを名指して期待を表明した一つのテキストの重要性を忘れるわけにはゆかない。ミュンヘンに縁《ゆかり》の造園家ヨーゼフ・ライビヒ（Joseph Leibig，一八八三―不明）が公表した「新たな時代の始まりに」と題するテキストである。[*8] 先のヴィヒマンによる提議を「失策」と見なしてきたバウハウス研究においては存在そのものがこれまで一切看過されてきたエッセイだが、自らもドイツ庭園芸術協会員であったヴィヒマンにとっては間違いなく自身の構想を「設置案」として具体化する際の一つの契機であったに違いないと思われる。

そのうえで、本稿にとってこのエッセイが重要なのは、ライビヒが、上述した造園専門家養成機関刷新をめぐる一連の議論に則りながらも同時にバウハウス設立の理念と真剣に対峙し、庭園芸術が直面する論点を実質的な「デザイン（Gestaltung）」問題として検討しているからにほかならない。この場合の

「デザイン」が、かならずしも敷地のどこに花壇を作り、住宅のテラスからよく眺めることができるよう植栽をどうアレンジするかといった日本語の日常的語法での狭い意味でないことは、当該エッセイの中で指摘される次のような見解に明らかだ。自らも「庭園デザイナー（Gartengestalter）」を自任するライビヒは、「庭園デザイン」の意義をあくまでも「生／生活（Leben）」に纏わるさまざまな営み相互の関係性においてのみ認めるとの立場に立つのである。[*9] こうした理解は、そもそも近代において「デザインとは何か」という本質的な問いと無関係ではない。それどころかその核心を衝いていると見るべきであろう。たとえば庭園（づくり）は自然物を素材にして人間がつくるもの（営み）だが、これを例外とせず、そもそも人が日々生きている生活世界や環境は総じてそのように人間が創造的に生み出すさまざまな「もの」や「こと」から形成されている。それらには個々に固有の「質」があり、人間は日々の生活を通して、自分を取り巻くさまざまな「もの」や「こと」がただ単にそこに「ある」という事実ではなく、それらの具体的な形や営みを個別的に特徴づける「質」を捉えている。いわば世界は、人間が形成する「もの」や「こと」相互の関係性に見出される質的な差異がもたらす多様な意味や価値を根本にしており、この意味でデザインとは、世界を構成する多様な関係のうちに質的差異の本質を問いかける人間の創造的な営みと理解される。[*10]

つまり、ヴァイマルに設立されたばかりのバウハウスがライビヒにとって重要であったのは、それが当時の庭園芸術に特有の養成機関問題をほかならぬデザイン問題の本質に接合する可能性そのものであったからに違いない。そして、このことに関連して、すでに触れたように「生／生活」を持論の重要な基軸とする彼が、エッセイにおいて提示する「調和的な生活デザイン（harmonische Lebensgestaltung）」

という重要なキーワードを看過すべきではない。[*11]「グロー ピウスが校長を引き受けたヴァイマルの新しい州立〈バウハウス〉では、あらゆる芸術創造を集めている。〔中略〕建築が母として振る舞うことで、建築を他のものへと導きつつ、建築、絵画、彫刻、工芸が一つの共同体へと統合」(Leibig, J[oseph] 1919: 77) されること、つまり補足的に付言すれば、バウハウスがそうして目指すのが近代のデザインである以上、「庭園芸術がここに欠落しているわけにはゆかない」(Leibig, J[oseph] 1919: 77)。ライビヒのこの強い主張は、庭園も、あるいは建築、絵画、彫刻、工芸も互いに同等に肩を並べる「調和的な生活デザイン」という地平に立つことで、単なる制度改革問題以上の意義を獲得していると理解されるのである。

さて、あらためて本稿冒頭の問題提起に立ち返るなら、まさにこの点が、「自然」を「建築」との相関としては捉えないグローピウスの『マニフェスト』におけるバウハウス基本理念との決定的な相違点であると言えるだろう。実際、エッセイ「新たな時代の始まりに」においては、ライビヒ自ら両者の相違を浮き彫りにしている。彼は、相互の疎遠が解消されるべき個々の芸術活動が「調和的な生活デザイン」に向けてともに一にする源こそ、グローピウスが『マニフェスト』において主張した「建造(Bauen)」、すなわち単に手工作的なものではなく「本質的に究極のもの」(Leibig, J[oseph] 1919: 77) としてのそれであるとの認識に基づき、[*12]庭園芸術をも例外なくそれに関連づけ、「建築の今日的な発展段階において庭園芸術は、絵画、彫刻、工芸と同様に建築に依存している」(Leibig, J[oseph] 1919: 77) と述べ、次のように続けるのである。

「建造は、地景（Landschaft）においても、あるいは彫刻においても表現され得る。」（Leibig, J[oseph] 1919: 77）

グロ－ピウスにおいて「建造」は、あくまでも建築、彫刻、絵画といった人工的造形物の統合であった。それに対して同時代の庭園芸術は、それを「生／生活」を基軸とした「調和的な生活デザイン」という理解のもとで、人工的造形物である芸術創造の関係性に限定せず、むしろ「自然」を含めた統合としてバウハウス的解釈を根本的に組み替える必然性を訴えていたのである。ライビヒの系譜に連なるヴィヒマンの「設置案」が一九二四年のヴァイマル・バウハウスによって議論を重ねることなく実現には至らなかった本質的な理由は、従来の研究が総じてそう見なしてきた政治や経済など外的要因ではなく、むしろ時代が目指した「調和的な生活デザイン」をめぐる根本的な理解の相違であったと考えるべきであろう。

2　「自然らしさ」を追求する庭園

だが、ヴァイマル・バウハウスが争点となって、ヴィヒマンやさらにその周辺から浮かび上がる「建築と自然の相関的な関係」という問題は、無論、一七・一八世紀フランスの整形式庭園や一八世紀のイギリス風景式庭園のように歴史主義を規範とする大規模庭園におけるそれと同一視することはできない。時代的にもバウハウス周辺で検討しなければならない庭園芸術の主流は、一九世紀半ばの英国で発祥し、まもなくドイツやフランスにも広く伝播した規模の小さな邸宅庭園であり、ちょうど世紀転換期のドイツでは当時の改革運動の一環として近代の新しい庭園の創出を目指した、それらいわゆる「改革庭園（Reformgarten）」が、ヴィヒマンやライビヒの基盤であった。

そして、そのような改革庭園について特筆されるのが、従来の歴史主義を否定して代わりに追求された「自然らしさ（Naturhaftigkeit）」である。一九世紀以来の品種開発や改良技術の目覚ましい発展に伴い目新しい形態や色彩を獲得し、あるいは耐寒性の花卉《かき》であるなど、この時代に登場する多種多様な園芸植物はそこでの重要な役割を担い、庭園にとっては不可欠な構成要素であった。[*13] つまりこうした当時の庭園・園芸文化の実情を念頭に置けば、先に見たライビヒが建築と同じ地平に庭園芸術を対置することで浮かび上がらせた「建築と自然の相関的な関係」において、「自然」とはけっして集合概念としての「自然」ではなく、形態においても色彩においてもきわめて個別的な植物一つ一つであることを看過すべきではない。むしろそう考えることで、二〇世紀初頭に彼らが検討した近代の造園が、個性的で有機体的な植物や池の水など自然的要素に特有の生命的な「質」と、建築や彫刻や工芸など人工的な造形物に特有の「質」とを庭園という環境的空間造形において具体的に対置もしくは併置させ、それによって双方の質的な差異を問いかける総合芸術としての場の創出にほかならなかったということに思い至る。「デザイン」とは、そのような場を追求する創造的な営みであると了解されるのである。

3　総合芸術としての庭園芸術

この点できわめて重要な一人の近代人に注目したい。先のバウハウスからはやや離れるものの、若きグロピウスもそのアトリエに参加したことが知られる一世代上の建築家であり、画家、タイポグラファー、デザイナーとしても活躍したペーター・ベーレンス（Peter Behrens, 一八六八－一九四〇）である。無論、建築家に限らず、画家、彫刻家、工芸デザイナーに至るまで造園という営みに深い関心を寄せ、自らそれに携わった近代芸術家は画家クロード・モネやガラス工芸デザイナーのエミール・ガレほか枚挙に暇がない。しかしそのなかでもベーレンスほど明確に、いま検討する「デザイン」問題として庭園芸術を理解し、自ら実践的に造園に携わった近代芸術家はほかに例をみないからである。

その意味でも、一九〇七年に芸術顧問に着任したベルリン総合電気会社（AEG: Allgemeine Elektricitäts-Gesellschaft、以下ＡＥＧ）時代のベーレンス自邸の庭がとりわけ重要であろう。そもそもベーレンスが手がけた庭園芸術の実作は、とかく彼の芸術的創造活動の初期、すなわち一九〇四年に参加したデュッセルドルフ大園芸展以降、同地で活動した時期とそれに続くベルリンでの一九一〇年代に集中しており、しかもそれらは当時、ドイツ及びスイス国内の主要都市で開催された園芸展覧会や芸術展を会場とする仮設の庭園であった。そのため先行研究の論調には、ＡＥＧに象徴される近代工業社会と、ＡＥＧ芸術顧問着任と同じ一九〇七年に近代産業と芸術の統合を使命とするデザイン協会「ドイツ工作連盟」設立に参画した彼の活動とをとかく近代技術（テクノロジー）に結びつく一方の視野に据え、それらと時期的に重なってはいるものの、彼の庭園芸術についてはやや異なる水準に置いて、世紀末芸術の流れを汲むデザイン工芸運動の延長線上で主に建築様式史的観点から検討する傾向が顕著に認められてきた。[*14] AEG着任を契機に移住したベルリンで、都会の喧騒を離れたポツダムに程近く緑も多い閑静な地区ノイバーベルスベルクに構えた自邸兼建築アトリエに付随する庭（一九〇七／一九〇八：現存せず）は、きわめて私的な空間でもあったゆえか、従来、とかくそうした対立的な視座において考察の網目からこぼれ落ちてきたと言っても過言ではない。ともするとAEGやドイツ工作連盟の公共性を帯びた活動こそがいわば近代デザインの表面であり、それに対して私的な自邸の庭はそれらの背後に隠れた裏面とすら見られかねない。

しかし「デザイン」問題の本質をベーレンスが真に実践的に検討したのは、むしろ彼の数少ない仮設ではない庭園としての自邸の庭であったと見るべきだ。なぜなら展覧会終了後に一過性の植栽が撤去される仮設の庭園とは異なり、時間の推移とともに大地に根づく多種多様な植物が生長し、刻々とその姿を変化させる庭に身をおいて自ら精魂を傾けてそれらを手入れする営みこそ、先に述べた通り、多様で質的な差異を問いかける総合芸術としての環境的空間造形＝庭園の創出たり得たに違いないからである。

実際、こう考えることが妥当である根拠を、我々はベーレンスの庭園芸術論に求めることができる。彼が生涯に発表した六本の庭園芸術論のうち二番目の論考として知られる「現代の庭園」（一九一一年六月）は、ベーレンスが同時代のシュマルゾウやヴェルフリンらの芸術学を参照し、とくに一九世紀末以来の建築理論が議論した空間概念論を踏まえて独自に展開した「空間−時間的空間形成論」としての特性をもつ。[*15] それゆえ従来、とかくそうした普遍的な論点が注目されてきた。しかし、これが公表されたのとほぼ同じ頃、ノイバーベルスベルクのベーレンス邸の庭を評した同時代批評文を検証すると、ベーレンス自身はかならずしも「現代の庭園」を自邸の庭と明言して論じてはいないものの、ここでの内容がそれを念頭に置いて書かれていることが確証される。[*16] したがって一見した限り一般論的な次の発言も、彼の自邸の庭を前提して読むことができるのである。

「ファサードは強力なモチーフであり得るし、その建築は植物の生長、蔓植物によって力強く高みへと引き上げられ、庭園に対して調和され得る。あらゆる効果はコントラストに起因するのだから、優れた建築、優れた彫刻、そのような人間の作品が自然の驚くべき効果と一体化する、そうした庭園にもまして、この法則が確認される場所など他にあるはずがない。」(Behrens, Peter 1911: o. S.)

庭園の近代デザインとしての特性をこれほど明確に捉えた発言がほかにあるだろうか。庭園は、「人間の作品」としての建築、彫刻と、生命的な植物相互の、いわば質的コントラストが時間的変化を伴いながら一つの全体として調和的な一体化を生み出す場であるというのである。それはまさに総合芸術的な場にほかならない。知人の造園家であり植物学者であったカミロ・カール・シュナイダー（Camillo Karl Schneider, 一八七六―一九五一）が一九二一年にベーレンス邸の庭を撮影し、当時の園芸雑誌に掲載した写真は、その一端をよく伝えてはいまいか（図1）。

ベーレンスの庭園理解はけっして机上の論理ではなかった。むしろ彼は自らの身体をもって庭に立ち、長年にわたり植物を観察し続け、育てる営みを実践した芸術制作者であった。したがって我々には、そ

図１　論考「常緑の庭」に掲載されたC. K. シュナイダー撮影によるベーレンス邸の庭、1921年（*Gartenschönheit* (1921), 2 (11) : 253.）

の実感に基づく次のような発言、すなわち、

「庭園はそれ自体が動いており、身体的に造形される。かつて見たことのないものや偶然の魅力をもたらすのは、自然それ自体なのだ。〔中略〕我々は、庭園を造ることの本質を、自然と、そして人間の手によって造られたものとの相互浸透として認識することができるだろう」（Behrens, Peter 1930: 18）

との重要な指摘を、まずは近代芸術の制作論として受け止めることが欠かせない。そのうえで、あらためて本稿の関心に照らして、近・現代デザインの視座における庭園芸術の、人間の身体によってこそ実現されるきわめて本質的な総合芸術的意義と解釈したい。

注

＊1　Wichmann, Heinz (1924).「設置案」を提議した当時、若手造園建築家として自立し始めたばかりであったヴィヒマンは、建築家ペーター・ベーレンスのベルリン近郊ノイバーベルスベルクのアトリエに関与した後、短期間ながら自ら聴講生として同校に学んでいた。バウハウス研究においては長く忘却されていた人物だが、近年では、校長グローピウスの建築アトリエによる設計プロジェクトに参加した事実も知られる。

＊2　本稿第一節の前半部分は以下の拙論に基づく。後藤文子（2020）「ヴァイマル・バウハウスと庭園芸術――ハインツ・ヴィヒマンによる改革の試み――」『美学』第七一巻第二号、四九－六〇頁。

＊3　Gropius, Walter (1919). なお、本稿では紙幅の都合から立ち入らないものの、バウハウス設立のデザイン史的意義については、その前史を詳述した以下が重要である。ジョン・V・マシュイカ(2015).

＊4　Gropius, Walter (1919), o. S.

＊5　Wichmann, Heinz (1924), 278.

＊6　ミュラーの当該研究およびヴァールのバウハウス実証研究はそれぞれ以下の通り：Müller, Ulrich (1999), Müller, Ulrich (2006); Wahl, Volker, ed. (2001), Wahl, Volker (2009).

＊7　Wimmer, Clemens Alexander (2012a).

＊8　Leibig, J[oseph] (1919). 最新研究におけるライビヒの当該エッセイへの言及は以下を参照：Wimmer, Clemens Alexander (2019).

＊9　Leibig, J[oseph] (1919), 76-77.

＊10　ここでの「デザイン」理解については以下を参照：山田忠彰・小田部胤久編（2007）。

＊11　Leibig, J[oseph] (1919), 77.

＊12　Leibig, J[oseph] (1919), 77.

＊13　改革庭園の植物利用については以下に詳しい：Wimmer, Clemens Alexander (2012b).

＊14　ベーレンスの改革庭園に関する主要先行研究は以下：Moeller, Gisela (1989); Moeller, Gisela (1989/1990).

＊15　Behrens, Peter (1911). ベーレンスの著述活動全般に関する近年の解題と研究は以下を参照：Malcovati, Silvia (2015). なおこの問題については後藤文子（二〇二〇）中、特に第三章「二〇世紀初頭における芸術学的庭園理論の意義」で論じた。

＊16　Scheffler, Karl (1911). これに関しては後藤文子（二〇二一）において詳述した。

参考文献

● 一次資料

Behrens, Peter (1911) Der moderne Garten, *Berliner Tageblatt und Handels-Zeitung*, 40 (291), 10. Juni 1911, Abendausgabe, o. S.

Behrens, Peter (1930) Neue Sachlichkeit in der Gartenformung, *Jahrbuch der Arbeitsgemeinschaft für deutsche Gartenkultur*, 1: 15-19.

Gropius, Walter (1919) *Programm des Staatlichen Bauhauses in Weimar*, überarbeiteter Nachdruck des Originals von 1919 *Staatliches Bauhaus Weimar. Manifest und Programm*, durch den Pavillon-Press Weimar e. V. im Jahr 2019 zum Jubiläum 100 Jahre Bauhaus, o. S.

Leibig, J[oseph]. (1919) An der Schwelle einer neuen Zeit, *Die Gartenkunst*, 32(6): 76-78.

Scheffler, Karl (1911) Ein Garten von Peter Behrens, *Der gute Geschmack. Wegweiser zur Pflege künstlerisch-kulturellen Lebens*, hrsg. v. W. Bloch-Wunschmann, 1: 11-14, Abb. 29-32.

Wichmann, Heinz (1924) *Neue Ausbildungsmöglichkeiten im Garten-kunstberuf verbunden mit einer Gartenbaumustermesse, Weimar, den 8. Juli 1924*, Thüringisches Hauptstaatsarchiv Weimar, *Staatliches Bauhaus Weimar*, 13: 275-277.

● 二次資料

Malcovati, Silvia (2015) Der schreibende Architekt: Schlüsselbegriffe im Architekturverständnis von Peter Behrens, *Peter Behrens. Zeitloses und Zeitbewegtes. Aufsätze, Vorträge, Gespräche 1900-1938*, hrsg. v. Hartmut Frank u. Karin Lelonek, Dölling u. Galitz, pp. 75-97, bes. pp. 79-86.

Moeller, Gisela (1989) Peter Behrens und die Reform des Hausgartens, *Rheinische Heimatpflege. Mitteilungen des Rheinischen Vereins für Denkmalpflege und Landschaftsschutz e. V. und des Verschönerungs- Vereins für das Siebengebirge*, 26(4): 241-255, bes. 242-244.

Moeller, Gisela (1989/1990) Der Gartenreformer, *Peter Behrens in Düsseldorf. Die Jahre von 1903 bis 1907. Zweiter Teil, II Abschnitt: Der Gartenreformer*, VCH, pp. 312-371.

Müller, Ulrich (1999) Der Garten des Hauses Auerbach in Jena, *Die Gartenkunst*, 1(1): 95-111.

Müller, Ulrich (2006) Die Garten-kunst am Bauhaus, *Gartenarchitektur und Moderne in Deutschland im frühen 20. Jahrhundert. Drei Beiträge*, hrsg. v. Zentrum für Gartenkunst und Landschaftsarchitektur der Universität Hannover: CGL, CGL, pp. 29-45.

Wahl, Volker, ed. (2001) *Die Meisterratsprotokolle des Staatlichen Bauhauses Weimar 1919 bis 1925*, Verlag Hermann Böhlaus Nachfolger.

Wahl, Volker (2009) *Das Staatliche Bauhaus in Weimar. Dokumente zur Geschichte des Instituts 1919-1926, Veröffentlichungen der Historischen Kommission für Thüringen*, Große Reihe 15, Böhlau.

Wimmer, Clemens Alexander (2012a) Der Garten- und Landschaftsarchitekt in Deutschland ab 1800, *Der*

Architekt. Geschichte und Gegenwart eines Berufsstandes, Bd. 2, Exh. Cat., hrsg. v. Winfried Nerdinger, Prestel Verlag, pp. 744-751.

Wimmer, Clemens Alexander (2012b) Die Kunst der Pflanzenverwendung, *Gartenkunst in Deutschland. Von der Frühen Neuzeit bis zur Gegenwart*, hrsg. v. Stefan Schweizer u. Sascha Winter, Verlag Schnell & Steiner, pp. 123-147, bes. pp. 136-145.

Wimmer, Clemens Alexander (2019) Die Gartenwelt vor 100 Jahren, *Gartenpraxis*, 4: 64-65.

後藤文子「ヴァイマル・バウハウスと庭園芸術――ハインツ・ヴィヒマンによる改革の試み」『美学』第二五七号、四九―六〇頁、二〇二〇年

後藤文子「ペーター・ベーレンスにおける「生長（Wachstum）」概念――一九二〇年代以後の庭園芸術論を再考する――」『芸術学』第二四号、二三―四三頁、二〇二一年

ジョン・V・マシュイカ『ビフォーザ バウハウス　帝政期ドイツにおける建築と政治　1890-1920』田所辰之助・池田祐子訳、三元社、二〇一五年

山田忠彰・小田部胤久編『デザインのオントロギー　倫理学と美学の交響』ナカニシヤ出版、二〇〇七年

おすすめ本

山田忠彰・小田部胤久編『デザインのオントロギー　倫理学と美学の交響』ナカニシヤ出版、二〇〇七年

▽美学、美術史学、倫理学、社会学を専門とする研究者、またデザイナーそれぞれがデザイン概念の多義性に対峙し、私たちの「生」のあり方を多角的に問いかける論集。

ジョン・V・マシュイカ『ビフォーザ バウハウス　帝政期ドイツにおける建築と政治　1890-1920』

田所辰之助・池田祐子訳、三元社、二〇一五年
▽ヴィルヘルム帝政期ドイツの建築史及びドイツ史を接続する視座に立ち、世紀転換期の工芸運動と文化・経済政策、さらに近代デザインの発展に重要な役割を果たしたドイツ工作連盟の相関的な関係を実証的に検証する包括的な研究。原著の出版は二〇〇五年。
『形の文化研究』第一三号［特集：バウハウス100周年「危機を戦う者たちのバウハウス」］（非売定期刊行物）、形の文化会、二〇二〇年三月
▽文化における「かたち」を主題に学際的な研究活動を展開する学会「形の文化会」が、バウハウス創立百年に当たる二〇一九年度にバウハウスを特集した同学会機関誌。金子務、向井周太郎、浅葉克己、前田富士男、粟野由美、山根千明各氏による最新のバウハウス論が所収されている。

第14章

人間と自然の関係の文化「庭」の今

岡田憲久

今日、都市はあまりにも人工的に改変され、それぞれの場での自然の気脈が見えない。たった一つの小さな場であっても、マクロな自然との連動性が持たれていなければ、その空間は生きた空間としての力を持たない。人間は自然そのものではない。人間存在は、生命の一員である存在であることと、生命からあまりにもかけ離れてしまった存在であることの二面性を持つ。この二面性の境界の人間の在り方の姿を、人間と自然の関係の文化「にわ」から問う。

【作庭記】

日本最古の作庭書。平安時代中期に藤原頼通の息子橘俊綱により編纂されたものであろうとされている。寝殿造庭園のつくり方が示されている。文字だけで書かれており、陰陽五行説や四神思想なども背景に、理念的なことから庭の細部の具体的な作り方までが示されている。「石を立てん事、まず大旨を心得べき也」という言葉で始まる。庭の骨格は石組みで示されるので、まさに庭をつくるにはということである。石の扱いについての興味深い表現に「乞んに随ひて」という言葉がある。人間の意志が先に立つのではなく、その石が望むようにという意味である。環境へのかかわり方の根本の姿勢がこの言葉以外にも様々なかたちで示されている。

【汐入りの庭】

海に近いところに立地する庭に海水を引き入れて、潮の干満による水位の上下で、池の護岸や島の形状が一日の中で変化する。江戸時代の大名庭園などで用いられた手法。旧浜離宮庭園などが代表例として今も残る。

1　原初の森を歩く

今日、気候変動など環境が激変し、科学の領域では人間と自然の関係について地球史的時間軸の中での問いが持たれている。人間の営みが地質年代にも表れている「人新世」という時代に入っているとの視点が示されてもいる。あたかも自然を制御しきれたように思われた人間の暮らしの在り方が根本的なところから問い直さざるを得ない時代である。芸術の分野でもこの地球的環境危機の時代であることを反映し、今までと違った形で自然が表現対象、あるいは表現の背景の大きな部分となってきている。私が専門とする作庭と呼ばれる表現行為は人間の生活空間の傍に直接的に自然を持ち込んでの表現である。ほかの芸術表現と大きく異なるのは、表現のために持ち込まれた素材が木や石や水などの生命体であるために、表現されたものが生き物として変化し続けるのである。しかし作庭のために持ち込まれる自然は、あらかじめ本来の自然から切り離された、市場で材料として用意されたものがほとんどである。表現のために持ち込もうとする「自然」の本来の姿とはどのようなものであるのかという思いのもと、学生たちと十数年原初の森を歩いてきた。

京都府の北の端、福井県との県境に芦生《あしゅう》の森がある。総面積は約四二〇〇ヘクタール、西日本屈指の広さを誇る天然林であり、京都大学の研究林として管理されている。植物学的には暖温帯林と冷温帯林の移行帯にあたるため植物の種類が多い。グレーと白のまじりあう木肌が美しいブナが多くまじるのもこの森の特徴である。この森を構成するブナをはじめとしてミズナラ、トチノキなどの落葉高木の多くはおよそ三〇〇年から三五〇年の寿命である。老木は寿命近くなると台風や獣害などで傷んだところからであったり、あるいは根こそぎであったりするが、周りの木々をなぎ倒して倒れ、空に穴が開く。その穴はギャップと呼ばれ、今まで森を覆う高さ三〇メートルほどの位置に連なる大木の樹冠により遮られていた光が地面にまで届き、老木の足元でじっと待っていた実や、小さな芽が、太陽光線を受けて我れ先にと空に向かう。森の活性化が起こる。一本の木としては枯死であるが、森全体としてはこの一本の木の枯死を含め生きていることが続く。この森を歩き始めた頃、林床はクマザサに覆われ、ガイドの示す踏み分け道しか歩けないところが多くあったのに、今では足元のクマザサはすっかりなくなり、見通しのきく森になっている。冬の雪で谷から出られなくなって死ぬことにより個体数の調整がなされていたのが、温暖化で増えすぎた鹿がクマザサをはじめとする林床の植物をみんな食べてしまったという。わずかに残るのは美しい紫色の花をつける毒草トリカブトなどの鹿が食べられない種類のみである。この森を日本画、洋画、彫刻、現代美術、メディアデザインなど様々な領域の学生たちと歩いてきた。日頃は書籍やデジタルな情報でしか自然を捉えるすべがなかった学生たちである。しかしいったん森に足を踏み入れると、森の説明をお願いした森林生態を専門とする技官の解説に耳を傾けるのもそこそこに、それぞれ自分が見つけたものに駆け寄り、目を輝かせ、ある者はカメラに収め、まるで体全体で、五感で森を理解しようとして反応しているのである。

2　二つの庭

庭とは自然と人間の関係のデザインである。都市の生活空間のすぐそばに自然を持ち込むデザインであるが自然そのものではない。本来の自然から切り離されて持ち込み組み立てられたものである。それゆえそのデザインが力を持つためには、表現のために与えられた場が持っているはずの自然環境とつながることが重要である。しかし今日都市はあまりにも人工的に改変されてしまっており、それぞれの場における自然の気脈が見えない。作庭の機会を得た場が人工地盤の上であったりすると、作庭時には思いどおりの自然の景を形として生み出せても、その後何年か経つうちに木々はその生命力を衰えさせ、庭がまるで弱々しい過保護な飾り物の自然となっていくことをしばしば経験した。たった一つの小さな場であっても、マクロな自然との連動性が持たれていなければ、その空間は生きた空間としての力を持たない。そんな思いの中で作る機会を得た二つの庭を紹介したい。

最初に紹介する作品は二〇〇三年作庭の「花鏡の庭」である（カラー口絵 図4－1）。名古屋市の北東部の春日井市に位置する中部大学のキャンパスに設計した三つの庭の一つである。この中庭はL型に建っていた建物の増築計画により四角く囲まれることで生まれた。もとは建物の西南に自然林を背景とした芝生の庭があったが、その自然林が増築敷地となり、ほとんどの木を切らざるを得なかった中でかろうじて二本の大木、クヌギとアラカシを残すことができた。その場におけるもとの自然とのつながりの断片である。

庭の主景はエントランス正面に設けた直径七メートルの円形の池。背後に芝生の余白が広がり、背景には残った二本の大木に添えるように雑木林を再構成した。池に注ぐ水は真鍮の筧《かけひ》から水鉢へ、水鉢の口から池に落ち、静かな水紋を作る。池の水は真鍮板で止めて囲いの存在感を消し、芝生の緑の中に円形の水面を浮かび上がらせている。池のエントランス側半分には幅広のベンチを沿わせ学生たちが水に近いところで寛ぐことができる。池の循環水量の削減、すなわちコスト削減に関しては設備設計からの提案で、表面張力で三ミリ盛り上がる水の習性を利用し、水を止める真鍮板のレベルを奥側半分のみ四ミリ高く設定した。水を低い側へだけ流す神業的デザインの収めとなった。

池の足元には陶板のモザイクを芝生とテラスの境界にデザインしている。中部大学の北、さほど遠くないところに日本有数の焼き物の産地がある。織部、志野、瀬戸などの美濃焼と呼ばれる焼き物の産地である。その歴史的技術を応用して今の時代の建築資材のタイルを焼く工場がいくつか存在する。一つの工場で見つけた他の現場で使われた残り物を、焼き物の焼成道具のエンゴロなどを組み合わせ、もう一つのデザインのポイントとしたものである。

もとの自然をわずかでも残し、さらには外の自然とのつながりを視覚的にでも持たせることは、この場が持つ歴史的時間とのつながりを持たせるということであった。かろうじて残すことがかなった二本の木に力を得て組み立てられた雑木の森は五年を過ぎたあたりから一つの塊の小さな森へと成長し、この中庭全体のデザインを支えるしっかりとした背景となった。ところがある時この庭の最初からの一番の大木であるクヌギが、虫が入ったことにより枯死したため伐採除去され、小さな森に大きな穴が開き痛々しい姿になってしまった。しばらく足が遠のき、幾年か時の流れるままになっていた。二〇一九年秋、私の作庭した三つの庭の展覧会が催されることになり、補修の手を入れる機会を得た。久しぶりに訪れると、作庭の最初期の二番目に大きかったアラカシの木が、大きく開いた穴を埋め、小さな森の大きな背景となっていた。しかし今度は校舎に近接し暴れすぎている状態にまでなっていたので大枝の幾本かを伐採し、人の環境との間合いを整えた。作庭の最初からは十五年以上の時が流れたことになる。庭は自然そのものではない。生き物として変化し続ける。人間の場との関係をその時々の姿として整える、デザインすることが必要である。主景の水鉢わきに植えたセンダンの木は大きく生長し、その木陰の真鍮の筧から落ちる水は、円の器の中で波紋となり、渡る風を、空を映す。さらなるマクロな自然と呼応する。庭とはなんと不思議な面白いものだと思う。

　さてもう一つ紹介したい庭を挙げる。大阪府吹田市にある武田薬品研修所では、既存の研修・宿泊施設の老朽化による建て替えで約七ヘクタールの敷地に七棟の研修・宿泊施設が新築され、それに伴うランドスケープを新たに計画する機会を得た。二〇〇九年のことである。その中の特徴的ゾーンの一つが「石庭――九山八海《くせんはっかい》の庭」である（カラー口絵　図4―2）。グローバル棟と呼ばれる建築のロビーに面した約四メートル×十五メートルの光庭である。海外からのお客に対しモダンで象徴的な日本的造形空間として作庭した枯山水である。テーマは「九山八海」。古代インドから中国を経由して日本へ到達した世界観であり、山水のモチーフとして多く用いられてきたものである。「世界は九つの山と八つの海からなり、その中心に不老長寿の仙人が住む須弥山《しゅみせん》がある」。須弥山には不老長寿の妙薬があるとされている。九つの山を表す九つの黒い自然石の表情は、川の流れが悠久の時間をかけてえぐりだしたものである。人工的な限られた空間に自然の象徴である自然石を持ち込むことで鑑賞者に自然を感じさせること。またえぐられた石を選択して「時間の概念」を視覚化し、石が辿ってきた悠久の時間を感じさせることを願った。海となる部分には中国の敷瓦「磚」を敷き、石にぶつかるさざ波は日本の瓦「輪違い」と「ノシ瓦」で表現した。背景のコンクリート擁壁にははつり仕上げを施している。ガラスを挟んで内外に同じ白御影《みかげ》石を敷くほか、石の外壁を内壁につなげることで日本的な空間のしつらえである内と外との連続性をもたせた。

ここで石のことを少し述べてみたい。使用した石との出会いは全くの偶然である。何かを探す当てがあったわけでもなく、事務所スタッフの別の現場の材料探しにつきあって造園資材屋へ出かけた時、この石に出会ったのである。誰にも使われず長い間放置されていたかのように資材置き場の隅に薄汚く、しかし猛々しく転がっていたのである。この石との出会いがこの空間の全体を決定したといっても過言ではない。庭というものは物をこちらの意図する形態に加工したものを組み合わせて空間を形作るのではない。自身の心の底に流れ煮詰まってきている何かと触れ合う材料に出会えた時、物が決まり、そのものの「乞んに随ひて」空間が構成される。この石との出会いが無ければこの庭は生まれなかったであろうと思う。石組みはたったの一日である。新幹線で私の居住地である名古屋から、朝十時すぎに現場に入り、夕方の四時過ぎに配石は終了していた。資材置き場で四トンちょっとと言われた石が現場で七トンと計測された。この巨大さへの驚きは喜びである。インドネシアのアチェの近くから出された川の水にえぐられた安山岩。石には悠久の時間が刻まれている。この石は大変かたく普通の石よりも比重が大きい。その質量には石の出来上がった地球の創世記につながるような太古の時間が含まれる。この石が激流でえぐられたであろう物語と時間が石の表情の中に含まれている。庭の本質とは都市の中に自然を持ち込むこと。しかし現代の都市の空間の中で、非有機的な素材で構成される環境の中へ、少しの石と木と水を組み合わせた自然を持ち込んでも、瞬く間にその生命感はかき消されてしまう。都市の中の空間や広場は個人の空間のように愛情を持って維持され育てられるのではなく、契約という管理体制の中でしか維持されないことが多いため、時間とともに変化する自然は、設計意図が理解され、環境との関係が見極められながら、生き物として育まれることは大変難しい。その難しさにいら立ちを覚えていた私に、この石が呼応したのかと思う。コンクリートのはつり仕上げの壁を前にして生命の時間が荒々しくはっきり見えるかのようである。

3　自然と人間の関係の三つの場

人は森を壊し都市を作ってきた。しかし一方で都市の中で自然再生を行ってきた文化がある。それが庭である。庭とは人間と自然との関係の文化ということができると思う。庭にとって主題となる自然が、大きく変化している今日、作庭する人間として、限られた空間としての庭を超え、人間と自然の関係の文化としての「庭」とは何かを俯瞰した視点で見渡してみることにより、「庭」が今日の人間にとってどのような意味を持つのか、そして改めて「庭」とは何かを考えたいと思う。

庭のデザインは、整形式と自然風景式とに大きく分けられる。自然観の違いにより自然へのかかわり方の違いが生まれたことによる。自然より人間を上ととらえる西欧においては、整形式が長く歴史的発展を遂げてきた。その様式の熟成した一例であるベルサイユ宮殿の庭は、中心の軸線が強調され、そのまわりは左右対称の空間配置となり、刺繍花壇と呼ばれる植物までが文様のように整えられる自然の楽しみ方であった。ところがいよいよ農村的自然景観すら少なくなってきた産業革命の少し前、イギリスで牧歌的農村の景をデザインとして描く自然風景式の庭園様式が生まれる。これがアメリカにわたり、公共空間デザイン手法となったのがランドスケープデザインである。一方、中国、朝鮮半島、日本では、自然が人間よりも上のものととらえる自然観のもと、自然風景式庭園という様式を成立させ発展してきた。この中国、朝鮮半島、日本に加えてイギリスの自然風景式もそれぞれに異なるのであるが、その違いを掘り下げることはまたの機会にしたい。

それでは我が国の自然風景式という様式に属する日本の庭と呼ぶものの歴史はどのように生まれ展開してきたのであろうか。

庭は、仏教の伝来とともに始まるとされるが、その成立の背景には「庭」と呼ばれる空間へと至る前の、自然と人間の関係の場・空間がある。人間は自然の一員であることと、自然からあまりにもかけ離れた存在であることの両面性を持つ。その両面性の相克を解消するために人は自然との関係の場を様々に持ってきた。川勝平太にフランスの地理学者オギュスタン・ベルクを読み解こうとした、「ベルク風土学とは何か」という書がある。その中で「近代西欧の知の範型」の源流は「われ思う、ゆえに我あり」にあると、デカルトのテーゼを引いている。近代西欧の人間中心主義的環境へのかかわり方を批判し、「近代知性の超克」として、日本における環境と人間の不可分の関係を読み解こうとしているのが、ベルク風土学だとしている。また、この論考を進めるにあたり、また、日本の自然と人間文化の関係を体系づけたハルオ・シラネの『四季の創造　日本文化と自然観の系譜』にも多くを負っている。こうした視点をも参考にしながら、「日本の庭」を日本の環境論へと展開することを試み、庭というものが持つ今日における意味を問いたいと思う。

先人たちの日本の暮らしの中に見えてくる人と自然との関係の場のまず一つ目は、宇宙のすべてを司る、畏怖すべき自然との直接的関係の場である。二つ目は里地・里山と呼ばれる、生活資材を得るために周りの自然環境に手を加えながら、農を基本に置く暮らしの場がある。三つ目は仏教文化の一つとして中国から伝わり、都市の生活環境の中に組み立てられた二次的自然としての、いわゆる「庭」と呼ばれる場である。人間と自然との関係の場をこの三つの場として俯瞰的に眺めた視点からあらためて「庭」とは何かを問いたいと思う。

4　自然を司る神との対話のかたち

日本の国土は高緯度から低緯度に長く延びた小さな島国であることから生み出される多様な気象、起伏の多い複雑な地形、多様な植生の自然環境であり、そうした自然環境との対応の中で日本人の自然観は育まれてきた。

古代においては、自然は予測困難な脅威であった。自然は八百万《やおよろず》の神々が司り、人間は地震、津波、洪水、火山の噴火などの災害が起こらぬよう自然を敬い鎮めようとしてきた。そうした神々との対話、交信の場所として、自然のエネルギーが凝縮したような姿が如実に感じ取れる山、巨木、巨石などに聖性を認め祈り奉って来た。原始アニミズム的とも言い表される、自然との関係の行為であり場であった。

まずその筆頭に挙げられるものに、「磐座《いわくら》」と呼ばれるものがある。神はある限られたときに自然エネルギーの凝縮の場を神籬《ひもろぎ》、依《よ》り代《しろ》として降りてくる。玄界灘の沖にある宗像《むなかた》神社の沖津宮の巌崖脇に儀式の場、祈りの場がある。まさに古代が封印されたままのような場所である。また奈良の三輪山も山そのものをご神体として、山の奥深くの岩のがれ場のような場所を磐座としてまつっており、入山が制限され、その神々しい気配を今も残す。後に庭園の骨格が石組みで表現されるようになっていくが、このような自然との交信の装置としての意味が含まれる。

これとは対照的に四方をしめ縄で囲んだ白砂を敷き詰めた何もない空間、「斎庭《ゆにわ》」と呼ばれる祭事の場がある。聖性と政治を「まつりごと」として結びつける場である。後年そこに建築も加わる。京都御所の紫宸殿《ししんでん》とその前の白砂敷きの空間がまさにその姿である。沖縄には御嶽《うたき》と呼ばれる儀式のための何もない場が今も残る。この何もない物事が行われる場、発生する場が、庭が持つもう一つの大きな意味へとつながる。

伊勢の神宮は、広大な神宮の森とそこから流れ出る五十鈴川の脇の敷地が、まさに聖性と政治が結び付けられた空間となっている。遷宮、御手洗場《みたらしば》など、原初の自然との直接的やり取りが儀式として形作られていく。

古代の墓も宇宙的聖性との交信の場であることに重ねて、祖先の霊を祭る場、権力のアピールの場であった。堺市には土と石を使って高く盛られた日本最大の古墳、仁徳天皇陵がある。巨大な岩を加工することなく組み合わせ作られたものに明日香の石舞台古墳がある。秋田県大湯の環状列石もおそらくは古代の墓であったろうと推測される。直径五〇メートルの円の中にいくつもの大小さまざまな円が散在し、その配石はまるで宇宙図のようであり、庭園の石組みのようでもある。

人ははじめに自然の中の聖性を感じる場所を選び、背後にいる神と対話するための場であることを示すため、その場に印だけをつけた。次に自然界と人の居住する地域の境に、自然と対話する装置や、場を人の力で組み立てた。聖性を認める自然との直接的対話を始まりとして、オギュスタン・ベルクの指摘にもあるようにその後自然であることを文化の到達点とみなす日本人独特の思想が育まれてゆく。自然は俗塵から人を清めるとの考えも生まれ、野生の自然の中に入っていく行為が修験道や隠棲者の思想を生むに至る。

ここで西欧世界と大きく違うのは、その場の形状に加工の手をできるだけ加えず、場を示すための最小限の造形だけにとどめられていることである。場が主であって、人間はそこへのかかわり方を示すだけであるという、環境へのかかわり方であった。

5　里地・里山における暮らしと文化のかたち

平安時代も後期になると、治水や灌漑の技術が発達して人間がある程度自然を管理できるようになる。畏怖された神は、恵みを得るための土地を守る鎮守の神や農耕の神となり、こうした神々を崇めながら、人間が自然に手を加えて作られてきたのが「里地・里山」と呼ばれる農山村である。

日本の稲作農業にとっては、西欧世界の小麦農業よりもはるかに多くの豊かな水が必要であり、氾濫の危険のより少ない山裾の少し開けた谷あいや盆地が耕作地として選択され、人々はそこに住み込んできた。狭い谷の一本の水系だけを頼りにその地に住みついた人々は、何代にもわたりその地から恵みを得つづけることができるように、その地の自然を使い尽くすことなく利用し続けるための知恵を育んでゆく。そのために、細やかな地形と気象条件の読みとりがいやおうなく強いられ、その暮らしの営みの景が流域ごとに微妙に異なる日本の農村景観が生み出されてきたのである。治水事業や耕作地の開発では、その地の自然に従いながらの最低限の地形の改変であった。棚田の景はその代表的なものである。また稲作における種籾まき、田植え、草取り、刈り取りという一連の作業は、自然が持つリズムと人々の暮らしのリズムとを一体化することであった。その知恵が、祭りや季節ごとの風俗習慣となり、厳しい自然と折り合いをつけながら生きる人々の暮らしの姿となってきた。

ここでもう一つハルオ・シラネにより示された重要な視点がある。都市生活者にとって里山がどのようなものであったのか、である。平安時代、民話では里山の生活が人間と自然が親しい関係にある場所として描かれる。また、貴族たちにとって里山は都市社会の日常から逃れることのできる場所と考えられ、「山遊び」「野遊び」の場となり、和歌に詠われた。さらに和歌の題にもとづいた春の桜、秋の月、冬の雪などを楽しむ季節の娯楽の多くは、江戸時代には、武家や庶民にも受け継がれ大衆化していった。また鎌倉時代、中国から伝わった禅の影響を受けた水墨画には山に住む隠者が描かれ、山里が理想化された場所とされたのである。

今日の里山は使われ方や姿が大きく変化してしまった。明るい雑木林は人の立ち入れない鬱蒼とした林に変わり、農業生産の場、暮らしの場として存在した里地・里山景観の維持が大変難しくなってきている。自然との共生が模索される今日、過去の都市生活者がそそいだ里地・里山への視線はわたしたち都市に住む者に大きな示唆を与える。次の時代の人間の豊かさを実現するための新しい形の暮らしと自然の関係の姿として生まれてくるものがあるはずだと思う。

6　都市における自然のかたち

自然との直接的対話の場、里地・里山における人間と自然の関係の暮らしと文化としての場を見てきたが、自然と対極の場である都市もまた自然と大きくかかわってきた。

6－1　自然のシステムと呼応する都市

自然の地形には起伏があり変化に富みエネルギーの流れがある。自然の気象と地形の微妙な変化を常に読み取らねばならなかった里地・里山で培われた感性は、都市計画においても反映されていく。大陸から伝わった風水は、エネルギーがよどむことなく集約し、滞留することなく拡散する適所を読み解いて繁栄につなげる思想で、都市計画から住居、墓地にまで及ぶこの吉凶判断の体系を、日本は無理なく受け入れていく。風水の表現の一つに背山臨水という言葉がある。山を背にして水に臨む。平安京はまさにこうした山を背にした自然のエネルギーが集まる場所であり、集まったエネルギーを滞留させないための川が流れている土地であった。都市そのものが生命として息づくことのできる場であった。多くの場所に湧き水があり、一二〇〇年の歴史の時を超えて今も多くの社寺仏閣に名園が存在し続けるのも、都市全体が生き物として呼吸しているからであろう。都市という人工物が、周りの自然とつながり、人工的環境である都市も生命のシステムと連動した構造になっていた。

江戸の町は百万人を超す人口を有する世界最大級の都市であった。武家地が六割を占め大名はそれぞれの屋敷に縮景式の庭を持ち、そこは山や谷川の流れる緑あふれる場であった。江戸の町が欧米諸国に開国された当時、欧米人が目にした江戸の町は、緑あふれるガーデン・シティであった。ウィリアム・モースは「日本ではすべての廃棄物が都市から運び出され、農地に肥料として利用されていることによる」（『日本その日その日』平凡社）と都市と農村がエコロジー循環の中にあることを述べている。

小さな地方都市であるが、地形との関係が、自然に立脚したものとなっている例の一つとして福井の一乗谷の朝倉遺跡を取り上げたい。南北約一・七キロの谷筋の、南と北のそれぞれ谷が狭まったところに、上城戸《かみきど》、下城戸《しもきど》と呼ばれる土塁と石垣、堀による外部からの侵入を防ぐ防御施設が作られ、一つの谷が自然の城塞都市のようになっている。戦乱の世に防砦に適した自然地形の選択が行われ、そこにさらなる地形の読み込みが行われ、最小限の防御のため施設が作られた結果の都市の形である。庭園史的にはいくつかの館跡の庭園遺構が傑出したデザインとして扱われ、その他の都市遺構も次々と発掘が進むが、この谷に築かれた都市全体が一つの庭、庭園都市という言い方ができると思う。

6―2　都市文化全般における自然の洗練された表現と庶民の暮らしの文化

日本人の都市の生活文化における自然表現の豊かさも見過ごせない。ハルオ・シラネによると、平安時代の貴族たちのコミュニケーションの重要な手段であった和歌により、洗練された自然表現が競われた。和歌に詠まれた自然が、屛風絵、襖絵、絵巻、名所絵などの主題となる。また、漢詩を通して日本にもたらされた、何かを象徴するのに、自然の形象を用いることも多く行われる。鶴・亀や、川や滝を遡る鯉が成功や吉兆あるいは護符的意味を持つとされ、庭の表現にも影響を与えるようになる。

庶民たちが都市の中で直接自然に触れることのできる娯楽の場も様々に生まれてくる。八代将軍吉宗の花見政策により桜の花見が大衆化し、上野に加え、飛鳥山、御殿山、隅田川が桜の花見の名所となった。また大名や商人たちのような庭を持てない庶民たちを対象とした、木戸銭を払って野の花を楽しむことのできる庭「向島百花園」が喜ばれた。園芸ブームにより、染井や入谷には品種改良が盛んに行われた朝顔市が立ち、賑わった。歌川広重の「道灌山《どうかんやま》虫聞《ちゅうもん》の図」には月を愛で、杯を傾けながら虫の音を聞く人々が描かれている。都市の中で庶民たちも自然を楽しむ豊かな時間を随所で得ることのできた暮らしであった。

このように都市においても、その暮らしの文化全体が自然志向の大変強いものであった。一六八八（貞享五）年には貝原益軒により『日本歳時記』（京都日新堂刊）が著された。植物、天文、地理などの情報や、年中行事、食べ物、衣服など様々な日常生活と季節とのつながりが示されている。季節の移り変りとともに豊かな時間を生きるための手引書となっていく。

こうした都市の中での生活文化における自然志向の一つとして、生の自然を扱った室内の生け花があり、盆景があり、屋外における具体的自然の造景としての庭がある。

6―3　日本の庭に描かれたもの

日本人独特の原始アニミズム的思考を背景に、中国、朝鮮半島から楽園思想としての道教の神仙説、仏教の須弥山説や浄土思想が伝わり、それぞれが巧みに混交し折衷し、共存し、建築とその周りの空間全体が自然のシステムと呼応する楽園思想の場となる。その一部が今日「庭」と呼ばれるものであり、そこにさらなる具象としての楽園が描かれた。

楽園思想が描かれるためには、都市全体が周りの広域な自然のリズムと連動しているばかりでなく、その一角に建造される建築とその周りの空間全体も自然のシステムと呼応することによって、その効果をより強調できる。多くは周りの自然の地形の起伏からくるエネルギーの流れとの関係であるが、さらにもっとマクロな自然との呼応として、多くの古代文明にもみられる、天体の軌道のある特殊な時間との関係を持つ敷地配置がなされたものがある。それが明快に表れたものに、浄瑠璃寺の観音堂と庭園、宇治の平等院の鳳凰堂と庭園などがある。春分、秋分の日は太陽が真東から昇り真西に沈むある特別な宇宙時間であり、太陽の軌道との関係から選択される敷地の、建築配置を含めた全体の空間構成は、自然のシステムを受け取る、宇宙とつながる構造となっている。イギリスのストーンヘンジやマヤの遺跡チチェン・イッツァなど多くの古代文明には、この、春分、秋分や、夏至、冬至の日の太陽との軌道の関係から、宇宙的自然エネルギーを受け取るための空間構成や空間造形が見られる。

楽園思想の実現に適した敷地の選択が行われ、そこにさらなる楽園思想の造景が加わることにより、壮大なスケールでの空間演出が成立する。たとえば安芸の宮島の厳島神社がある。平清盛の時代は、海上の大鳥居をくぐり、厳島神社を参拝することが作法とされていた。

また多治見の永保寺は土岐川の川筋が狭まり、岩盤の間を美しく蛇行する脇に、夢想国師により開山された禅宗の修行の場である。本殿の観音堂脇にも上部から自然の水が流れ落ちる巨大な巌崖があり、それが庭の主景になっている。聖性をもつ厳しい姿の自然の中に身を置くことが修行であり、修行のための施設と場の関係が庭となっている。

都市の中で、自然の再構築が都市文化としての庭として発展し展開していく過程で、磯崎新が『磯崎新と藤森照信の「にわ」建築談議』の「世界模型としての庭」の中で指摘しているのであるが、楽園思想の再現が、直接的天体の軌道や、マクロな環境とのかかわりを持とうとする視点から、禅がもたらした自己内部への視点により、ある限られた区画の中での楽園の構築に向かうという転換が起こるとの解説も一つの視点への気づきを示してくれる。枯山水の庭である。そこに展開する凝縮した造形のすばらしさ、抽象化された自然表現について論ずるのはまたの場にしたい。

さらに楽園は、その後の洗練された自然志向として、万葉集や和歌や漢詩などの歌に詠まれた自然風景の再現や、風光明媚な場所の自然風景の再現、日本国内ばかりではなく中国をも含む「名所」を要約した再現が「見立て」という手法で表現されたエンターテイメントなものになっていく。

宇宙的時間との呼応が洗練されたエンターテイメントなものになる一例で、日本人が好んできたのは月との位置関係である。中秋の名月にその姿をうまくキャッチできる敷地の選択である。京都の東山に月を愛でるために選ばれた慈照寺銀閣は後世の改修で月の光との関係の銀沙灘《ぎんしゃだん》、向月台と呼ばれる興味深い抽象的な庭の造景がなされている。桂離宮は月の桂と呼ばれ、中秋の名月を鑑賞するための適地が選ばれ、月見のための茶屋が庭の中に点在し、庭に月を映すための池の配置や、蹲《つくばい》の配置にまで及ぶ。

洗練された自然の表現には、時間とともに変化することを自然の特質として、人の世のはかなさと重ねあわされて歌や絵画に表現されるものが多くある。生き物を表現の主な構成要素とする日本の庭では、この時間とともに変化することを実際のデザインとして強調して見せる手法も大きな特徴の一つである。私は「時間のデザイン」と呼んでいる。一年の時間変化である春・夏・秋・冬をサクラ、モミジなどの植物で強調する。また悠久の時間は苔や苔むした岩で強調され、生態的変化の時間のデザインということができる。一日の時間変化をデザインとした「汐入の庭」と呼ばれるものもある。

7　庭とは

我々が一般的に論じる庭は、自然を生活空間のそばに再現させる表現空間である。その表現が他の芸術文化と大きく異なるのは、その表現の場である実体空間が生き物であることである。個々の形態も、組み合わされた全体空間も、生き物であるため変化し続ける。他の芸術表現と根本的に異なるのは、その表現される場には、ミクロな環境としての自然の地形、起伏、水分条件、土壌がすでにそこにある。その場はマクロな自然環境としての、それぞれの地域のもっと広域の生態的環境に、さらには地球という惑星に、さらには宇宙にまでつながった場である。そこへ、日本人が原始アニミズム的意味を強く感じる自然の断片である木と水と石などの生きた構成物によって、その場における理想とされる自然が組み立てられる。持ち込まれる庭の構成要素としての石や木や水は、庭の一材料、一断片でありながらも、生きているので、マクロな生命システムと同じ生命システムを自らの中に持っている。一本の木であっても一輪の花であっても、一個の石であってもその中に宇宙と同じ生命のシステムが含まれる。庭の来訪者は表現された自然の一断片、その組み合わせの空間を通じて、自然を文化として熟成してきた様々な物語と出会い、さらにはその背景にある自然のシステムと出会う。自然の一員である自らと出会う。作庭者は、かかわろうとする場が、生き物として変化する自然であることに畏れ、敬いを持ったかかわり方が求められていることに気づく。作庭記の「乞んに随ひて」がすでに答えとして出されていたことに気づかされる。

しかし今日、都市はあまりにも人工的に改変されてしまっており、それぞれの場での自然の気脈が見えず、マクロな自然とのつながり方が見えてこない。たった一つの小さな場であっても、マクロな自然との連動性が持たれていなければ、その空間は生きた空間としての力を持たない。地球的規模での自然環境のダメージが、人間そのものの存在を危うくしてきている今日、自然の気脈としてのミクロな自然、マクロな自然と人がつながることを取り戻したい。しかし人間は自然そのものではない。自然とは何か。人間とは何か。人間存在は、生命の一員である存在であることと、生命からあまりにもかけ離れてしまった存在であることの二面性を持つ。人間の活動によってここまで存在基盤としての自然を損なってしまった今日、その境界をどのように生きるかが今まさに突き付けられているのである。

生態系では緑色植物が生産者であり、その他の生き物は消費者である。日本はその生産者としての森林が今日でも国土の六十六パーセントを占める。さらに農耕地が二十三パーセント。まさに国土がガーデン・アイランドであるという素晴らしい資産を持っているといえる。その中での、人間存在の二面性の境界の在り方を求めたい。自然を司る神との対話のかたちの場、里地・里山における暮らしと文化のかたちの場、都市における自然のかたちの場のすべてを、「にわ」と呼び、今の在り方を問いたい。今こそこれまでにも増して自然と人間の関係の場への問いが必要な時代である。生きて変化し続ける自然との関係の在り方。かかわる側の、これも変化し続ける人間のかかわり方の在り方。ある限られた空間の「庭」を超えて、自然と人間の関係の在り方を「にわ」として問いたい。宇宙史的時間軸の中において、日常の生活空間の時間において。

参考文献

オギュスタン・ベルク『風土の日本　自然と文化の通態』ちくま学芸文庫、一九九八年
川勝平太『ベルク「風土学」とは何か』藤原書店、二〇一九年
篠原雅武『「人間以後」の哲学　人新世を生きる』講談社選書メチエ、二〇二〇年
ハルオ・シラネ『四季の創造　日本文化と自然観の系譜』北村結花訳、角川選書、二〇二〇年
磯崎新『庭園と離宮――雪月花に遊ぶ』講談社、一九八三年
小野健吉『岩波　日本庭園辞典』岩波書店、二〇〇四年
岡田憲久『ニハ・には・庭　人と自然の関係―三つのかたち』名古屋造形大学紀要第二七号、二〇二一年
『庭園学講座28　日本庭園の現在―庭をつくる・守る・育てる』京都芸術大学、日本庭園・歴史遺産研究センター、二〇二一年

おすすめ本

ハルオ・シラネ『四季の創造　日本文化と自然観の系譜』北村結花訳、角川選書、二〇二〇年
磯崎新・藤森照信『磯崎新と藤森照信の「にわ」建築談義』六燿社、二〇一七年
中村良夫『風土自治　内発的まちづくりとは何か』藤原書店、二〇二一年
岡田憲久『日本の庭ことはじめ』ＴＯＴＯ出版、二〇〇八年

前田富士男・正木晃
（テーマ）「都市と環境」
- 田中純先生講話「生態学的都市論における多孔性」
- 梅干野晁先生講話「都市・まち・建築の熱環境の可視化と、建築学とその周辺の現状」
- メンバーとのディスカッション

3．公開セミナー「科学と芸術の交響　時空を超える対話」

開催日時：2021.9.3　18：00～20：30
場所：ハイブリッド開催（日本財団ビル２階大会議室＋Web配信）
総合コーディネーター：酒井邦嘉／モデレーター：正木晃
内容：第１部　能と脳
　　　　　　基調講演 安田登／対談 安田登×酒井邦嘉
　　　第２部　想像力と創造力
　　　　　　講演 安藤礼二／対談 安藤礼二×岡本拓司
　　　第３部　アートとデザイン
　　　　　　講演 前野隆司／対談 前野隆司×梅干野晁

4．書籍「科学と芸術－自然と人間の調和－」

刊行日：2022.2.25
監修：酒井邦嘉
編：公益財団法人 日本科学協会
著者：酒井邦嘉・千住博・曽我大介・正木晃・前野隆司・安田登・
　　　外山紀久子・岡本拓司・前田富士男・松居竜五・安藤礼二・
　　　梅干野晁・田中純・後藤文子・岡田憲久

※役職については開催時の役職を記載しています。
※参加者の名前は、リーダー、サブリーダー、メンバー（50音順）、特別講師の順にしています。

岡田憲久（名古屋造形大学特任教授／景観設計室タブラ・ラサ主宰）
オブザーバー：後藤文子（慶應義塾大学文学部教授）
（テーマ）「建築と庭園」
• 前田富士男先生講話「自然科学と芸術－1960年と2000年の二つの〈転回〉」
• 岡田憲久先生講話「日本の庭－歴史の継承としてのデザインとは」
• メンバーとのディスカッション

第13回科学隣接領域研究会（2020.7.29 Web 開催）
（参加者）金子務・酒井邦嘉・安藤礼二・岡本拓司・外山紀久子・梅干野晁・前田富士男・正木晃
（テーマ）「身体知」
• 正木晃先生講話「マンダラ：視覚化された最高真理」
• 外山紀久子先生講話「歩行について：境界例からのライヴ・アート（生の芸術）考」
• メンバーとのディスカッション

第14回科学隣接領域研究会（2020.10.5 Web 開催）
（参加者）金子務・酒井邦嘉・岡本拓司・外山紀久子・梅干野晁・前田富士男・正木晃
曽我大介（東京ニューシティ管弦楽団正指揮者）
（テーマ）「科学と音楽の邂逅 ～ベートーヴェン生誕250年を祝して～」
• 酒井邦嘉先生講話「言語脳科学と音楽の接点」
• 曽我大介先生講話「ベートーヴェンはなぜすごいのか」
• メンバーとのディスカッション

第15回科学隣接領域研究会（2020.11.9 Web 開催）
（参加者）金子務・酒井邦嘉・安藤礼二・岡本拓司・外山紀久子・梅干野晁・前田富士男・正木晃
松居竜五（龍谷大学国際学部国際文化学科教授）
（テーマ）「いのちと環境」
• 松居竜五先生講話「生命を主体とする哲学－南方熊楠とユクスキュル」
• 安藤礼二先生講話「粘菌・曼陀羅・潜在意識－南方熊楠のエコロジー」
• メンバーとのディスカッション

第16回科学隣接領域研究会（2020.11.26 Web 開催）
（参加者）金子務・酒井邦嘉・安藤礼二・田中純・外山紀久子・梅干野晁・

4．**書籍「科学と倫理－AI時代に問われる探求と責任－」**

刊行日：2021.2.10

監修：金子務・酒井邦嘉

編：公益財団法人 日本科学協会

著者：野家啓一・酒井邦嘉・廣野喜幸・須田桃子・小川眞里子・鈴木邦彦・前野隆司・江間有沙・神崎宣次・村田純一・岡本拓司・正木晃・安藤礼二

〈科学と芸術〉科学隣接領域研究会

1．**メンバー**

リーダー：金子 務（大阪府立大学名誉教授）

サブリーダー：酒井 邦嘉（東京大学大学院総合文化研究科教授）

メンバー：安藤 礼二（多摩美術大学図書館長／同大学美術学部教授）

岡本 拓司（東京大学大学院総合文化研究科教授）

田中 純（東京大学大学院総合文化研究科教授）

外山 紀久子（埼玉大学大学院人文社会科学研究科教授）

梅干野 晁（東京工業大学名誉教授／放送大学客員教授）

前田 富士男（慶應義塾大学名誉教授）

前野 隆司（慶應義塾大学大学院システムデザイン・マネジメント研究科教授）

正木 晃（元慶應義塾大学文学部非常勤講師）

事務局：髙橋 正征／大島 美恵子（会長）

石倉 康弘（常務理事）

浅倉 陽子（業務部マネージャー）

堀籠 美枝子

2．**研究会**

第11回科学隣接領域研究会（2019.11.7 於：日本科学協会会議室）

（参加者）金子務・酒井邦嘉・安藤礼二・岡本拓司・外山紀久子・前田富士男

（テーマ）「科学と芸術」

- 金子務先生講話「身体知とイメージからみる科学と芸術」
- メンバーからの発表とディスカッション

第12回科学隣接領域研究会（2020.1.28 於：日本科学協会会議室）

（参加者）金子務・酒井邦嘉・安藤礼二・前田富士男・前野隆司・正木晃

国立音楽大学音楽学研究室助手（人文系20代）
（テーマ）「研究者倫理」
- 須田桃子氏講話「STAP 細胞事件」
- 酒井邦嘉先生説明「科学者三原則」
- 研究者からの発表「現場からの声」
- メンバーとのディスカッション

第8回科学隣接領域研究会（2019.1.24 於：日本科学協会会議室）
（参加者）金子務・酒井邦嘉
（テーマ）事業計画検討等について
第9回科学隣接領域研究会（2019.4.4 於：日本科学協会会議室）
（参加者）金子務・酒井邦嘉・廣野喜幸・前野隆司・正木晃・
野家啓一（東北大学名誉教授）
（テーマ）「3.11以後の科学技術と社会倫理」
- 野家啓一先生講話
- メンバーとのディスカッション

第10回科学隣接領域研究会（2019.5.14 於：日本科学協会会議室）
（参加者）金子務・酒井邦嘉・安藤礼二・岡本拓司・廣野喜幸・前野隆司・
正木晃
（テーマ）「科学と倫理」セミナー企画検討

3．公開セミナー「未来をひらく科学と倫理」
開催日時：2019.10.26　13：00〜17：00
場所：日本財団ビル２階大会議室
総合コーディネーター：金子務
コーディネーター：酒井邦嘉
内容：第１部　研究者の科学倫理（モデレーター：岡本拓司）
基調講演 野家啓一／ディスカッサント 廣野喜幸
講演 酒井邦嘉
鼎談 野家啓一×酒井邦嘉×廣野喜幸
第２部　未来の科学倫理（モデレーター：正木晃）
講演 須田桃子／対談 須田桃子×廣野喜幸
講演 前野隆司／対談 前野隆司×酒井邦嘉
講演 神崎宣次／対談 神崎宣次×金子務
質疑応答（モデレーター：安藤礼二）

（参加者）金子務・酒井邦嘉・植木雅俊・岡本拓司・前野隆司・正木晃・
廣野喜幸
（テーマ）「科学と倫理の問題をどう考えるか」
• 廣野喜幸先生講話「研究倫理遵守システムの構築」
• メンバーからの発表とディスカッション
第5回科学隣接領域研究会（2017.8.28 於：日本科学協会会議室）
（参加者）金子務・酒井邦嘉・安藤礼二・植木雅俊・岡本拓司・廣野喜幸・
前野隆司・正木晃・鈴木邦彦（米国ノースカロライナ大学医学部
名誉教授他）
（テーマ）「似非科学とロボット倫理」
• 鈴木邦彦先生講話「似非科学と社会倫理」
• 前野隆司先生講話「ロボエシックス（ロボット倫理）人と機械
はどうあるべきか?」
• メンバーとのディスカッション
臨時科学隣接領域研究会（2017.10.27 於：日本科学協会会議室）
（参加者）金子務・酒井邦嘉
（テーマ）今後の研究会について
• 全体の計画と「科学と倫理」の進め方
第6回科学隣接領域研究会（2017.11.13 於：日本科学協会会議室）
（参加者）金子務・酒井邦嘉・安藤礼二・植木雅俊・岡本拓司・廣野喜幸・
前野隆司・正木晃・神崎宣次（南山大学国際教養学部教授）
（テーマ）「宇宙倫理学」
• 神崎宣次先生講話
• メンバーとのディスカッション
第7回科学隣接領域研究会（2018.1.17 於：日本財団ビル2F会議室）
（参加者）金子務・酒井邦嘉・安藤礼二・植木雅俊・岡本拓司・廣野喜幸・
正木晃・須田桃子（毎日新聞科学環境部記者）
研究助成委員：川口春馬（神奈川大学工学部客員教授／慶應義塾大学名誉
教授）
波田野彰（元東京大学教授）
梅干野晁（東京工業大学名誉教授）
若手研究者：4名　※所属・役職・専攻系・年代のみ記載
金沢大学理工研究域自然システム学系生物学コース准教授
（生物系30代）
お茶の水女子大学特別研究員（人文系30代）
東京大学大学院総合文化研究科助教（生物系20代）

3．公開セミナー「木魂《こだま》する科学とこころ」

開催日時：2017.7.2　13：00〜18：30

場所：日本財団ビル2階大会議室

総合コーディネーター：金子務

内容：第1部　ヨーロッパとの対話（モデレーター：岡本拓司）

　　　　　　スピーカー：伊東俊太郎・山口義久・田中一郎・嶋田義仁

　　　第2部　アジアからのメッセージ（モデレーター：酒井邦嘉）

　　　　　　スピーカー：正木晃・植木雅俊・前野隆司・安藤礼二

4．書籍「科学と宗教－対立と融和のゆくえ－」

刊行日：2018.4.25

監修：金子務

編：公益財団法人 日本科学協会

著者：伊東俊太郎・山口義久・田中一郎・嶋田義仁・三村太郎・正木晃・植木雅俊・前野隆司・安藤礼二・荒川紘・武富保

〈科学と倫理〉科学隣接領域研究会

1．メンバー

リーダー：金子 務（大阪府立大学名誉教授）

サブリーダー：酒井 邦嘉（東京大学大学院総合文化研究科教授）

メンバー：安藤 礼二（多摩美術大学美術学部教授）

　　　　　植木 雅俊（NHK文化センター講師）

　　　　　岡本 拓司（東京大学大学院総合文化研究科教授）

　　　　　廣野 喜幸（東京大学大学院総合文化研究科教授）

　　　　　前野 隆司（慶應義塾大学大学院システムデザイン・マネジメント研究科委員長・教授）

　　　　　正木 晃（慶應義塾大学文学部非常勤講師）

事務局：大島 美恵子（会長）

　　　　石倉 康弘／中村 健治（常務理事）

　　　　浅倉 陽子／石倉 康弘（業務部マネージャー）

　　　　豊田 悠也

　　　　堀籠 美枝子

2．研究会

第4回科学隣接領域研究会（2017.4.11 於：日本科学協会会議室）

科学隣接領域研究会の記録

〈科学と宗教〉科学隣接領域研究会

1．メンバー

リーダー：金子 務（大阪府立大学名誉教授）
サブリーダー：酒井 邦嘉（東京大学大学院総合文化研究科教授）
メンバー：安藤 礼二（多摩美術大学美術学部教授）
植木 雅俊（NHK文化センター講師）
岡本 拓司（東京大学大学院総合文化研究科准教授）
前野 隆司（慶應義塾大学大学院システムデザイン・マネジメント研究科 委員長・教授）
正木 晃（慶應義塾大学文学部非常勤講師）
事務局：大島 美恵子（会長）
中村 健治（常務理事）
石倉 康弘（業務部マネージャー）
豊田 悠也
堀籠 美枝子

2．研究会

第1回科学隣接領域研究会（2016.10.14 於：日本科学協会会議室）
（参加者）金子務・酒井邦嘉・安藤礼二・植木雅俊・岡本拓司
（テーマ）「科学と宗教の問題をどう考えるか」
- メンバーによる発表とディスカッション

第2回科学隣接領域研究会（2016.12.21 於：日本科学協会会議室）
（参加者）金子務・酒井邦嘉・安藤礼二・植木雅俊・岡本拓司・前野隆司・正木晃
（テーマ）「私にとっての宗教」
- メンバーによる発表とディスカッション

第3回科学隣接領域研究会（2017.3.3 於：日本科学協会会議室）
（参加者）金子務・酒井邦嘉・安藤礼二・植木雅俊・岡本拓司・前野隆司・正木晃
（テーマ）セミナーについての企画会議

第９章

松居竜五（まつい・りゅうご）

1964年生まれ。東京大学大学院総合文化研究科博士課程中退。論文博士。現在、龍谷大学国際学部教授。2021年度より南方熊楠顕彰館長。専門は比較文学比較文化。著書に『南方熊楠　一切智の夢』（朝日選書、1991年、小泉八雲奨励賞受賞）、『南方熊楠　複眼の学問構想』（慶應義塾大学出版会、2016年、角川財団学芸賞受賞）ほか。

第10章

安藤礼二（あんどう・れいじ）

1967年生まれ。出版社勤務を経て、多摩美術大学図書館長、同大学美術学部教授。専門は文芸批評、日本文化論。著書に『神々の闘争――折口信夫論』（講談社、2004年、芸術選奨文部科学大臣新人賞）、『光の曼陀羅――日本文学論』（講談社、2008年、大江健三郎賞、伊藤整文学賞）、『折口信夫』（講談社、2014年、サントリー学芸賞、角川財団学芸賞）、『大拙』（講談社、2018年）、『熊楠――生命と霊性』（河出書房新社、2020年）など。

第11章

梅干野　晁（ほやの・あきら）

1948年生まれ。東京工業大学名誉教授、放送大学客員教授。専門は、建築学、都市・建築環境工学、環境設計、環境のリモートセンシング、ヒートアイランド現象、都市・建築緑化、クールスポット、パッシブソーラーシステム。工学博士、一級建築士。日本リモートセンシング学会会長、日本赤外線学会会長、日本ヒートアイランド学会会長、日本学術会議連携会員等を歴任。著書に『都市・建築の環境とエネルギー――環境負荷の小さい快適な街づくり』（放送大学教育振興会、2014年）など。

第12章

田中　純（たなか・じゅん）

1960年生まれ。東京大学大学院総合文化研究科教授。専門は思想史、表象文化論。表象文化論学会会長。著書に『アビ・ヴァールブルク　記憶の迷宮』（青土社、2001年、サントリー学芸賞）、『都市の詩学』（東京大学出版会、2007年、芸術選奨文部科学大臣新人賞）、『政治の美学』（東京大学出版会、2008年、毎日出版文化賞）、『デヴィッド・ボウイ――無（ナシング）を歌った男』（岩波書店、2021年）など。フィリップ・フランツ・フォン・ジーボルト賞（2010年）受賞。

第13章

後藤文子（ごとう・ふみこ）

1965年生まれ。慶應義塾大学文学部教授。専門は西洋近代美術史、庭園芸術学。共著に『パウル・クレー』［朝日美術館西洋編２］（朝日新聞社、1995年）、『色彩からみる近代美術――ゲーテより現代へ』（三元社、2013年）、『共感覚から見えるもの――アートと科学を彩る五感の世界』（勉誠出版、2016年）など。

第14章

岡田憲久（おかだ・のりひさ）

1950年生まれ。作庭家。名古屋造形大学名誉教授、景観設計室タブラ・ラサ主宰。著書に『日本の庭ことはじめ』（TOTO出版、2008年）など。日本庭園学会奨励賞（2009年）、愛知県芸術文化選奨文化賞（2011年）、「武田薬品研修所の全体景と石庭－九山八海の庭－」日本造園学会賞（2011年）、「太田川駅前イベント広場」第29回都市公園コンクール国土交通大臣賞（2013年）受賞。

第４章

前野隆司（まえの・たかし）

1962年生まれ。慶應義塾大学大学院システムデザイン・マネジメント研究科教授・慶應義塾大学ウェルビーイングリサーチセンター長。キヤノン、慶應義塾大学理工学部教授を経て現職。専門はシステムデザイン・マネジメント、ロボティクス、幸福学、感動学、協創学。著書に『脳はなぜ「心」を作ったのか――「私」の謎を解く受動意識仮説』（筑摩書房、2004年）、『実践・脳を活かす幸福学 無意識の力を伸ばす８つの講義』（講談社、2017年）、『AIが人類を支配する日』（マキノ出版、2018年）など。

第５章

安田　登（やすだ・のぼる）

1956年生まれ。能楽師。下掛宝生流ワキ方能楽師。関西大学特任教授（総合情報学部）。高校教員であったが、ワキ方の重鎮、鏑木岑男の謡に衝撃を受け、27歳のときに入門。国内外で舞台をつとめ、小学生から大学生までの創作能や特別授業などの能ワークショップ、能のメソッドを採り入れた公演、指導をしている。天籟能の会を主宰。そのかたわら『論語』を学ぶ寺子屋「遊学塾」を主宰し、全国で出張寺子屋を行う。著書に『能 650年続いた仕掛けとは』（新潮新書、2017年）、『野の古典』（紀伊國屋書店、2020年）、『見えないものを探す旅――旅と能と古典』（亜紀書房、2021年）、『三流のすすめ』（ミシマ社、2021年）など。

第６章

外山紀久子（とやま・きくこ）

1957年生まれ。埼玉大学大学院人文社会科学研究科教授。専門は美学、芸術学、芸術文化論。著書に『帰宅しない放蕩娘：アメリカ舞踊におけるモダニズム・ポストモダニズム』（勁草書房、1999年）、共編著に『musica mundana 気の宇宙論・身体論 埼玉大学教養学部 リベラル・アーツ叢書 6』（埼玉大学教養学部・文化科学研究科、2015年）、『老いと踊り』（勁草書房、2019年）など。

第７章

岡本拓司（おかもと・たくじ）

1967年生まれ。東京大学大学院総合文化研究科教授。専門は科学史。著書に『科学と社会：戦前期日本における国家・学問・戦争の諸相』（サイエンス社、2014年）、『近代日本の科学論－明治維新から敗戦まで－』（名古屋大学出版会、2021年）など。

第８章

前田富士男（まえだ・ふじお）

1944年生まれ。慶應義塾大学名誉教授。専門は西洋近代美術史、ゲーテ自然科学、芸術学。著書に『パウル・クレー 造形の宇宙 』（慶應義塾大学出版会、2012年）、編著に『色彩からみる近代美術――ゲーテより現代へ』（三元社、2013年）、共訳に『色彩論 完訳版』（ゲーテ著、工作舎、1999年）、『ディルタイ全集 第５巻／詩学・美学論集』（法政大学出版局、2015年）など。

監修者・著者紹介

監修・第1章

酒井邦嘉（さかい・くによし）

1964年生まれ。東京大学大学院総合文化研究科教授。専門は言語脳科学と脳機能イメージング。第19回塚原仲晃記念賞受賞（2004年）。著書に『言語の脳科学』（中公新書、2002年、毎日出版文化賞受賞）、『科学者という仕事』（中公新書、2006年）、『脳の言語地図』（明治書院、2009年）、『脳を創る読書』（実業之日本社、2011年）、『芸術を創る脳: 美・言語・人間性をめぐる対話』（東京大学出版会、2013年）、『科学という考え方』（中公新書、2016年）、『チョムスキーと言語脳科学』（インターナショナル新書、2019年）など。近著に『脳とAI――言語と思考へのアプローチ』（中公選書、2022年）がある。

第1章

千住　博（せんじゅ・ひろし）

1958年生まれ。日本画家。京都芸術大学教授、元同大学学長。1992年よりニューヨークを拠点に制作活動を行い、1995年ヴェネチア・ビエンナーレにて東洋人として初の名誉賞受賞。大徳寺聚光院本院及び別院襖絵、高野山金剛峯寺障屏画を制作。薬師寺、出雲大社へ奉納。恩賜賞、日本芸術院賞など受賞多数。画集に『千住博 水の音』（小学館、2002年）、『千住博の滝』『千住博の滝以外』（求龍堂、2007年）、『HIROSHI　SENJU』（SKIRAイタリア、2009年）、著書に『美術の核心』（文春新書、2008年）、『美を生きる』（世界文化社、2008年）、『絵が教えてくれたこと』（講談社＋α文庫、2010年）、『私が芸術について語るなら』（ポプラ社、2011年）など。

第2章

曽我大介（そが・だいすけ）

1965年生まれ。指揮者・作曲家。桐朋学園大、ウィーン音大、ルーマニア国立音大等で、ハイティンク、小澤征爾、シノーポリ、ウーロシュ・ラーヨビッチ諸氏に学び、キリル・コンドラシン及びブザンソン国際指揮者コンクール第一位をはじめ、数々の指揮者コンクールで上位入賞。日本、ルーマニアをはじめ世界各地のプロオーケストラにも客演を重ねている。大阪シンフォニカー交響楽団音楽監督、ルーマニア放送響首席客演指揮者、東京ニューシティ管弦楽団首席指揮者を歴任。ルーマニア・ブラショフ市、ブラジル・ロンドリーナ市名誉市民。令和3年度外務大臣表彰受賞。著書に『聴きたい曲が見つかる! クラシック入門 ～毎日が満たされるシーン別名曲』（技術評論社、2016年）、『《第九》虎の巻: 歌う人・弾く人・聴く人のためのガイドブック』（音楽之友社、2013年）など。

第3章

正木　晃（まさき・あきら）

1953年生まれ。宗教学者。国際日本文化研究センター客員助教授、中京女子大学助教授、純真短期大学教授、慶應義塾大学文学部非常勤講師を歴任。専門は宗教学（日本・チベット密教）。著書に『現代日本語訳法華経』（春秋社、2015年）、『性と呪殺の密教』（ちくま学芸文庫、2016年）、『「空」論：空から読み解く仏教』（春秋社、2019年）、『世界で一番美しいマンダラ図鑑』（エクスナレッジ、2020年）など。

装幀　中央公論新社デザイン室

公益財団法人 日本科学協会

1924（大正13）年に発足の財団法人で2012（平成24）年から公益財団法人となる。科学の普及や科学者のあり方を考え「科学と社会をつなぐ」活動を実施。中でも笹川科学研究助成は、若手研究者を中心に他から助成を受けにくい研究を支援する助成制度で、1988（昭和63）年から日本財団の支援を受け実施しており、研究者として自立するための登竜門となっている。

科学《かがく》と芸術《げいじゅつ》
——自然《しぜん》と人間《にんげん》の調和《ちょうわ》

2022年2月25日　初版発行

監　修　酒井《さかい》邦嘉《くによし》
編　公益財団法人《こうえきざいだんほうじん》 日本科学協会《にほんかがくきょうかい》
著　者　酒井《さかい》邦嘉《くによし》／千住《せんじゅ》 博《ひろし》／曽我《そが》大介《だいすけ》
正木《まさき》 晃《あきら》／前野《まえの》隆司《たかし》／安田《やすだ》 登《のぼる》
外山《とやま》紀久子《きくこ》／岡本《おかもと》拓司《たくじ》／前田《まえだ》富士男《ふじお》
松居《まつい》竜五《りゅうご》／安藤《あんどう》礼二《れいじ》／梅干野《ほやの》 晁《あきら》
田中《たなか》 純《じゅん》／後藤《ごとう》文子《ふみこ》／岡田《おかだ》憲久《のりひさ》

発行者　松田陽三
発行所　中央公論新社
〒100-8152　東京都千代田区大手町1-7-1
電話　販売 03-5299-1730　編集 03-5299-1740
URL https://www.chuko.co.jp/

ＤＴＰ　今井明子
印　刷　図書印刷
製　本　大口製本印刷

Published by CHUOKORON-SHINSHA, INC.
Printed in Japan　ISBN978-4-12-005508-9 C0040

中央公論新社の本

科学隣接三部作 1

科学と宗教
対立と融和のゆくえ

金子 務 監修
日本科学協会 編

自然の合理性を信じるか
それとも神を信じるか

ＡＩ（人工知能）の急進展により、科学と宗教の関係は新たな局面を迎えている。両者の「対立と融和」の歴史を辿り、未来を展望するための11の視座。
〈定価 本体２０００円（税別）〉

序　科学と宗教の交錯　金子 務（大阪府立大学名誉教授）

第１部　ヨーロッパとの対話――知と信の原型から

第１章　世界宗教と科学　伊東俊太郎（東京大学名誉教授）
第２章　キリスト教以前の科学と宗教　山口義久（宝塚大学副学長）
第３章　ガリレオ裁判の真実　田中一郎（金沢大学名誉教授）
第４章　乾燥地文明における帝国と宗教の形成　嶋田義仁（中部大学客員教授）
第５章　イスラームと科学技術　三村太郎（広島大学准教授）

第２部　アジアからのメッセージ――こころの深層を巡って

第６章　宗教と科学の融和と拒絶　正木 晃（慶應義塾大学非常勤講師）
第７章　原始仏教における知と信　植木雅俊（NHK文化センター講師）
第８章　脳と心と無意識　前野隆司（慶應義塾大学教授）
第９章　鈴木大拙から折口信夫へ、そして宮沢賢治へ　安藤礼二（多摩美術大学教授）
第10章　日本文化における知と信と技　荒川 紘（静岡大学名誉教授）
第11章　内村鑑三による科学とキリスト教　武富 保（信州大学名誉教授）

（肩書は刊行時）

科学隣接三部作 2

科学と倫理
AI時代に問われる探求と責任

金子 務
酒井邦嘉 監修
日本科学協会 編

「科学者の責任」をめぐる13の視座

大震災、新型感染症などの災厄に襲われたとき、どのように社会の期待に応えるか――。AI、生命科学、宇宙科学の急速な進展のなか、いかなる規範を自らに課すべきか――。

〈定価　本体２３００円（税別）〉

第Ⅰ部　社会に開かれた研究倫理

第１章　３・11以後の科学と倫理　野家啓一（東北大学名誉教授）
第２章　ロボット三原則と科学者三原則　酒井邦嘉（東京大学大学院教授）
第３章　科学者の社会的責任　廣野喜幸（東京大学大学院教授）

第Ⅱ部　これからの生命・AI・宇宙時代に問われるもの

第４章　合成生物学の倫理とデュアルユース性　須田桃子（科学ジャーナリスト）
第５章　感染症の科学と倫理　小川眞里子（三重大学名誉教授）
第６章　遺伝病医療の倫理　鈴木邦彦（ノースカロライナ大学名誉教授）
第７章　ＡＩ時代の科学技術倫理　前野隆司（慶應義塾大学大学院教授）
第８章　「本人らしさ」の探求と演出　江間有沙（東京大学特任講師）
第９章　人類の生存と宇宙進出の問題　神崎宣次（南山大学教授）

第Ⅲ部　文化としての科学倫理思想

第10章　科学の創造性と倫理　村田純一（東京大学名誉教授）
第11章　原子爆弾と「聖断」　岡本拓司（東京大学大学院教授）
第12章　宗教由来の倫理は科学の倫理に応用できるか?　正木 晃（宗教学者）
第13章　エコロジー思想の起源とその両義性　安藤礼二（多摩美術大学教授）

（肩書は刊行時）